国家出版基金项目
NATIONAL PUBLICATION FOUNDATION

“十四五”国家重点图书出版规划项目
国家出版基金资助项目

中国德育研究大系

班级德育研究

总 主 编 | 檀传宝

本册主编 | 齐学红

全国教育科学“十三五”规划课题
国家一般项目“历史文化视域下的师德建设长效机制研究”系列成果
（课题批准号：BEA200117）

長江出版傳媒 | 湖北教育出版社

图书在版编目（CIP）数据

班级德育研究 / 齐学红主编. -- 武汉 : 湖北教育出版社, 2023.12
（中国德育研究大系）
ISBN 978-7-5564-5981-0

Ⅰ. ①班… Ⅱ. ①齐… Ⅲ. ①德育－研究－中国 Ⅳ. ①G41

中国国家版本馆CIP数据核字(2023)第192038号

ZHONGGUO DEYU YANJIU DAXI · BANJI DEYU YANJIU
中国德育研究大系 · 班级德育研究

出品人 方 平
责任编辑 孙艳魁 责任校对 李庆华 封面设计 荆棘设计
版式设计 刘静文 责任督印 刘牧原

出版发行 长江出版传媒 430070 武汉市雄楚大道 268 号
湖北教育出版社 430070 武汉市雄楚大道 268 号
经 销 新华书店
网 址 http://www.hbedup.com
印 刷 湖北新华印务有限公司
地 址 武汉市硚口区长风路 31 号
开 本 710mm×1000mm 1/16
印 张 26
字 数 358 千字
版 次 2023 年 12 月第 1 版
印 次 2023 年 12 月第 1 次印刷
书 号 ISBN 978-7-5564-5981-0
定 价 138.00 元

总　序

重视道德教化、以伦理组织社会，是中国传统文化的显著特点。[①] 新中国成立后，中国共产党继承并发扬了这一优良传统，先后提出了“德育为首”[②]“德育为先”[③] 等命题,并从“落实立德树人根本任务”[④] 的战略高度来定位德育的崇高地位和神圣使命。这既为中国当代德育研究提供了良好的政治条件和社会氛围，也对德育研究提出了迫切的期望和最高的要求。

不同于古代的经验型教育，包括德育在内的现代教育早已是一种以科学研究为基础的专业性实践活动。而德育研究作为一种严肃的学术活动，其目的正在于揭示德育问题、探寻德育规律、建构德育理论，从而引领德育实践。中华人民共和国成立以来，我国德育研究直面社会现实需要，关怀学校德育实践，取得了许多重要成就。70 余年的当代中国德育研究大致经历了批判化改造、灾难性停滞、科学化探索、人性化追求和本土化建构五个不同历史阶段。总体上看，中国德育研究不断拓展研究领域，不断深

---

① 梁漱溟 . 中国文化要义［M］. 上海 : 上海人民出版社 , 2005 : 20 − 21.

② 江泽民 . 在庆祝中华人民共和国成立四十周年大会上的讲话［J］. 党建研究 , 1989 (8) : 2 − 12.

③ 教育部关于整体规划大中小学德育体系的意见［J］. 中华人民共和国教育部公报 , 2005 (6) : 25 − 29.

④ 习近平 . 决胜全面建成小康社会 夺取新时代中国特色社会主义伟大胜利［M］. 北京 : 人民出版社 , 2017 : 45.

化研究主题，已经初步建立了富有中国特色和时代精神的德育理论体系。

一、新中国德育研究不断发展的历史脉络

中国很早就有礼仪之邦的美名。在传统中国社会，道德、政治、教育三位一体，相互为用。几千年的中华文明史，伦理道德、道德教育或道德教化占据了相当重要的位置。

辛亥革命推翻清朝专制统治建立中华民国之后，国人开始了建立新道德的伦理努力和教育尝试。共和国的主体是公民，而公民需要相应的公民道德，公民教育因而是民主政治制度建立的基石。五四运动在呼唤“德先生”（DEMOCRACY）、“赛先生”（SCIENCE）的同时，也没有忘记还有一位“莫先生”（MORALITY）。中国共产党的创始人之一陈独秀先生就曾指出，只有伦理的觉悟才是最后的觉悟。在此背景下，民国时期的德育研究有一定程度的开展，出版了不少著作。[①] 同一时期高校的教育系，也开设了德育原理（训导原理）等课程。有论者据此认为，现代德育论开始在中国建立起来。[②]

随着 1949 年中华人民共和国成立，中国政治、教育、教育研究都进入了新的时代。[③] 社会主义制度的建立，在根本性质与根本方向上提出了告别传统道德、传统德育的新要求，理所当然地要求建立自己的德育理论与德育体系。迄今为止，新中国德育研究历经风风雨雨 70 多年，大体以 1978 年改革开放为界，分为“前三十年”和“改革开放四十年”两个大的

① 主要有：蒋拙诚．道德教育论［M］．上海：商务印书馆，1920；吴俊升．德育原理［M］．上海：商务印书馆，1935；姜琦．德育原理［M］．重庆：柏庵书屋，1944.

② 檀传宝．学校道德教育原理［M］．北京：教育科学出版社，2000：16；郑金洲，瞿葆奎．中国教育学百年［M］．北京：教育科学出版社，2002：288.

③ 陈元晖．中国教育学七十年［J］．北京师范大学学报，1991 (5)：52－94.

历史时期。若进一步细分，则有五个重要历史阶段：批判化改造（1949—1966年）、灾难性停滞（1966—1976年）、科学化探索（20世纪70年代末至80年代）、人性化追求（20世纪90年代）和本土化建构（2000年至今）。

（一）德育研究的批判化改造（1949—1966年）

1949年，新中国成立。中华人民共和国，这个新生的人民政权、社会主义国家，在根本性质上与封建专制社会、资本主义社会存在本质差别。这从根本上决定了必须对那个半殖民地半封建的旧中国进行脱胎换骨的改造。新生的人民政权、新中国的领导人也从不避讳这一点。毛泽东在《论人民民主专政》中明确指出要对反动阶级实行专政，即强制性改造；对人民则用民主的方法，进行教育和改造。[①] 在这样的历史背景下，新中国要建立自己的德育理论与德育体系，首要任务就是改造旧的教育体系，特别是改造旧思想。1949年12月，教育部召开了第一次全国教育工作会议，讨论新中国的教育方针和对旧教育进行改造的问题，强调“把改造思想作为理论学习的直接目的”[②]。

那么，用什么来改造？改造的底气从何而来？

当然是用社会主义思想来改造，用马列主义毛泽东思想来改造。教育的目的是“以社会主义思想教育学生，培养他们成为社会主义社会全面发展的成员”[③]。改造的底气来自共产党领导的中国革命的巨大成功。在大革命时期、土地革命时期、抗日战争时期、解放战争时期，只要是建立了新的革命政权的时期，就有新的道德标准产生，就把整个旧的风俗习惯基本上改变过来。正如徐特立所说：“中国在帝国主义和封建统治下的社会状

---

① 毛泽东选集：第四卷［M］. 北京：人民出版社，1991：1468－1482.

② 冯刚，沈壮海. 中华人民共和国学校德育编年史［M］. 北京：中国人民大学出版社，2010：5.

③ 中央人民政府政务院关于改进和发展中学教育的指示[J]. 人民教育，1954(7)：16－17.

况总是土豪劣绅、土匪盗贼、流氓地痞等，横行乡里，民生不安，国家衰败……大革命，土地革命，到抗日的民族革命，凡是改变了社会关系的地区，即实行了减租减息平分土地以及发扬起广大人民民主的地区，于是社会习惯和个人道德也就来了历史上空前的大转变：犯法作乱的人，很少看见；烟赌盗贼，不禁自绝；以至夜不闭户，一切坏分子都变成劳动者。”① 这种新旧社会的巨变，新旧社会关系的巨变，带来了社会风气的根本好转，带来了个人脱胎换骨的改造。徐特立还对此进行了理论总结，即社会决定人的好坏、善恶。他强调，这种社会决定人性论是符合马克思主义的，因为马克思说“人的本质不是单个人所固有的抽象物”，而是“一切社会关系的总和”。②

德育改造的目的是弘扬共产主义道德，培养共产主义新人，根本方针就是学习苏联的共产主义道德教育。“学习苏联的教育理论和教育经验也是必要的和正确的，……是我们刚开始在全国建设社会主义的时期的必要步骤和有效的方法。”③ 当时被介绍到中国的苏联的道德教育是这样的：一是对劳动采取共产主义的态度，即“劳动是一种荣誉的物事，是一种光荣的物事，是一种勇敢和英雄主义的物事”，而剥削阶级认为劳动是辛苦的、耻辱的；二是培养苏维埃爱国主义精神，即“爱祖国、爱人民、爱光荣的共产党及其领袖——列宁、斯大林，养成随时为祖国的幸福牺牲一切的精神”；三是集体主义的教育，“所谓集体，并不是许多同样的儿童一种简单的机械结合,而是儿童的各种活动建立在同志爱和友爱的基础上”。④ 在“一边倒”的学习苏联的方针下，克鲁普斯卡娅、加里宁、凯洛夫等人的理论被介绍到中国，并风靡一时。

---

① 徐特立．论国民公德：上［J］．人民教育，1950(3)：17－19.

② 马克思恩格斯选集：第一卷［M］．北京：人民出版社，2012：135.

③ 陈元晖．中国教育学七十年［J］．北京师范大学学报，1991(5)：52－94.

④ 王雁冰．介绍“苏联的新道德教育”［J］．人民教育，1950(4)：67－70.

在这一历史阶段，德育理论批判改造的对象主要有两个方面：一是彻底批判中国封建社会的传统道德。因为“无产阶级忠于祖国、忠于人民、忠于党、忠于社会主义事业的道德原则是‘从无产阶级斗争的利益中引伸出来的’”[①]。二是彻底批判以杜威为代表的西方资产阶级的德育思想。因为“杜威关于道德的理论，是帝国主义时期资产阶级用以确立善恶标准和规范人类行为的罪恶工具，是资产阶级统治人民思想意识的理论武器”[②]。“杜威关于道德教育的理论是荒谬而反动的。……是一些资本主义国家进行道德教育的指针；而且就我国而论，由于过去教育深受杜威的影响，……存在着杜威理论的残余毒素；所以对于杜威的道德教育论给以彻底的批判……”[③]

比德育理论、学术上的批判更为猛烈的是舆论上对思想界的批判浪潮。1951 年批判电影《武训传》，1954 年批判胡适，1955 年批判胡风反革命集团，1957 年反右派斗争，1963 年批判母爱教育。在一浪高过一浪的批判浪潮中，德育改造逐渐演变成德育领域的阶级斗争，从而为十年“文革”期间德育及其研究的灾难性停滞埋下了伏笔。

在批判旧世界的同时，也有许多建立共产主义、社会主义道德教育理论的努力。在对社会主义新道德以及中国特色教育路径的探究中，徐特立、王焕勋、黄济、胡守棻等一批教育研究者投入了道德教育的研究。1957 年出版的胡守棻编著的《中小学共产主义道德教育的内容和方法》，可以视为这种努力的突出代表。该书共分四章：第一章说明什么是道德（承认道德是人们共同生活及其行为的标准和规则，特别强调道德是社会意识形态之一），什么是共产主义道德（其阶级本质是工人阶级的道德，是从无产阶级斗争利益中引申出来的，同时也代表着全体劳动人民的利益，“它是

---

① 阎长贵．必须坚决摒弃封建道德：从忠孝谈起［J］．哲学研究，1963 (6)：16 − 25 + 15.

② 滕大春．批判杜威的道德论［J］．哲学研究，1957 (4)：60 − 72.

③ 滕大春．批判杜威关于道德教育的理论［J］．河北天津师范学院学报，1957 (1)：1 − 11.

人类历史上最高类型的道德”“它是未来全人类的道德”[①])，共产主义道德教育的意义和任务是什么。第二章介绍中小学共产主义道德教育的内容(爱国主义、国际主义、爱劳动和公共财物、自觉纪律、集体主义精神、坚强意志与性格)。第三章讲共产主义道德教育的方法。第四章说明各种道德教育的相互联系，以及如何创造性地运用道德教育方法。

（二）德育研究的灾难性停滞（1966—1976年）

1981年党的十一届六中全会通过的《关于建国以来党的若干历史问题的决议》明确指出，“实践证明，‘文化大革命’不是也不可能是任何意义上的革命或社会进步”，而是一场“给党、国家和各族人民带来严重灾难的内乱”。2021年《中共中央关于党的百年奋斗重大成就和历史经验的决议》也明确指出，十年内乱“使党、国家、人民遭到新中国成立以来最严重的挫折和损失，教训极其惨痛”。

由于德育所具有的突出的特殊性，“文化大革命”对新中国的德育事业来说当然更是灾难，学校教育饱受摧残，德育完全沦为“阶级斗争”的简单工具。正如有研究者指出的那样：无情批判、战斗的“革命道德”取代了讲究温良恭俭让的传统道德；人与人之间关爱、诚信、友善等千古流传的道德准则被推翻，团结友爱、助人为乐和勤勤恳恳为人民服务的美德，被斥为缺少阶级观念；公正无私、实事求是、诚实正直的德行，被诬为缺乏革命斗争精神；学校德育对学生提出的那些道德要求，诸如礼貌谦虚、尊长爱幼、遵纪守法及文明行为等，不仅被认为是无关痛痒的“小德”，而且被指为“资产阶级之德”“修正主义之德”。[②]

这一时期德育的一个突出特点是否定个性、否定独立思考，反对个人

---

① 胡守棻.中小学共产主义道德教育的内容和方法[M].上海：新知识出版社，1957：7.

② 蒋制心，张嘉馥.德育概念运用上的混乱应该结束[J].兰州学刊，1980(3)：89－91＋96.

奋斗，倡导禁欲主义。青少年在思想汇报或介绍学习“毛选”的心得体会时，都以自己个人的情感、需要和利益为鞭挞的内容，主张“灵魂深处爆发革命”“狠斗私字一闪念”，把“无欲”“无我”奉为至高的道德大加宣传。[①] 奉行没有“小我”的禁欲主义道德原则被认为是无产阶级道德的本质特点。由于个人的合理利益被完全否定，极端的国家第一、集体至上的观点泯灭了青年一代的主体意识，个人的独立思考被全然否定。

憎恨教育、斗争教育、禁欲教育造成了教育的非人性化。德育事业也因此遭到了严重的破坏。这表现在：其一，师生关系严重扭曲。中国师道尊严的教育传统被推翻，学生在肉体上毒打老师、在精神上羞辱老师的案例层出不穷。有研究指出，中学教师受到的冲击比小学教师大，大部分批斗教师的事件发生在中学。[②] 其二，阶级观点在学生群体之间制造了对立。家庭出身不同的学生、注重学习成绩的学生和追求政治积极的学生之间形成矛盾与对立。其三，在这样一种教育氛围中，学生们是非混淆。在教育与生活中，同情心不再被肯定，善良不再被肯定；无情被误认为革命的坚定性，野蛮被错看作革命者应有的勇敢。一种畸形的情感和道德观形成。

这一时期德育如果说有什么“理论成果”，那就是“阶级斗争德育论”的形成。其主要内容是：

第一，强调道德是阶级的道德，阶级性是道德的本质属性。在阶级对立的社会，“道德始终是阶级的道德”[③]。

第二，教育是为阶级斗争服务的，是阶级斗争的工具。“教育从来就是阶级斗争的工具，我们从不讳言我们的教育是无产阶级斗争的工具，必

---

① 孙少平．十年“文革”时期学校德育的实践特征及其异化[J]．现代教育论丛，1998 (6)：17 − 20 + 16.

② 于珍．“文革”时期农村基础教育的面相：一项口述史的研究[J]．中国校外教育，2014 (21)：56 + 87.

③ 畅广元．“知、仁、勇”是为“复礼”服务的反动道德[J]．陕西师范大学学报(哲学社会科学版)，1974 (1)：39 − 43.

须为无产阶级的政治服务。为了在与资产阶级争夺下一代的斗争中取得胜利，把儿童培养成为共产主义事业的接班人，我们就必须对他们加强无产阶级的阶级教育，抵制剥削阶级思想对他们的侵蚀。”①

第三，学校德育的根本任务是培养无产阶级道德，提高学生的社会主义觉悟。“学生社会主义觉悟的提高，共产主义道德的养成，无产阶级世界观的树立，主要是德育的任务。德育主要是以社会主义、共产主义思想来武装学生的头脑，培养学生的无产阶级的道德品质。”②

第四,学校德育的内容尽管有多个方面,但核心是阶级观点的教育。“归结起来，就是对学生进行马克思列宁主义、毛泽东思想的教育，使学生具有无产阶级的阶级观点、革命观点、群众观点、集体观点和劳动观点……核心就是阶级和阶级斗争的观点。”③

第五，阶级教育的具体内容：其一，使学生具有阶级和阶级斗争的基本认识；其二，让学生了解阶级斗争的历史；其三，使学生了解社会主义时期阶级斗争的实际，增加不断革命的思想；其四，让学生认识国际工人运动和民族解放斗争的情况；其五，教育学生学习、继承和发扬无产阶级的革命精神，培养革命的品质和作风；其六，帮助学生学习运用阶级观点和阶级分析的方法来观察问题，提高阶级觉悟。④

第六，阶级斗争一抓就灵，阶级斗争也是学校德育工作的好方法。由于现实生活中普遍存在着阶级斗争，一小撮阶级敌人企图腐蚀青少年，所以，“发现一条规律，就是学生的思想反复，总是同南京路上阶级斗争的风浪息息相关”⑤。总之，阶级斗争是一门主课，忆比教育（回忆旧社会的

---

① 曾尚友．掌握儿童特点，加强阶级教育［J］．江苏教育，1965 (2)：10 – 12.

② 何辛．学生阶级教育在德育中的地位和内容［J］．学术研究，1964 (1)：48 – 52.

③ 同②.

④ 同②.

⑤ 上海市培光中学党支部．毛主席哲学思想指导我们做好学生思想工作［N］．文汇报，1972 – 12 – 01.

苦难，对比新社会的成就与人民的幸福生活）是一种基本方法，参加现实的阶级斗争是基本途径，学习马列和毛主席著作是学校主导性的课程安排（低年级学习语录，中年级学习马列和毛主席的部分著作和章节，高年级通读《毛泽东选集》和马列部分著作），最终目的是把学生培养成为反修防修的战士。①

（三）德育研究的科学化探索（20世纪70年代末至80年代）

1976年，“文化大革命”结束。在经历了短暂的徘徊之后，党的十一届三中全会决定冲破长期的“左”的错误的严重束缚，把全党的工作重点和全国人民的注意力转移到社会主义现代化建设上来，由此导致了德育价值观的转折，即由德育“为阶级斗争服务”转变为德育“为社会主义现代化建设服务”②。

从教育学界来看，人们最初是通过否定“文革”、反思“文革”来寻找教育发展的方向的。潘懋元先生曾经谈到，“文革”结束后，我国教育界在反思时，提出要研究、探索教育规律，因为“文革”的教训就是不尊重教育规律。③理所当然地，要做好德育工作，就必须尊重德育规律，按德育规律办事。这就是当时理解的德育科学化的内涵。因此在德育理论界，对德育过程规律的探寻成为研究的热点。几乎所有的德育理论研究学者，

---

① 大寨大队党支部.加强党的领导，把学校办成无产阶级专政的工具［M］//瞿葆奎.教育学文集·德育.北京：人民教育出版社，1989：352－359.

② 鲁洁，班华.德育理论在科学化轨道上前进［J］.教育研究，1988（12）：6.

③ 潘懋元.对高等教育若干问题的思考［J］.西北工业大学学报（社会科学版），2018（2）：26－30.

如鲁洁[①]、班华[②]、郭文安[③]、李道仁[④]、涂光辉[⑤]等都先后参与了德育过程规律的研究，仅《教育研究》就先后发表了30余篇相关论文。由此，德育过程规律研究成为改革开放之后我国德育理论研究的第一个高峰，研究内容涵盖德育过程的概念、本质、特点、结构、要素、基本矛盾，中国古代的德育过程思想，苏联的德育过程理论等，特别是把德育过程与人的思想品德形成过程区分开来，把有目的的德育影响与自发的社会影响区别开来。

从目前已有的总结反思改革开放初期德育研究的著述来看，改革开放初期对德育过程理论研究的意义与价值被大大低估了。总体上看，这一研究表达了尊重德育规律、追求德育科学的雄心；表达了不甘心智育第一、德育第二的现实窘境；与当时的学科制度化活动相互促进，促使德育原理成为一门独立的学科（以1989年胡守棻主编的高等院校教材《德育原理》出版为标志）。当时所研究的问题，事实上奠定了德育学科的理论基础，引发了对德育本质、德育功能、德育人性化的研究，具有建构独立的德育学科的建设性价值，并具有德育原理的奠基性价值。

当然，这一阶段德育研究的主题还包括德育与个性发展、德育目标的依据与层次性、德育内容序列化、德育方法科学化等。

---

① 鲁洁．德育过程初探［J］．教育研究，1981 (2) : 56 − 60；鲁洁．试评我国古代教育家有关德育过程的论述［J］．南京师大学报（社会科学版），1980 (3) : 21 − 25.

② 班华．思想品德教育过程［J］．教育研究，1980 (3) : 78 − 83.

③ 郭文安．试论青少年学生的德育过程［C］//北京师范大学教育系资料室．德育过程论文选编，1983 : 23 − 40.

④ 李道仁．试析德育过程的基本规律［J］．教育研究与实验，1984 (1) : 32 − 38.

⑤ 涂光辉．试论德育过程的基本规律［J］．湖南师院学报（哲学社会科学版），1984 (3) : 8 − 12.

（四）德育研究的人性化追求（20 世纪 90 年代）

以人为本是教育的基本逻辑。鲁洁曾经指出："总结……近 10 年来（1988—1998 年——作者注）德育理论的发展，便会发现一个明显的趋势，那就是一方面德育理论继续在科学化的轨道上前进，另一方面表现出人性化倾向，而且二者正在逐渐走向整合。"[①] 班华也曾撰文论述了新世纪德育的人性化走向。[②]

20 世纪 90 年代，德育研究在科学化探索之后，之所以出现人性化的追求，原因是多方面的。

第一，源于从计划经济向市场经济或者商品经济转型所带来的冲击，中国人的人格要求由计划经济下的单位人、被动人、集体人，转向主体人、自由人等。[③] 这是现实生活的需要，是最根本的需要。学术研究的转向是对这种社会现实和社会实践的表达和回应。

第二，源于德育理论界对道德、道德教育本质与功能的创新性认识。鲁洁提出，"道德教育是一种超越"，"道德教育不是对现实的行为与关系的复制与重现，而是按照某种超越于现实的道德理想去塑造与培养人，促使人去追求一种理想的精神境界与行为方式"。[④] 道德不全部是、不纯粹是规定、限制人自己的力量，也是人探索、认识、肯定、发展和创造自己的力量。

第三，源于思想界和学术界关于人道主义的论争，使人和人的主体性成为哲学的主题。人性化是对教育的本质、人的本质认识的提升，是对把

---

① 王啸，鲁洁．德育理论：走向科学化和人性化的整合［J］．中国教育学刊，1999 (3)：17 − 21.

② 班华．德育理念与德育改革：新世纪德育人性化走向［J］．南京师大学报（社会科学版），2002 (4)：73 − 80.

③ 同①.

④ 鲁洁．道德教育：一种超越［J］．中国教育学刊，1994 (6)：2 − 8.

人的本质完全归结于阶级性，把个人完全看作社会的工具、集体的工具的阶级人性论的反对。

因而，在这个时期，“人是主体”的教育思想得以确立，主体性德育思想应运而生。主体性德育认为道德教育应以培养学生主体性道德人格为目标，以人的内在需要为动力，把价值引导与自主建构相结合，在活动与交往中生成主体性道德人格。[①]

这个时期，不仅追求德育的人性化，同时也追求德育的现代化，二者相互交织。教育要现代化，德育也要现代化。[②]学者们批判指出了当时学校德育的低效及无效问题，试图在借鉴西方德育理论与德育实践的基础上勾画出现代德育的理想特征。鲁洁、王逢贤主编的《德育新论》（1994 年）、班华主编的《现代德育论》（1996 年）以及戚万学、杜时忠编著的《现代德育论》（1997 年）等著作或教材，均试图围绕现代德育构建、促进德育现代化的中心议题发力突围。而活动德育论[③]、情感德育论[④]、德育美学观[⑤]等当代中国德育理论的创新与建构也使中国德育研究开始呈现出百花齐放的局面。与此同时，在德育现代化话语的召唤下，西方道德教育的理论与

---

① 肖川．主体性道德人格教育［M］．北京：北京师范大学出版社，2002：152 − 183.

② 班华．近十年来德育思想现代化的进展［J］．教育研究，1999 (2)：18 − 22.

③ 戚万学．活动道德教育论［M］．南京：南京师范大学出版社，1994; 戚万学．活动道德教育模式的理论构想［J］．教育研究，1999 (6)：69 − 76.

④ 朱小蔓．情感教育论纲［M］．南京：南京师范大学出版社，1993; 刘慧，朱小蔓．多元社会中学校道德教育：关注学生个体的生命世界［J］．教育研究，2001 (9)：8 − 12; 朱小蔓．情感德育论［M］．北京：人民教育出版社，2005.

⑤ 檀传宝．德育美学观［M］．太原：山西教育出版社，1996; 檀传宝．让德育成为美丽的风景：欣赏型德育模式的理念与操作［M］．合肥：安徽教育出版社，2006; 檀传宝．美学是未来的教育学：德育世界的探寻［M］．上海：华东师范大学出版社，2015.

实践，如道德认知发展理论[①]、价值澄清理论[②]、建构主义德育理论[③]等也被大量引介到中国，成为中国德育人性化、现代化理论与实践探究的思想资源与历史镜鉴。

（五）德育研究的本土化建构（2000 年至今）

经过 20 多年的改革开放，当历史的车轮跨入 21 世纪时，我国的经济、社会、教育、文化都发生了巨大的变化，德育理论也进入了一个多元化发展的新时期。这是因为：第一，德育理论经过科学化与人性化两个阶段的积累，已经有了比较深厚的基础。第二，世纪之交的基础教育改革为德育理论研究提供了难得的机遇与广阔的舞台（生活德育论大有用武之地）。第三，随着大量的、多样性的西方德育思想、德育理论的引进，我国德育理论研究也在不知不觉中融入了多元化的趋势。第四，社会转型的文化冲突、文化危机导致各种文化思潮的兴起，“这也直接影响了德育理论流派的产生与交替”[④]。

在这一时期，中国德育研究不断回应本土性需要，走上了本土化建构的道路。典型表现有三个方面：

第一，推进中华优秀传统文化研究。经过 20 世纪 80 年代、90 年代的理论储备，复兴中华优秀传统文化已经势不可挡，并从底层走向政策、从理论走向实践，成为主导学校德育的一股重要力量。研究者多认同中华优

---

① 郭本禹．道德认知发展与道德教育：科尔伯格的理论与实践［M］．福州：福建教育出版社，1999；岑国桢．吉利根对道德认知发展理论的修正［J］．心理科学，1992（4）：33 − 37 + 66.

② 冯增俊．价值澄清德育理论述评［J］．海南师院学报，1992（3）：28 − 33 + 43.

③ 肖川．建构主义学习观与学校德育［J］．教育导刊，1998（Z2）：36 − 37；肖川．建构主义与道德教育中的灌输［J］．河北师范大学学报（教育科学版），1999（4）：10 − 15.

④ 叶飞，檀传宝．改革开放 30 年德育理论发展脉络探析［J］．教育研究，2009（1）：19 − 24 + 85.

秀传统文化是中国人的精神家园，在西方强势文化风靡世界的时候，必须要坚持走文化自主路线。[①]有论者认为，2014 年教育部颁布《完善中华优秀传统文化教育指导纲要》，意味着中国的德育指导思想实现了结构性变革，即由 2010 年之前受马克思主义和社会主义道德一元指导的局面，调整为一种复合型建构性的德育指导方针。[②]一些研究者致力于从传统文化中发掘现代道德教育的资源，探讨全球化进程中具有中国本土特色的道德教育。如认为传统道德可贵之处在于其强调精神，道德教育的中国形态应该是精神形态，而非西方的理性形态；强调伦理与天理良知相通，而非理智狡黠的算计。[③]或认为传统"天人合一""仁民爱物"道德观可生发出现代生态道德教育思想。或认为传统道德蕴含丰富的生命教育意识、德性教育传统可资利用，可以将传统美德中的感恩教育、孝道教育、自强教育、责任教育作为突破口，开拓新德育。[④]或主张在教育理论研究中，应以整体的、多视角的范式来实现对中国传统道德文化的多层次、立体式开发与利用，而非简单的、分割的碎片式继承。[⑤]

第二，加强社会主义核心价值观教育。社会主义核心价值观凝聚着社会价值共识，吸纳了世界先进思想，中华优秀传统文化是社会主义核心价值体系建构的前提与基础。社会主义核心价值观明确而完整地回答

---

① 鲁洁 . 应对全球化：提升文化自觉［J］. 北京大学教育评论，2003 (1)：27 － 30.

② 张亚月 . 德育的历史性变革：从政治认同走向社会认同［J］. 中国青年研究，2016 (8)：35 － 40.

③ 樊浩 . 道德教育的"'精神'形态"与"中国形态"［J］. 教育研究，2013，34 (2)：44 － 53.

④ 沈建华 . 传统文化视角下青少年道德教育的活化和链接［J］. 教育研究，2015，36 (11)：25 － 29 + 48.

⑤ 易连云 . 传统道德教育研究的范式转换［J］. 教育研究，2010，31 (4)：30 － 33.

了“教育之道”，表达了中国学校教育的价值立场。[①] 对于教育来说就是要解决好学生的人生价值取向问题。培育和践行社会主义核心价值观需要从理论引领、舆论宣传、文化熏陶、实践养成和制度保障五个维度入手。[②] 社会主义核心价值观应通过具体化、日常化、形象化和生动化的形式引导学生自觉认同。[③] 社会主义核心价值观融入学校教育，应立足于优秀德育教材的开发、高水平师资队伍的建设、德育话语体系的合理转换及德育方式的多元创新。有论者指出，把社会主义核心价值观融入教材，要掌握三种逻辑，即知识逻辑、生活逻辑和教育逻辑，打通三个世界，即符号世界、意义世界和生活世界。[④]

第三，立足于中国学校德育实践场域的多种德育理论应运产生。20 世纪 80 年代以来，中国经济高速增长，取得了举世瞩目的经济奇迹。然而，也产生了环境污染、道德滑坡、贫富悬殊、官员腐败诸多问题。德育研究者们冷静审思伴随着现代化进程而泛滥的经济主义、唯科学主义、极端个人主义、工具理性至上及人类中心主义等谬误[⑤]，凸显生活、情感、生态、制度等过去被忽视、压抑或被边缘化的主题，由此形成了多种德育理论“百花齐放”的可喜局面。除了上一时期出现的活动德育论、情感德育论、德

---

① 杜时忠，曹树真．社会主义核心价值观“进教材”的教育学探索［J］．教育研究，2015，36 (9) : 34 − 39.

② 王琰．将社会主义核心价值观融入高校立德树人全过程的五个维度［J］．思想理论教育导刊，2015 (1) : 124 − 127.

③ 靳玉军．论社会主义核心价值观教育的实践要求［J］．教育研究，2014，35 (11) : 4 − 7 + 15.

④ 同①.

⑤ 鲁洁．教育的返本归真：德育之根基所在［J］．华东师范大学学报（教育科学版），2001 (4) : 1 − 6 + 65.

育美学观继续活跃之外，这一时期新产生的主要德育理论有生活德育论[①]、公民教育论[②]、制度德育论[③]等。

综上所述，新中国成立以来，“前三十年”的德育研究伴随新民主主义革命胜利之后的喜悦与自信，力图改造旧道德、旧德育。它以革命者的姿态，否定中国传统道德文化与德育思想，否定西方近现代德育理论与德育模式，“一边倒”地学习苏联思想、政治与道德体系、教育经验与教育理论，也尝试在德育理论建构上追求中国特色。“文化大革命”期间，由于错误地估计了国内外形势，错误地坚持无产阶级专政条件下“继续革命”的理论，强调“阶级斗争”，最终导致学校德育沦为阶级斗争的工具，德育理论的发展也处于完全停滞的状态。

以改革开放为始的“后四十年”的学校德育研究，则在解放思想的旗帜下，乘改革开放的东风取得了重要进步。其重要原因，一是彻底反思、批判并否定错误的教育理论，二是大胆学习借鉴外国德育研究成果。反思与批判中，最根本的教训就是两条：一是不尊重教育规律；二是不尊重人，

---

① 鲁洁．德育课程的生活论转向：小学德育课程在观念上的变革［J］．华东师范大学学报（教育科学版），2005（3）：9－16＋37；鲁洁．生活·道德·道德教育［J］．教育研究，2006（10）：3－7；高德胜．生活德育论［M］．北京：人民出版社，2005；高德胜．生活德育简论［J］．教育研究与实验，2002（3）：1－5＋72.

② 檀传宝，等．公民教育引论：国际经验、历史变迁与中国公民教育的选择［M］．人民出版社，2011；李萍，钟明华．公民教育：传统德育的历史转型［J］．教育研究，2002（10）：66－69；万明钢．论公民教育［J］．教育研究，2003（9）：37－43.

③ 杜时忠．制度德性与制度德育［J］．教育研究与实验，2002（1）：38－43；刘超良．制度德育论［M］．武汉：湖北教育出版社，2007；杜时忠．制度何以育德？［J］．华中师范大学学报（人文社会科学版），2012，51（4）：126－131＋4；杜时忠．人文教育与制度德育［M］．合肥：安徽教育出版社，2013；杜时忠，张敏．国家道德即德育［J］．教育研究与实验，2013（1）：7－10；张添翼，杜时忠．再论制度何以育德［J］．教育研究与实验，2018（5）：12－15＋25；杜时忠．德育十讲：制度何以育德［M］．武汉：华中师范大学出版社，2019；杜时忠，张添翼．三论制度何以育德［J］．教育学报，2020，16（4）：20－29.

否定教育主体性。对前者的反思，产生了探索教育规律、德育规律，追求德育科学化的思潮，典型表现就是对德育过程规律的研究；对后者的反思，引燃了主体性教育、主体性德育思潮。大胆学习借鉴外国德育研究成果，则给德育研究带来了最新研究信息、理论想象力和世界眼光。当然，当代中国德育研究并不满足于反思过去，更期待未来，不仅借鉴，更追求创新。它既客观理性地批判，更热情洋溢地建设，那就是追求并建构现代化、科学化、人性化的德育理论，并在本土德育理论建构方面收获了累累硕果。毫无疑问，这四十来年是中国德育研究突飞猛进、全面进步的时期，是中国德育学术发展历史上最好的时期。

二、新中国德育研究的重要成就、局限与发展逻辑

新中国德育研究走过了 70 多年不平凡的历程，在思想产出、学科建设、人才培养、实践引领等方面都取得了显著成绩。德育研究获得了独立的学科地位，初步建立起具有明确研究对象、体现时代精神的德育理论体系。与此同时，德育研究也面临着十分严峻的时代挑战，存在着知识体系比较陈旧、研究方法比较单一、原创性成果十分稀少等亟待解决的问题。

（一）德育研究的重要成就

1. 德育研究获得了丰硕的理论成果

新中国成立以来，在 70 多年的理论探索中，不同思想的交锋让中国德育理论研究不断取得进步。在德育研究中实际上存在两种学术争鸣：一种表现为历史性的反思，另外一种表现为同一时期不同理论观点的竞争、交流，最终促成了百花齐放的繁荣局面。特别是 20 世纪 90 年代以来，中国德育研究在不长的时间内，围绕德育本质、德育功能，以及德育与个体、

德育与社会生活的关系等主题开展了有影响力的学术争鸣，彰显了德育研究的学术魅力，提升了德育研究的科学品质，提高了德育研究的学术声誉。

与学术争鸣相伴而生的，是我国德育研究在科学化、人性化论述上的新进展，先后出现了主体德育论、活动德育论、情感德育论、德育美学观、生活德育论、公民教育论、制度德育论等多种德育理论主张。它们从不同的视角出发，运用多种方法，对学校德育乃至社会道德现象和问题进行了深入的研究，各成一家之言，并以各自的方式力图影响和变革学校德育实践。它们深化了我们对德育的认识，丰富了德育理论体系，促进了德育研究的繁荣。

2. 德育研究取得了独立的学科地位

德育逐渐从教育学的一个研究领域，分化发展成为一个独立的二级学科。人们一般在两种意义上使用“学科”一词：一是依学问性质而划分的知识门类，如物理、化学等；二是学校教学的科目，如语文、数学等。无论在哪一意义上，德育科学研究，尤其是“德育原理”，都已经成为教育学体系中一门相对独立的重要分支学科。其主要理由有三：

首先，德育学科是关于德育的学术知识体系，既有明确的研究对象（德育现象或德育问题）[①]，也具备了相应的研究方法（虽无特有的研究方法，但社会科学常见、通用的方法或移植于其他学科的特色方法似乎足以支持德育学科的研究需要），还形成了自己的理论体系。

其次，德育学科是教育学科中的一类教学内容。在高等院校，特别是师范院校或者教育学院中，“德育原理”“德育论”或“德育学”是作为一门课程广泛开设的，德育学科作为一个教学科目是普遍的社会事实。

---

① 班华．略论德育论学科对象与任务的几个问题［J］．教育科学研究，2007 (4)：5 － 9；班建武．“十一五”期间德育学科发展的回顾与总结［J］．教育科学研究，2011 (7)：67 － 75.

最后，德育原理内部，也正在形成一个可观的分支学科群，包含德育主体论[①]、德育过程论[②]、德育课程论[③]等，以及与其他学科交叉而产生的德育心理学[④]、德育社会学[⑤]等。这样，德育原理不仅从教育学母体中分化独立出来，而且成为一个拥有众多分支学科的独立学科群，其学科地位和学科特色日益彰显。

德育研究成为独立的学科体系的突出标志，是德育原理形成了相对完整的理论体系：一是思想观念体系，如道德是可教的，品德发展及道德教育是有规律可循的，德育的本质是一种超越，以道德的制度培养道德的人等；二是概念范畴体系，如道德、品德、德育，直接德育、间接德育、隐性课程意义上的德育，以及品德形成、德育过程、德育实效等；三是教材结构体系，目前已经相对稳定，大体分为“学科总论”“理论基础”“实践应用”等几大部分，具体展开为德育学科论、德育本质论、品德发展论、德育目的论、德育过程论、德育课程论、德育方法论、德育环境论、德育管理论、德育评价论、德育比较论等。

经过70多年的努力，我国建立了自己的德育理论体系。值得一提的是，这不是通过全盘否定中国传统德育文化和接受西方德育理论而实现的，而是更加理性地对待中国传统德育文化和世界先进德育理论。许多学者都主张要实现传统德育的创造性转化，包容、自信地借鉴国外德育理论，从单向度地盲从外国德育理论，到提出教育研究、德育研究的中国化，建立具有中国风格、中国气派的德育理论。

---

① 肖川．主体性道德人格教育［M］．北京：北京师范大学出版社，2002; 于光．德育主体论［M］．北京：中国社会科学出版社，2010.

② 范树成．德育过程论［M］．北京：中国社会科学出版社，2004.

③ 佘双好．现代德育课程论［M］．北京：中国社会科学出版社，2003.

④ 韩进之，王宪清．德育心理学概论［M］．上海：上海人民出版社，1986.

⑤ 鲁洁．德育社会学［M］．福州：福建教育出版社，1998.

3. 德育学科的社会建制逐渐完备

综合经典和现代学科分类理论，可以认为：一门学科的独立或成熟，两个方面标准或条件最为重要：一是专业化的知识建构，如明确的研究对象、行之有效的研究方法和严谨的理论体系；二是制度化的社会建制，如专门的研究机构、专业性的研究共同体、专业研究期刊，以及专门人才培养等。德育学科在制度化建设上从无到有、从弱到强，显示出德育研究得到了越来越多的社会支持和越来越高的社会认可。

70 多年来，中国德育研究共同体日益壮大（2017 年全国专业德育研究者有 70 人左右，关注德育研究的专业研究者约有 500 人[①]），不仅成立了全国性的德育论专业委员会（现为“全国德育学术委员会”）等专业学术团体，而且一些大学还建立了多个专门德育研究机构，如教育部人文社科重点研究基地南京师范大学道德教育研究所、北京师范大学公民与道德教育研究中心、华中师范大学道德教育研究所等，还出现了多种专业期刊，如《中国德育》《中小学德育》《班主任之友》《班主任研究》等。此外，在全国众多的教育学术刊物中，也有为数不少的德育栏目，发表大量的德育研究论文。在德育研究专业人才培养方面，我国从 20 世纪 80 年代开始招收硕士生、博士生，目前已经形成了一个由学士、硕士、博士和博士后构成的完整德育人才培养体系，目前在校研究生约为 1500 人。这既是德育学科兴旺发达的标志，更是德育学科持续发展的根本支撑。

4. 德育研究提升了对于德育实践的影响力

我国德育研究有强烈的实践取向，并体现出鲜明的时代特征。“直面社会现实、关怀德育实践，是 40 年来中国德育学科发展最重要的理论品格。

---

① 刘峻杉，平和光．知识生产视角下我国德育研究的特征与展望［J］．全球教育展望，2017，46 (9)：61 － 72 ＋ 85.

从 20 世纪 80 年代对于基础道德重建的呼吁、世纪之交对于新世纪挑战的思考，到近年对于社会主义核心价值观教育、国际理解教育等议题的集中关注，中国德育理论工作者均及时回应了当代社会对于德育实践变革的迫切需要……”①

德育研究者积极参与国家德育决策，指导中小学德育改革。如主持修订义务教育阶段国家德育新课程标准、主编德育教材、开展学校德育诊断、推动教师德育专业化、通过大学与中小学合作（U–S 协同）推进学校德育深度变革等。在德育理论研究的推动之下，我国学校德育正在发生可喜的变化：由过度政治化的强制灌输式的德育逐步走向科学化、人性化、生活化的德育，由追求不食人间烟火的圣贤道德转变为追求社会正义和社会关怀的现代伦理，从封闭式德育走向开放性德育，从学校德育的教育孤岛走向学校、家庭、社会相互支持的合力德育。

（二）德育研究的现存局限

新中国德育 70 多年的发展，在取得长足进步的同时，也存在一些亟待突破的局限。这集中表现在：

1. 德育研究的学科视野相对封闭

道德现象与道德行为是复杂的，是多学科的研究对象。道德理论研究者往往强调道德是社会行为，忽略道德行为的多学科基础，导致对于哲学、伦理学的研究关注较多，而对生物学、心理学、人类学、社会学、经济学、政治学等相近学科关注较少，对于语言学、美学、艺术等跨学科领域对人类道德行为研究成果则更为陌生。一个明显的证据是，尽管对于哲学、伦理学的新进展相对敏感，但德育研究者也仍然未能敏锐地把握当前人文社

① 檀传宝，陈国清. 改革开放 40 年我国德育学科建设的探索与进步[J]. 中国教育学刊，2018 (10)：28 － 34.

会科学研究范式的转换，对于道德哲学和伦理学、政治学研究中的权力批判和语言转向等还比较漠视。

权力批判的目的是要揭示道德与权力之间的联系，将道德从压制性的意识形态中剥离出来，以防权力借助道德之名畅通无阻。许多研究者批判道德专制与道德灌输，然而其批判的语言依然是大而化之的宏大叙事，未能深入地揭示与批判微观领域中权力运行规则，诸如借用道德之名所实施的隐蔽的性别偏见、歧视、压制以及不平等。哲学和伦理学研究的语言转向,强调思维必须通过语言符号体现,思想的内容受制于说话的方式。同样，研究道德教育问题必须依凭语言来进行，研究所用的概念不清会带来理论混乱。如有人支持道德的相对性，有人反对道德相对主义，有人赞扬消费文化的好处，有人批判消费主义的害处，但道德的相对性与道德相对主义、消费文化与消费主义之间的本质区别是什么，其界限该如何准确划分，则缺乏必要的语言学澄清。对语言缺乏审视，限制了理论研究者之间的对话与交流，使得许多德育理论研究无奈地成了研究者们的“自说自话”。

2. 德育研究的方法论基础相对薄弱

许多德育理论研究者仍然坚守着哲学思辨范式，尤其是受规范伦理学的影响，以直线性演绎逻辑为主，缺乏复杂性、动态性及整体性思维方式，德育研究的方法论基础相对薄弱。表现在：第一，大量研究直接套用哲学、伦理学、政治学的术语与理论来诠释德育问题，对于理论的教育适切性缺乏反思；第二，德育研究注重对道德规范进行合理性论证，轻视批判性思维的培育，也轻视个体道德内化的生成过程；第三，道德哲学—主体维度的研究偏重于道德认知，对于道德情感的研究则相对薄弱。[①]

此外，许多德育研究者往往忽视也窄化了实证研究，习惯于运用问卷

---

① 孙学功．道德情感研究综述［J］．哲学动态，1998 (1)：17－19.

调查去“处理”复杂的德育问题，而对于批判主义与诠释主义视角下的质性研究则相当陌生。与之相对，一些研究者已经用高质量的研究成果证明，质性研究的两种方法——人种志研究和扎根理论，都是可以较好地从经验中通过归纳来建构理论的方法，它们既保留了理论的系统性，又不阉割教育事实的丰富性。

3. 对重大现实问题缺乏道德审视

“道德教育是整个共同体的事业……进而，它对我们有双重意义。它指教育在某种程度上是道德的，所有计划和实施着的教育都努力将所有与道德相关的内容包括在内；它指这样一种教育，旨在提升受教育者的伦理理想，使得他们能够持续地与他人道德地相遇。”① 因此学校教育的伦理基础理应包括自由、公正、民主、关怀、幸福等基本道德价值。这些基本价值不仅是教育哲学、政治哲学的研究领域，更应是道德教育研究者思考的重大问题。德育理论研究有义务追问什么样的教育是道德的，如何以道德的方式培养道德的人，依循这个思路，道德教育研究者对现实的反思和批判力度是不够的。

在教育制度领域，道德教育研究者需要思考如何突破教育制度科层化、等级化、工具理性化的桎梏，将学校建设成为道德共同体以及民主生活共同体②；在教育政策领域，道德教育研究者应审视教育政策的正当性，审视政策制定的程序正义与实质正义③；在教育改革方面，道德教育研究者应批判反教

---

① 诺丁斯．关心：伦理和道德教育的女性路径［M］．武云斐，译．北京：北京大学出版社，2014.

② 金生鈜．为什么要塑造学校的道德文化：学校作为一个道德共同体的再道德化思考［J］．西北师大学报（社会科学版），2005（4）：71－75.

③ 杜时忠，张添翼．教育制度和教育政策的伦理属性及其实现［J］．中国教育科学（中英文），2017（4）：91－105.

育行为的伪改革，将教育的道德标准作为重要的维度纳入评价指标之中[①]。

此外，我国德育研究还存在一些“痼疾”。比如，不少研究者习惯于做当下教育政策的简单诠释，而损害了德育研究应有的科学品质，其结果是德育概念的大而不当、名实不符等问题至今悬而未决。依据我国学校教育的制度安排，德育的外延远远超出道德教育，不仅包含了政治、思想、道德、心理、法治五大内容，而且教育政策上强调的所有不属于智育、体育、美育的教育任务都会归于“德育”名下。为了迁就这一现实，德育原理教科书只好宣称我国的德育是“大德育”。然而在实际的德育研究中，无论是德育理论的建构、德育规律的阐述，还是德育过程的展开，以及学生品德发展规律的论述等，实质内容仍然主要是道德教育而没有包括政治教育、思想教育、心理教育和法治教育。[②]德育概念理解“守一而望多”[③]的原则落实，仍然任重道远。

（三）德育研究发展的学术逻辑

上述成绩与不足同时存在，其中原因值得深思。人文社会科学与研究物质世界、强调事实与规律的自然科学不同，有其自身的学术逻辑，即以人文世界、社会世界为研究对象，关注价值与意义，注重呼应时代精神、回应时代挑战，强调研究活动的社会历史和人文精神属性。德育研究本质上属于人文社会科学研究，有其内在的学术逻辑，有其内部独特的矛盾和困惑要去面对和解决。在学科信念上，是学科独立与学科依附之间的拉锯；在价值取向上，是集体主义与个人主义的博弈；在发展路径上，是西方化与本土化的此消彼长；在研究方法论上，是人文主义与科学主义的融合。

---

① 吴康宁．教育改革成功的基础［J］．教育研究，2012，33（1）：24－31.

② 张忠华．论中国特色的德育概念之研究［J］．现代大学教育，2008（3）：86－92＋113.

③ 檀传宝．学校道德教育原理［M］．北京：教育科学出版社，2000：4－5；檀传宝．德育原理［M］．北京：北京师范大学出版社，2017：4－5.

1. 德育研究的学科信念：学科独立与学科依附之间的拉锯

在教育学的众多二级学科之中，德育研究的政治从属性特别明显。这一特征可能与其研究对象的政治属性有着重要的关联。德育最突出的特点之一是深受政治影响，因为道德与政治之间具有千丝万缕、密不可分的亲缘关系，有的道德要求本身就是意识形态的要求。从理论上讲，道德教化、道德教育是政治实施的基石。[①]在我国传统政治思想中，"修身"一直是"治国"与"平天下"的逻辑起点。今天，"培养什么样的人"依然是教育的核心问题，它决定道德教育的走向。因此，道德教育不应也不可能摆脱政治的影响。

然而，德育研究作为揭示德育问题、探索德育规律的科学活动，毕竟不能直接混同于政治上意识形态的宣传工作，不能满足于对现行政策的简单解释和论证。故如何保持学科的相对独立性，这成为道德教育学者们努力的一个重要方向。鲁洁曾经指出："……基础性的工作，就是努力把德育作为一门学问来研究它，既不是对党和政府的政策的诠释，也不是直观经验的描述。"[②]

改革开放以来，道德教育研究经历了三次重大的主题转换，其中对人的关切一直是不变的价值诉求与研究基点。[③]德育研究者以其对人的关切、对人性的呼唤来建构学科的独立性，来促进学科的原创性。主体性德育、欣赏型德育、生活德育、情感德育、制度德育、公民教育等理论都是围绕着德育的现代化与人性化而进行理论建构的，它们响应了时代精神，试图将德育从政治的附庸变成为人的德育、属人的德育。尽管各自使用的术语

---

① 任剑涛．道德与中国传统政治的合法性［J］．华中师范大学学报(人文社会科学版)，2005 (1)：27 － 34.

② 鲁洁．回望八十年：鲁洁教育口述史［M］．北京：教育科学出版社，2014：233.

③ 胡金木．改革开放以来道德教育研究主题的回顾分析［J］．江苏教育研究，2009 (4)：16 － 18.

不同，但它们的追求完全一致。第一，反对道德教育的专制化、唯知识化、唯理性化，希冀道德教育促进人的完整发展、促进人的美好生活；第二，德育理论研究更多地关注儿童，特别是儿童的解放，更多地借鉴现代道德心理学的研究成果，更多地关注儿童的道德发展与道德学习；第三，追求道德理性、道德自主和道德宽容，而反对道德强制、道德绑架和道德高压。

2. 德育研究的价值主线：集体主义与个人主义的博弈

中国德育研究面临的一个理论难题是在社会日趋多元的环境下，如何重构道德价值，并形成道德共识。新中国成立以后，共产主义、集体主义道德观实际上延续了中国传统伦理观中的整体主义（由家族血缘伦理转到集体组织伦理），如重义轻利、重群轻己的道德价值观。之后，集体主义教育在学校教育实践中产生了异化，否定了个人合理欲望及追求个人幸福之行为存在的价值。[①] 改革开放后，随着市场经济对个人利益的肯定、保障及刺激，义利关系发生了重大的变化与重组，即大众意识形态推崇义利并举，甚至重利轻义。这一过程持续了数十年，使得学校德育面临一个复杂的社会道德环境。社会主义核心价值观的提出，在某种意义上可以看作义利关系重组过程的阶段性完成，自此义利并重、群己和谐应该成为主导的价值观。

在义利关系和群己关系的转型中，道德价值观逐渐突破了传统价值观，走向多元。诺丁斯的关怀伦理的引入[②]，不仅符合中国重视人际关系的传统，而且其充满人性关怀的笔触也填补了康德、涂尔干、杜威理论中忽视个人情感的缺陷，成为教育理论的润滑剂。并且，诺丁斯所代表的女性主义伦理学，对过于注重理性与公正伦理的男性主义伦理学提出了挑战，引入了

---

① 杨建朝．从虚假到真实：集体主义教育反思［J］．教育学报，2011，7 (5)：41 － 47.

② 侯晶晶，朱小蔓．诺丁斯以关怀为核心的道德教育理论及其启示［J］．教育研究，2004 (3)：36 － 43; 孙彩平．在道德关系建构中生成德性：析诺丁斯道德教育的新理念［J］．比较教育研究，2003 (9)：6 － 10.

道德教育的性别视角，进一步推进了道德教育理论的多元化。21 世纪以来，随着社会发展不平衡矛盾的凸显，大众对社会公平的呼声渐高。在这种背景下，罗尔斯的社会正义理论产生了广泛的影响。① 至此，德育理论界基本达成了价值共识，即推崇康德式的道德自由与罗尔斯式的社会正义、涂尔干式的理性权威、杜威式的教育民主与诺丁斯式的教育关怀。自由、正义、理性、民主、关怀已经成为德育学者共同的价值追求，这与整个中国社会转型中的时代精神是相符合的。

3. 德育研究的路径选择：西方化与本土化的此消彼长

中国现代化进程包括现代教育发展中始终有一组基本的矛盾，即如何处理传统文化与现代文化之间的冲突，如何在东方文化与西方文化之间进行取舍。

自五四新文化运动直至整个 20 世纪 90 年代，传统文化都被视为落后文化、黑暗文化而被攻击、被批判。于是，教育现代化的目标一度是科学化与民主化，其过程是不断舍弃传统文化，不断学习、引进和复制西方文化教育。②21 世纪以来，随着经济全球化过程中民族主义的复兴、后现代哲学思想对西方中心主义和后殖民主义的挑战，世界各国的文化自觉与本土化需求变得越来越强烈和深刻，传统文化复兴成为必然的趋势。现代化不是西方化、一元化，而是本土化、多元化。这一趋势同样表现在德育理论研究中。德育理论研究者开始自觉地反思全球经济和信息一体化带来的价值多元与文化多元对道德教育的冲击③，批判现代化对人精神需求的漠

---

① 罗尔斯．正义论［M］．何怀宏，何包钢，廖申白，译．北京：社会科学出版社，1988；赵敦华，江立成．罗尔斯的正义说［J］．求索，1994 (2)：66－68；姚大志．罗尔斯正义理论的道德基础［J］．江海学刊，2002 (2)：37－42.

② 杨东平．艰难的日出：中国现代教育的 20 世纪［M］．上海：文汇出版社，2003：4.

③ 黄书光．全球化时代的学校德育思考［J］．思想·理论·教育，2002 (2)：3－7.

视，自觉地肩负起道德教育研究应承担的社会责任与文化使命。德育研究者业已形成的共识是：德育现代化必然立足于中国大地，必然包含传统文化教育的现代转型，也必然包含德育理论本土化的探索。① 当前对传统德育资源的挖掘，对优秀传统道德文化的重新阐述，对中国特色的德育理论的探索，均属于德育理论本土化的自觉尝试。

4. 德育研究的方法转换：人文主义与科学主义的融合

纵观中国德育研究的主题，经历了从学科本位、主义本位到问题本位的发展历程。20 世纪 80 年代，德育理论研究的重点是探索德育规律，推动学科独立。20 世纪 90 年代,德育理论大量借鉴西方哲学流派和社会思潮，同时，德育各分支学科也开始萌芽，如德育社会学、德育文化学等。及至 21 世纪，聚焦于德育问题的研究更多了，特别是关于德育实效、德育课程、德育改革等实践命题的研究，问题导向得到了前所未有的强调。

从学科本位、主义本位到问题本位，这一过程背后也体现了德育研究方法论的转换。学科本位、主义本位侧重于哲学思辨，主要的研究方法是逻辑演绎，即用某一哲学理论的视角来看德育问题，将其基本原理推至德育研究，其思维方式是整体的、人文的，关涉很多问题，并不聚焦于特别具体的教育实践问题。而以问题为本位的研究，则聚焦于一个个具体的德育问题的解决，常常不拘泥于教育学科，而是用多学科的视野来研究，从而凸显了德育研究的跨学科性质②；或者运用实证研究的方法对问题存在的频率、后果进行揭示，用定量研究方法尤其是以问卷法为主、访谈法为辅来揭示德育问题成为一种普遍的做法；或者用行动

---

① 易连云．全球共同利益视阈下的中小学德育课程改革思考［J］．教育学报，2018，14 (1)：45 － 50.

② 戚万学，唐爱民，韩笑．改革开放 40 年德育理论研究的主题及进展［J］．教育研究，2018，39 (10)：20 － 31.

研究来验证德育理论的效用，用质性研究方法对教育现象的精神意味做更深入、立体的揭示。总体看来，目前中国德育研究在方法论上正在努力超越简单的“主义”与“问题”的二元对峙，逐步走向人文主义与科学主义的深度融合。

以上，我们在回望70多年中国德育的发展历程的基础上，努力总结了中国德育研究的历史、成就与不足以及德育学术发展的基本逻辑。“缺什么，补什么。”这一历史的全面总结，尤其是现存局限的分析，其实已经构成了对未来中国德育研究发展应有趋势的严肃探讨。

当然,任何理论研究从来都不可能没有实体性研究对象或者研究的“质料”。对中国德育研究未来发展方向更为准确的把握，当然还需要从对于新时代中国社会的发展方向以及由这一方向所决定的中国德育发展的逻辑中去获得进一步的深入理解。也就是说，只有清晰了解新时代中国需要有什么样的德育，我们才能更为明晰也更为脚踏实地回答新时代中国德育研究应有的努力方向。

三、时代逻辑的转换与中国德育事业及德育研究应努力的方向

2017年，党的十九大宣布“中国特色社会主义进入新时代”，我国社会主要矛盾已经转化为“人民日益增长的美好生活需要和不平衡不充分的发展之间的矛盾”。[①]与此相应，新时代的中国德育如何为切实解决“人民日益增长的美好生活需要和不平衡不充分的发展之间的矛盾”作出应有贡献？进一步说，依据新时代的发展逻辑，我们需要什么样的德育实践、德育研究？对于这些时代之问题作出全面、认真的回答，实乃新时代中国德

① 习近平.决胜全面建成小康社会　夺取新时代中国特色社会主义伟大胜利［M］.北京：人民出版社，2017：11.

育理论工作者必须承担的重要历史使命。

（一）新时代教育发展逻辑的重要转换

由于改革开放以来中国社会经济的长足发展，我们已经进入了一个“物质丰裕的时代”，而这无疑是新时代教育发展逻辑转换的物质基础。

我们可以 2019 年的经济发展指标为例。这一年，中国有两项发展指标特别具有划时代意义：一是人均 GDP 首次超过 1 万美元（国家统计局的数据显示，2019 年中国人均 GDP 达到 10276 美元[①]）；二是城乡居民平均恩格尔系数（居民食物支出占家庭生活总支出的比重）首次降到 30% 以下（国家统计局的数据显示，2019 年全国城乡居民平均恩格尔系数为 28.2%[②]）。

人均 GDP 首次超过 1 万美元、恩格尔系数首次降到 30% 以下，都是了不起的成就，但对于人民的幸福生活而言，平均恩格尔系数显然更为重要。这是因为国家、社会发展的终极目标都是人民生活的改善，而恩格尔系数所直接反映的，正是人民生活水平的高低。虽然横向比较，我们与发达国家尚有不小差距，现实发展的挑战甚多（如基尼系数居高不下），未来发展也未必会一直一帆风顺，但若纵向比较或做大历史的总体考察，我们仍然要承认一个基本的事实——中国已经进入了一个全新的历史发展阶段：几乎所有国民都摆脱了极端贫困、解决了温饱问题、实现了全面小康，国家在整体上已经进入了一个国民物质生活普遍较为富足的新时代——而这一点具有特别重要的历史意义。因为支持各项事业发展的经济基础日益雄厚，所以我们才有可能、有底气达成许多过去可能难以企及的成就。即便还存在教育质量有待提升等诸多挑战，我国教育事业已有长足的发展就

---

① 据《每日经济新闻》2020 年 1 月 17 日发表的文章，2019 年，中国人均 GDP 首破 1 万美元，GDP 总量与日、德、英、法四国之和大体相当。国家统计局 2022 年 2 月 28 日公布的《2021 年国民经济和社会发展统计公报》显示，2021 年中国人均 GDP 已经达到 80976 元，按当时的年均汇率折算为 12551 美元，已经超过世界平均线。

② 2019 年全国居民恩格尔系数 28.2%　连续 8 年下降[N]. 中国青年报，2020－01－22.

是不争的事实。我们再以 2019 年的数据为例。据有关部门的统计：2019 年，我国九年义务教育巩固率为 94.8%，义务教育普及程度达到世界高收入国家的平均水平；2019 年，我国高等教育毛入学率从 2000 年的 12.5% 提高到 51.6%①，高等教育在校学生总规模超过 4000 万人，实现了从大众化向普及化的历史性跨越，中国已建成世界上最大规模的高等教育体系②……这些成就，无疑都以改革开放以来国家综合国力大幅度提升从而能够有力支持教育事业的发展为基本前提。以国家对教育的投入为例，2012 年以来，国家财政性教育经费支出连年超越 GDP 的 4%，总规模以数万亿元计③。因此，我们完全可以预期，只要国家保持目前的发展势头，不断提升的经济实力、综合国力也必定会在未来支撑中国教育事业的进一步腾飞。

不过，"物质丰裕"的社会对人类发展，尤其是对教育事业的发展的挑战也是空前巨大的。中国教育事业发展从现在开始必须直面的挑战至少来自两个方面：一是教育需求类型的升级；二是社会人口结构的变化。

所谓教育需求类型的升级，指的就是无论受教育者（学生）还是教育者（教师)，大家接受和从事教育的动机类型都已经悄然发生范型上的变化。受教育者，以后当然还会继续考虑教育的工具性价值（如获得文凭、找一份好工作)，但越来越多的人会从过去接受教育的"饥饿逻辑"（如"跳农门"、找工作等）的控制中逐步摆脱出来，更多地关注通过教育去追求修身养性、实现人生梦想等教育的本体性价值。2020 年，湖南省一位贫困家

① 根据美国学者马丁·特罗的研究，以高等教育毛入学率为指标，可以将高等教育发展历程分为精英 (15% 以下)、大众 (15% 至 50%) 和普及 (50% 以上) 三个阶段，当高等教育毛入学率超过 50%，高等教育就进入了普及化阶段。

② 据《2019 年国民经济和社会发展统计公报》，2019 年我国九年义务教育巩固率达到 94.8%。据 2021 年全国教育事业统计主要结果，2021 年我国九年义务教育巩固率达到 95.4%，各种形式的高等教育在学总规模 4430 万人，高等教育毛入学率达到 57.8%。以上数据均不包括我国港澳台地区。

③ 国家统计局数据：2020 年教育经费总投入达 53014 亿元。

庭出生的高分考生不顾网上许多人的劝阻，没有选择更赚钱的金融专业而毅然报考了自己所心仪的考古系，就是一个典型案例。贫困子弟的这一抉择，虽然未必已是普遍现象，但在过去物质匮乏的时代却一定是更难想象的。类似心理需求的变化，在教育工作者身上也呈现出了同样的变化趋势。2015 年河南省一位重点中学教师辞职的理由居然是“世界那么大，我想去看看”，这封“史上最具情怀的辞职信”，当然不是说明教师们以后都不在意薪酬、待遇了，而是意味着在新的历史时期，除了物质上的回报，将会有越来越多的人更倾向于在教育工作、日常生活中寻求生命的安顿、意义的获得。

以上接受、从事教育的动机范型的变化，其实是可以理解的。因为“仓廪实则知礼节，衣食足则知荣辱”（《管子·牧民》）。依据心理学家马斯洛的需要层级理论，当一个人的基础需要获得满足之后，其“优势需要”就一定会转移到对真善美、自我实现等高级需要、超越性需要上去。接受教育、从事教育的心理需求类型变化，或者学习与工作动机类型的变化，正是悄然发生的时代巨变的典型表征之一。就德育而言，获得良好生活所需的道德教养、建构安身立命的价值观念、追求人生的终极意义，同时在社会生活中成为拥有公共参与能力的有尊严的社会主体，对于新时代学习者的重要性将越来越大。

所谓社会人口结构的变化，指的是由于社会经济以及教育事业的迅速发展，我国人口的社会阶层、文化素养等正在悄然发生的结构性变化。首先是中等收入群体（或者中产阶层）的不断壮大。目前中等收入群体有多大，学术界尚有争议，但是改革开放以来中等收入群体迅速发展壮大的趋势，则是大家普遍认可的。而且，只要中国经济、社会继续向前发展，中等收入群体就会不断壮大。中等收入群体，并不只是一个合乎某些财富指标的人群，其突出特征之一就是基本生活问题已经解决，与之相应，心理需要的类型也会随之变革——与获得个体尊严、寻求社会正义等精神需要相关的自由、平等、公正、民主、法治的意识、诉求都会普遍提高。

除了社会阶层结构的变化，还有一项与教育发展直接相关的结构性变化，就是人口文化素养结构的变化——中国受教育人口的比重已经达到前所未有的高度。与新中国成立初期 80% 以上国民是文盲相比较，九年制义务教育已经全面实现、高等教育进入普及化阶段的中国，其人口文化素养结构——其实就是受教育人口占比已经发生翻天覆地的变化。越来越多的国民接受了良好的基础教育、高等教育，固然是我们时代最伟大的成就，也更有利于国家治理现代化的实现，同时，由于“民智已开”，包括教育治理在内的全部社会治理将面临全新的挑战，也是不言而喻的。我们可以肯定地讲，许多不讲公平正义或“不讲道理”的社会治理与教育治理的旧模式必将越来越不合时宜，而社会主义核心价值观所蕴含的自由、平等、公正、民主、法治等精神，将成为我国公民普遍而真实的现实诉求。近年来一些人们过去习以为常的社会“小问题”常常能在一夜之间就迅速形成重大网络“舆情”，重要原因之一，也在于此。

总之，“中国特色社会主义进入新时代”，或者中国进入“物质丰裕的时代”，都已经让国家教育需求的类型、社会大众的结构发生了重要变化。中国教育只能顺应历史大势，努力做出与时俱进的改革。换言之，新时代教育发展逻辑即将发生重要转换——中国教育实践与理论建设一定要有回应“2019 年以后”时代要求的范型之变[①]——以提供优质、公平的教育供给为教育事业发展的基本逻辑。而在德育领域，顺应“物质丰裕的时代”来临的历史大势，我们应该努力做出与时俱进的变革，形成优质、公平的教育供给，至少包括完成在德育主题（内容）、德育形态（形式）两个方面的继往开来与品质提升。

再换言之，依据新时代教育发展的大逻辑，中国德育研究如何为推进德育实践在教育主题（内容）、教育形态（形式）两大转型提供全面、专

---

① 檀传宝.发展范式转型的意味：论“2019 年以后”的中国与中国教育应有的变革［J］.中国教育学刊，2022(8)：64－69.

业的理论支持，也就势必成为新时代中国德育理论建构责无旁贷的使命。

（二）新时代必须坚守的德育主题

1. 加强基础道德教育——讲求基本人伦与道德教养

人类生活有一个重要且普遍的常识：若日常社会生活不讲基本人伦和道德修养，社会成员行为粗鄙，人际以及家庭、社会关系普遍紧张，何谈美好生活？所以，加强基础道德教育，既是教育领域一个千古不变的旧主题，又是“物质丰裕的时代”亟待应对的新课题。

中国是一个伦理型的文明古国，一直有强调基础道德的传统。孟子有云：“恻隐之心，人皆有之；羞恶之心，人皆有之；恭敬之心，人皆有之；是非之心，人皆有之。恻隐之心，仁也；羞恶之心，义也；恭敬之心，礼也；是非之心，智也。仁义礼智，非由外铄我也，我固有之也，弗思耳矣。”（《孟子·告子上》）“四端”说固然重点讲的是仁义礼智的发端，但也同时强调了基础道德发乎自然的“天理”属性。“父子有亲，君臣有义，夫妇有别，长幼有序，朋友有信”（《孟子·滕文公上》）等“五伦”与天理的自觉结合，强化了基础道德教育的重要性。故古代设立学校，“夏曰校，殷曰序，周曰庠，学则三代共之，皆所以明人伦也”（《孟子·滕文公上》）。“明人伦”等道德教育无疑是学校德育的基础或者根本。

“道德教育是学校德育的根本”①其实也是许多西方教育学家的共识。杜威曾经明确指出：“民主政治热心教育，这是众所周知的事实。”“民主主义不仅是一种政府的形式；它首先是一种联合生活的方式，是一种共同交流经验的方式。人们参与有共同利益的事，每个人必须使自己的行动参照别人的行动，必须考虑别人的行动，使自己的行动有意义和方向，这样

① 檀传宝．道德教育是学校德育的根本［J］．全球教育展望，2001 (6)：9－14.

的人在空间上大量地扩大范围，就等于打破阶级、种族和国家之间的屏障，这些屏障过去使人们看不到他们活动的全部意义。”[①] 美国著名的品德教育倡导者里克纳也曾经明确指出："我们民主的奠基人认为，道德教育是我们民主社会得以存在的关键。”“他们的理由是：民主的政府是由人民当家做主，人民自己对社会的自由与公正承担责任。这意味着人民至少在某种意义上说必须是善良的，他们必须理解民主的道德基础，并为之尽责……”[②] 因此他们的一个共同点就在于他们看到了政治教育虽然重要，但必须建立在最基本和最有效的道德教育基础之上。

对于当代中国社会而言，基础道德教育不仅具有永恒的、理论的意义，而且还具有十分迫切的现实意义。这是因为，物质生活的相对富裕会凸显人们对于精神生活的强烈需求。2014 年，人民论坛问卷调查中心曾经进行过一项有关中国“社会肌体健康”的调查（调查对象 8015 人）。据此形成的分析报告显示，超过八成的受访者认为当前中国社会正处于“亚健康状态”（“若请您为当今中国社会的健康程度打分，从 0 到 10，分值越高越健康，您的打分是？”选择 5 分及 4 分以下的各为 24.4% 和 57.7%），网民们认为最大的“社会病”包括：信仰缺失（55.3%，百分比越高意味着越多人认为这是最大的“社会病”）、看客心态（48.7%）、社会焦虑症（44.5%）、习惯性怀疑（40.4%）、炫富心态（38.9%）、审丑心理（36.5%）、娱乐至死（34.3%）……传统中国是一个乡土社会，特别强调以道德和信仰形成社会规范来规约各种利益主体。但这一调查发现，当今社会有高达 88.0% 的人认同（完全认同、比较认同者分别占 60.2% 和 27.8%）“信仰缺失、道德滑坡”是中国当代社会一种普遍的“社会病”。[③] 基础道德本身及其信仰基础的缺失，恰好与先秦儒家、宋明理学建立的基础道德的“天理”“伦常”的论证逻辑

① 杜威．民主主义与教育［M］．王承绪，译．北京：人民教育出版社，1990：92.

② 里克纳．美式课堂　品质教育学校方略［M］．刘冰，等译．海口：海南出版社，2001：5.

③ 数据来自人民论坛问卷调查中心 2014 年 9 月发布的《当前社会病态调查分析报告》。

以及杜威和里克纳的共识走向了完全相反的方向，同时也反映出了日渐富裕的中国社会在精神层面的饥渴状态以及人民群众心理需求的时代转向。

为了因应新时代社会发展趋势和人民群众的精神需要，2019 年 10 月 27 日，中共中央、国务院印发了《新时代公民道德建设实施纲要》。该纲要开宗明义指出："中国特色社会主义进入新时代，加强公民道德建设、提高全社会道德水平，是全面建成小康社会、全面建设社会主义现代化强国的战略任务，是适应社会主要矛盾变化、满足人民对美好生活向往的迫切需要，是促进社会全面进步、人的全面发展的必然要求"，"要把社会公德、职业道德、家庭美德、个人品德建设作为着力点。推动践行以文明礼貌、助人为乐、爱护公物、保护环境、遵纪守法为主要内容的社会公德，鼓励人们在社会上做一个好公民；推动践行以爱岗敬业、诚实守信、办事公道、热情服务、奉献社会为主要内容的职业道德，鼓励人们在工作中做一个好建设者；推动践行以尊老爱幼、男女平等、夫妻和睦、勤俭持家、邻里互助为主要内容的家庭美德，鼓励人们在家庭里做一个好成员；推动践行以爱国奉献、明礼遵规、勤劳善良、宽厚正直、自强自律为主要内容的个人品德，鼓励人们在日常生活中养成好品行。"对于教育工作者来说，这不仅是对社会发展中道德建设的强调，更是对于基础道德教育最为明确的强调。

基础道德教育既是对儿童道德发展逻辑的尊重，也是完整人格建设逻辑的必然要求。因为儿童总是在与身边人友好相处的日常生活中发展其道德的；而没有基本道德人格建设，任何宏大的社会政治理想、价值观念都会失去其有效生长的起码逻辑基础。强调基础道德教育，既是一个超越时空的永恒、普遍的教育命题，也是当代中国德育直面当代中国社会现实精神需要必须作出的理性回答。

2. 开展民主法治教育——协力政治文明建设

"美好生活"一定是共和国每一个公民都拥有人格尊严，合法权利都得到充分保障的生活。因此"不断满足人民对美好生活的向往"，一方面要求大力加强民主与法治建设，建设社会主义政治文明，另一方面则需要扎实开展民主、法治教育，确保公民成为负责任的权利主体、共和国真正的主人翁与建设者。因此，民主与法治教育、社会主义民主政治教育，或者中国特色社会主义的公民教育的开展就是这一美好生活建构的应然之义。

关于人的现代化，美国社会学家阿历克斯·英格尔斯曾经有过精彩的论述。在深入研究西方发达国家现代化进程并考察了第三世界国家现代化发展出现的诸多问题之后，英格尔斯发现：一个国家或企业即使有先进的制度，但如果缺乏能赋予这些制度以真实生命力的广泛的现代心理基础，如果执行和运用这些现代制度的人自身还未从心理、思想、态度和行为上都经历一个现代化的转变，那么就会导致制度的畸形发展甚至失败。再完善的现代制度和管理方式、再先进的技术工艺，也会在一群“传统人”的手中变为废纸一堆。这就是著名的“英格尔斯效应”。因此，英格尔斯断言：“人的现代化是国家现代化必不可少的因素。它并不是现代化过程结束后的副产品，而是现代化制度与经济赖以长期发展并取得成功的先决条件。”[①]

中共中央、国务院于2019年2月颁布的《中国教育现代化2035》明确指出，要“大力推进教育理念、体系、制度、内容、方法、治理现代化，着力提高教育质量，促进教育公平，优化教育结构，为决胜全面建成小康社会、实现新时代中国特色社会主义发展的奋斗目标提供有力支撑”。而与之配套的由中共中央办公厅、国务院办公厅印发的《加快推进教育现代化实施方案（2018—2022年）》所制定的5年教育现代化总体目标则是：“经过5年努力，全面实现各级各类教育普及目标，全面构建现代化教育制度体系，教育总体实力和国际影响力大幅提升。实现更高水平、更有质量的普及，教育改革发展成果更公平地惠及全体人民，教育服务经济社会发展的能力显著提高，社会关注的教育热点难点问题得到有效缓解，多样化可

① 英格尔斯．人的现代化［M］．殷陆君，编译．成都：四川人民出版社，1985：8.

选择的优质教育资源更加丰富，人民群众受教育机会进一步扩大，学习大国建设取得重要进展。”在以上两个文件中，无论是“推进教育理念、体系、制度、内容、方法、治理现代化，着力提高教育质量，促进教育公平，优化教育结构”，还是“教育改革发展成果更公平地惠及全体人民，教育服务经济社会发展的能力显著提高，社会关注的教育热点难点问题得到有效缓解，多样化可选择的优质教育资源更加丰富，人民群众受教育机会进一步扩大”，都说明教育现代化在制度、观念层面均得到了前所未有的强化。这是因为，无论我们的教育现代化在器物层面的进步指标如何亮眼，若教育制度民主与法治水平还不够高，若我们培育的社会主义建设者和接班人还不完全具备独立人格和创造精神、不能积极和理性参与社会治理，若我们不能在制度、精神层面实现彻底的现代化，我们就不可能真正意义上全面实现教育现代化。

若是做国际比较，社会主义民主法治教育、社会主义民主政治教育、社会主义核心价值观教育，其实就是世界各国所说的公民教育。我们与他人的区别，只在于我们的公民教育是中国特色社会主义的公民教育。公民教育所要培育的“公民”，既与“臣民”相对，也与“私民”相对。前者要求社会成员告别等级社会和人身依附，成为民主社会的权利和责任主体，因此公民教育的核心内容就必然包括自由、平等、公平、正义、民主、法治等；后者要求受教育者告别自给自足、不问政治的小农人格，成为有责任感、有能力参与社会治理的社会成员，因此公民教育的内容就必然包括道德责任、法治精神、爱国、敬业、诚信、友善等。无论中外，公民教育的目的，都在于促进受教育者健全的公民身份（Citizenship）的建构，从而在人格上告别人身依附和小农人格，实现人的现代化。正是在这个意义上，公民教育是现代教育性质的体现，是现代教育的目的性要求，因而公民教育意味着“全部教育的转型”[①]。当然，中国公民教育是中国特色社会主义公民教育。

① 檀传宝．论公民教育是全部教育的转型：公民教育意义的现代化视角分析［J］．安徽师范大学学报（人文社会科学版），2010，38 (5)：497 – 503.

教育即生活。要实现人的现代化、培养现代公民，不仅需要设置如“道德与法治”“思想政治”等专门的德育课程，还需要系统“重构学校制度生活”。因此加强学校制度建设以及开展与之相应的制度德育，就成为加强民主与法治教育的必然选择。依据制度德育论的理论主张，第一，“制度是教育资源”，应当彰显学校制度正向的多方面的育德功能；第二，“制度是教育过程”，应当确立优良学校制度的品质，对现行学校制度进行批判性审视，建构公平正义、民主平等、自由发展的学校教育制度，把制度建构活动变成教育过程；第三，“制度是生活方式”，应当把成文的制度规定与有组织的制度活动，通过内化与外化双向机制，变成稳定的制度化行为模式，化为学校制度生活，通过学校制度生活来培养学生品德。[①] 从本质上看，制度德育论是从学校制度重建、优化的角度主张加强教育生活意义上的民主与法治教育。

3. 推进“人类命运共同体”教育——促进全球公民责任和团结

当代社会，人类生活已经是一个相互依存的整体。一国人民的“美好生活”，一定与其他国家有直接和间接的关联。所以近年中国一直大力倡导构建“人类命运共同体”（a Community of Shared Future for Mankind）。“人类命运共同体”这一理念的提出，既是为了维护中国人民的尊严，维护国家的核心利益、主权、安全及发展，也是为了更好地承担国际义务，反对单极化霸权，推动建立更加公平正义的全球治理新秩序。“人类命运共同体”，是一种政策宣示、一种社会理想，更是一种客观现实。[②]

“人类命运共同体”理念之所以成立，首先是因为世界经济的“全球化”

---

① 杜时忠．制度何以育德？［J］．华中师范大学学报（人文社会科学版），2012，51（4）：126－131＋4.

② 据中国外文局当代中国与世界研究院2020年9月15日发布的《中国国家形象全球调查报告2019》，已有六成以上海外受访者认可“人类命运共同体”这一理念对个人、国家、全球治理的积极意义。

已经是一个具有突出现实性、普遍性的客观事实与发展趋势。市场经济的发展已经使得全球化市场成为当代各国经济面临的客观现实，产业、市场、资本的全球化分工会使得资源配置更好地实现优势互补，世界经济的发展也更有效率与活力。所以尽管在理论上一直存在对于全球化进一步加剧了国家间的贫富差距，加重资本对于普罗大众的经济剥削、政治压迫，导致政治、文化、生态危机日益严重等广泛的批评，尽管近年一些发达国家出于一己之私也采取了许多“逆全球化”的政策干预，经济全球化仍然是一个不可阻挡的历史潮流。

经济全球化除了使得世界变小、成为“地球村”，还加快了科技、文化、教育的交流，互联网的产生与发展，新媒体尤其是智能化的社交媒体的涌现和全球化覆盖，也使得整个世界在信息交流方面实现了前所未有的相互开放，而更加开放的世界反过来又使得全球化的范围和程度不断加深，“人类命运共同体”建构的现实性也因此得到进一步强化。

此外，当代世界还面临着许多亟待解决的现实问题，如战争与冲突、环境和气候问题、发达国家与发展中国家的贫富差距等。这些问题也都具有全球性，非一个国家或者某一国家集团可以单独解决。因此，各国如何和平相处、各国国民如何作为“全球公民”参与国际秩序的重建，迫切需要我们努力在德育上开展“人类命运共同体”意识的教育或者“全球公民”身份的培育。

联合国教科文组织 2015 年发布的《反思教育：向“全球共同利益”的理念转变》（*Rethinking Education: Towards a global common good*, 2015）[①] 明确指出，虽然“目前关于公民的定义仍以民族国家为核心，但在全球化

① 中文版已经由教育科学出版社于 2017 年出版。原文“common good”应译作“公共善”而非“共同利益”(common interest)。公共善着眼于社会正义，共同利益强调利害关系。联合国教科文组织的这一报告强调应该重新思考教育的使命，将教育视作在全球范围内促进公平正义、培育全球公民身份的事业。

的影响下，这种概念和相关做法正在改变”[①]。跨国社会和政治共同体，民间社会和行动主义都是新型“后国家”公民的表现形式。全球化创造出了超越民族国家的新型经济、社会和文化空间，正在促成超越民族国家界限的新的身份认同和动员模式。而“国家教育”面临挑战，人类社会要“重新思考多元互联世界中的公民教育”。[②]

超越民族国家层面的“人类命运共同体”教育，与国际上通行的“全球公民教育”（Global Citizenship Education，简称 GCE）相通。总结联合国及世界各国全球公民教育的政策与实践经验，为了真正“促进全球公民责任和团结”，“人类命运共同体”教育，或者“全球公民教育”至少应当包括如下几个重要的教育主题：第一，文化理解与和平教育。第二，经济发展与可持续发展教育。第三，全球治理与公民的建设性参与。

以上基础道德教育、民主法治教育、“人类命运共同体”教育，刚好构成了一个由近及远的逻辑系列。只有在教育内容上不断扎实强化这些主题的教育，我们的世界才可能更加美好，中国德育也才能满足人民群众对于美好生活的向往。但无论是基础道德教育、民主法治教育还是“人类命运共同体”教育，在内容选择、界定和有效开展上，都有许多需要德育理论工作者勇敢面对、深度回应的重大课题。

（三）新时代应当建构的德育形态

实现优质、公平的教育供给这一新时代中国教育事业发展的基本逻辑，不仅要求有高品质的德育内容安排，也要求有高品质的德育形式保障。让中国德育在教育形态上更加美好、让新时代少年儿童有更多接受优质德育

---

① 编译自 TAWIL S. Education for ‘global citizenship’: A framework for discussion［C］// ERF Working Papers, Series No. 7. Paris: UNESCO, 2013.

② 联合国教科文组织 . 反思教育：向“全球共同利益”的理念转变［M］. 联合国教科文组织中文科，译 . 北京：教育科学出版社，2017：57.

的幸福感，具体说来，让中国德育成为专业的德育、审慎的德育、美好的德育，理应成为新时代德育形态变革的主要方向。

1. 让德育成为专业的教育——对德育规律的严格遵循

立德树人是教育的根本任务，故在教育上“人民日益增长的美好生活需要”也就自然表现为人民群众对于德育实效提高的广泛期待。而要让中国德育实效提高、让德育形态更为美好，这就需要严格遵循德育的客观规律，实现经验型德育向专业化德育的历史转型。

首先，由经验型德育向专业化德育的历史转型，要求德育实践充分尊重儿童道德发展的客观规律。

关于儿童的道德发展，劳伦斯·柯尔伯格（一译科尔伯格）曾经在道德认知发展上有过经典的描述。柯尔伯格不仅通过实证研究归纳出了儿童道德判断三水平（前习俗、习俗、后习俗）、六阶段（奖惩与服从定向、工具主义的相对主义定向、好孩子定向、法律与秩序定向、社会契约定向、普遍伦理原则定向）的发展轨迹，而且通过图利尔等人的试验得出结论：发展性道德教育的第一个心理学原则是，儿童只能同化在发展意义上合乎他们自身水平的那些道德说理；第二个心理学原则是“道德发展上的向前运动不仅依赖于向儿童揭示下一阶段的思维，而且要使儿童体会到运用他们自己当前的思维水平到道德问题情景中发生认知冲突的经验，如果经验不到足够多的认知冲突和不确定性，道德发展就不会发生”。[①] 柯尔伯格的道德认知发展理论及其生发出来的两难讨论、公正团体等德育方法至今仍然有重要的应用价值。当然，儿童道德发展并不只有道德认知发展一个维度，精神分析理论、社会学习理论、积极心理学等许多品德发展理论都从

---

① KOHLBERG L.Cognitive-developmental theory and practice of collective moral education［M］// WOLINS M, GOTTESMAN M. Group care: the education path of youth aliyah. NY: Gorden & Breach,1971 : 367.

人格发展、道德情感、亲社会行为等方面补充了儿童道德发展的其他维度。即便是儿童道德认知发展理论本身，通过图利尔、努奇等人的努力，也发展出了社会认知领域理论，将道德发展领域与社会习俗、个人生活领域的发展严格区分开来，人们对儿童道德认知发展图景的描绘也越来越具体、准确。吉利根、诺丁斯等人则以他们在关怀教育理论上的杰出贡献，从性别视角补充了我们对于儿童道德发展的认识。道德发展理论的不断发展已经告诉我们的基本常识是，儿童道德发展的阶段性特征是客观存在的，发展的逻辑也是有规律可循的。而要求得德育实效提升，教育实践只能遵循这些规律。若我们将“德育”定义为思想、道德、法治、心理教育等更广泛的领域，则思想、道德、法治、心理教育等教育实效提升的前提，也一定是对儿童思想、道德、法治、心理发展实际与客观规律的敬畏与遵循。

其次，由经验型德育向专业化德育的历史转型，还要求德育实践充分尊重德育活动的客观规律。

在当代中国德育实践探索中，德育的课程改革一直是德育实践改进的重点领域，而德育课程改革的一大进步，就是在课程理念上对于德育规律的尊重。其中最重要的就是鲁洁所倡导的“生活德育”理念对于课程改革的巨大贡献。鲁洁指出：“道德学习的本质，不是知识学习，而是生活的、实践的学习。”① “当代的教育却无视道德之知的实践特性，同其他知识一样也把它放在科学理性主义的过滤器中筛选成普遍化、客体化的知识，彻底割断了它长在母体身上的脐带，断绝了它与生活实践的联系，也就使它再也回不了自己的家。”② 因此，“新德育课程的基本理念是回归生活。德育课程要‘源于生活，通过生活，为了生活’，在课程的实施中，不仅要关注课程的内容贴近生活，

① 鲁洁．江苏社科名家文库：鲁洁卷［M］．南京：江苏人民出版社，2015：18.

② 鲁洁．边缘化　外在化　知识化：道德教育的现代综合症［J］．教育研究，2005(12)：11－14＋42.

还要努力促使课程学习能真正改变生活”[1]。德育课程改革的具体目标应当表现为“道德观：从知识道德向生活道德转变”“课程观：从唯知识论走向生活经验论”“学习观：从单向传输转向交互作用”[2]。

不管德育课程标准与课程实践如何发展，我们可以肯定的是：不仅德育课程，而且全部德育实践，在坚持中国特色社会主义德育方向的同时，如何克服德育内容“假大空”、德育方式“强制灌输”等违背规律的德育惯习，始终是中国德育追求进步的重要方向之一。

再次，由经验型德育向专业化德育的历史转型，在教育实践上必然要求德育工作专业化水平的全面提升。

“德育专业化”既是历史的趋势，也是逻辑的必然。在进入现代社会之前，包括德育在内的所有教育活动都是经验型的。从事个体化教学工作的教师，其教育实践与手工艺人师傅带徒弟的模式并无本质差异。其基本逻辑在教育内容上都是“会什么，教什么”，在教育形式上也都是借助经验探索教育的有效性。尽管中外都不乏杰出的教育家和教育思想家，但是他们的教育实践、教育理论都是经验性的探索。以机器大工业为代表的现代生产的迅猛发展以及义务教育普及运动所催生的大规模学校教育，特别是“师范教育”的产生，是经验型教育到专业化教育的一个重要分水岭。师范院校的产生，意味着人类社会在制度上认可了教育工作两种专业性：一是在教育内容上，现代科学各学科知识意义上的“学科专业性”得到进一步认可；二是在教育方式上，教育学、心理学、教学法等所代表的“教育专业性”得到了体制性的认可。如果说“学科专业性”是旧式教育“会什么，教什么”逻辑的延续与升级，那么“教育专业性”则是现代教育与古代教育的根本区别所在。从此，包括德育在内的全部现代教育，都必须

① 鲁洁．江苏社科名家文库：鲁洁卷［M］．南京：江苏人民出版社，2015：18.

② 鲁洁．德育课程的生活论转向：小学德育课程在观念上的变革［J］．华东师范大学学报（教育科学版），2005 (3)：9 − 16 + 37.

兼顾“学科专业性”和“教育专业性”。在这一意义上，现代教育、德育必须实现由经验型到专业化的范式变革，当然就是一个历史的必然。

之所以说“德育专业化”不仅是历史的趋势而且也是逻辑的必然，还因为：若全部教育都要承认“学科专业性”和“教育专业性”，实现由经验型到专业化的范式变革，德育作为教育的“根本任务”当然也要完成这一历史的转型。而要完成这一历史转型，德育就必须在研究、决策和教师的德育专业化等方面做出应有的努力。

完整的“德育专业化”无疑应当包括德育研究的专业化和德育决策的专业化。因为没有研究的专业化，德育决策及实践就没有“专业”的基础，专业化也就无从谈起。而德育决策的专业化则是德育事业专业化发展的关键。因为没有对于儿童道德发展规律的把握，没有对于德育原理、德育规律的尊重，就不可能有教育政策所追求的德育实效的取得与提高。“文革”时期一些政策对于德育规律的否定直接导致了德育内容的混乱以及德育方式非理性，其结果是灾难性的。“文革”结束后，“五讲四美三热爱”运动在全国范围内广泛开展，其实就是因为绝大多数国民已经意识到基本德性丧失的灾难性后果。20 世纪 70 年代末 80 年代初出现的青年一代的“信仰危机”更是意味着强制灌输无法建构真正的信仰。而新世纪伊始开启的德育课程改革之所以取得重要进步，最为根本的经验无疑也是教育决策对于德育专业或德育规律的应有尊重。

“德育专业化”还应当包括教师德育专业化。① 迄今为止，日常教育生活中人们常常将教师专业化理解为课程、教学意义上的专业化，这是一个严重的“概念的缺损”。其结果，“一方面，教师大学毕业拿到教师资格证书时基本没有学习过如何进行德育，在继续教育过程中对德育的学习也是偶然和不系统的，故所有教师都在以‘摸着石头过河’的方式

① 蓝维．德育专业化的关键：德育教师的专业发展［J］．教育研究，2007 (4)：26－27.

从事德育；另外一方面，现代教育与心理科学已经在德育理念、德育基础理论、德育策略与技能、品德及德育心理等许多维度都累积了十分丰富的研究成果，但这些成果只在教育研究者圈子里面循环，而较少与一线教师和其他实际教育工作者联系”[①]。因此，如何分门别类让所有实际承担着德育使命的从教人员都获得相应教育岗位所必需的德育观念、德育理论与德育事务等方面的专业知识与能力，是新时代中国教育事业尊重德育规律，实现德育实效、品质提升的关键之关键。

2. 让德育成为审慎的教育——对后真相时代的理性应对

当前，由于经济全球化的不断深化以及媒介生活形态的突飞猛进等原因，社会生活的复杂性、价值观的复杂性都已经空前提高。如何应对“后真相时代”的挑战成为全球性话题。

2016 年，《牛津英语词典》将“后真相”（post-truth）一词选为年度词汇，并将之定义为“诉诸情感与个人信仰比陈述客观事实更能影响民意的一种情形”。尔后《经济学人》在一篇文章中将“后真相”解释为：“真相并未被篡改，也未被质疑，仅仅是变得次要了。”[②] 也就是说，“后真相时代”的公众在求真相没有希望的情况下，往往不再“较真”，人们更趋向于相信他们在情感上愿意相信的“事实”。概括说来，“后真相时代”的突出特征有二：一是由于种种原因，尤其是基于各种利益的考量，与过去相比，当代社会已是一个真相更难把握的社会；二是由于媒体发达、信息爆炸，人类很难像过去那样轻易获得真相，因此许多人便“方便行事”“反求诸己”，只相信自己愿意相信的“真相”。后者不仅让形形色色的民粹思维大行其道，也让真相的求索、共识的形成变得更为困难。而“未经反思就接受的观点

---

① 檀传宝．再论“教师德育专业化”［J］．教育研究，2012，33 (10)：39 － 46.

② NOGUEIRA J. Post-truth politics : art of the lie［J］. The Economist，2016 (9)：a27 － a33.

和草率作出的决定有可能给我们的家庭、朋友、同事、社会、环境以及星球造成破坏性的灾难”①。

虽然“后真相时代”的到来,也有碍于自然世界里真相的发现,但是“诉诸情感与个人信仰比陈述客观事实更能影响民意的一种情形”肯定更多地发生在社会领域，尤其是价值观及其教育领域。故在当代社会，德育不可避免地面临两大维度的时代挑战。

首先是在教育目标、内容上，当代德育会面临不同价值观的同台竞技，其次是德育的形式方面，如德育的方式、方法等，同样会在不同制度、不同意识形态的国家间竞争，这都要求德育能够帮助道德学习主体在复杂的当代社会生活中作出明智且经得起考验的价值选择。此外，在“后真相时代”，人们对情感与信仰的服膺往往超过了对事实真相的究问。批判性思维有助于人们基于事实追求道德生活的真相。故在“后真相时代”，德育要理性应对上述挑战,批判性思维(Critical Thinking,又译作“审慎性思维”)就显得前所未有地重要。

所谓批判性思维，不过是“做出有目的、自我监督的判断的过程”，是“就观点和行为建构一个合理且公正的判断”。②批判性思维的关键能力，包括质疑能力和理性思考能力。③与彼得·法乔恩的前述定义相似，诺希克列举过另外三个有代表性的定义：“批判性思维是合理的、反思性的思考，着重于决定相信什么或做什么”(来自恩尼斯);“批判性思维是熟练的、可靠的思考。因为它对背景很敏感，依赖于标准，并且是自动调整的，所以有助于形成有效的判断”(来自李普曼);“批判性思维是你

① 法乔恩.批判性思维:思考让你永远年轻[M].李亦敏,译.北京:中国人民大学出版社,2013:6.

② 同①7.

③ 美国学者恩尼斯的观点,转引自 COTTRELL S.批判性思考:跳脱惯性的思考模式[M].郑淑芬,译.台北:寂天文化,2007:12.

在思考的时候，考虑自己的想法，以使自己更好地思考”（来自理查德·保罗）。[①]

批判性思维所要求人的，不过是严肃反思自己的判断和行动，不过是“讲理”（reasoning）——依据“理”（依据可靠标准并推理）、“据”（客观事实）作出理性的抉择并服从真理。批判性思维是一种明智的思维方式，其本身并不等同于某种道德上的善或恶。换言之，一些邪恶之徒也可能具有某种批判性思维的能力并让这一能力为犯罪服务。但对于德育而言，批判性思维要求分析信息来源与背景，依据一定标准，通过重新组织概念、展开逻辑推理，从而合理反思、评估所获取的信息及其附着的价值观，这不仅会帮助个体获得事实意义上的真相，更有利于帮助个体在置身于价值信息的洪流时能够以公正客观的态度作出理性的道德判断，避免无意中被未经反思的道德情感带来的猛烈冲击俘获而成为无脑的“乌合之众”。很显然，当代人要在纷繁复杂的价值世界中真正安顿自己、安顿年轻一代的精神生命，与其在眼花缭乱的价值观面前无所适从，不如在德育实践中强化批判性思维的培育，让德育对象在“风吹雨打”中自由、理性地选择并牢固建构起自己的价值观。由于批判性思维具有特别强调反思、强调标准、强调真实、强调理智等特性[②]，批判性思维的培育当然也一定会让合理的德育活动在内容、形式的竞争中拥有更强大的竞争力。

“物质丰裕的时代”和“后真相时代”无疑是同一个时代。前者意味着精神需要的凸显和德育对于这一需要高质量回应的必要；后者则要求高品质的德育，应该将批判性思维纳入日常德育生活，不仅提升德育的实效，而且因为实效的获得而让德育对象体会自主、自由地接受德育的美好。

---

① 诺希克．学会批判性思维：跨学科批判性思维教学指南［M］．柳铭心，译．北京：中国轻工业出版社，2005：2.

② 同①3－5.

3. 让德育成为美好的教育——主体自由的真正实现

如果用发展批判性思维的方式去应对“后真相时代”的德育的挑战是一种相对“防守”的策略，那么更为积极的教育战略就是让德育成为一种最“美好”的教育事业。当代德育应当成为一种能让道德学习主体自由真正实现的德育，一种自主、生活和审美的德育。

与自主的德育相反，在德育领域最不美好的学习体验，当然就是蔑视学习者的主体性、“按着马头让其喝水”（杜威语）式的强制灌输了。关于“灌输”，或者“强制灌输”，柯尔伯格曾经有过一段十分精辟的论述：“灌输既不是一种教授道德的方法，也不是一种道德的教授方法。说它不是一种教授道德的方法，是因为真正的道德应当包含对可能出现的价值冲突作出审慎的抉择；说它不是一种道德的教授方法，是因为合乎道德的教学必然意味着尊重儿童正在发展的对所学内容进行推理与评价的能力。”[①]

与灌输式的德育相反，让道德学习主体自由真正实现的德育，一定是自主、生活的德育。“唯物辩证法认为外因是变化的条件，内因是变化的根据，外因通过内因而起作用。”[②] 因此自主的德育不仅是现代教育学、心理学的主张，也符合唯物辩证法的基本原理。就像石头不可能孵化出小鸡一样，没有德育对象内在学习动机的发动，没有对特定价值观念的情感接纳、认同，没有学习者学习经验（生活）、发展阶段等“内因”条件的支持，就没有任何有效学习发生的可能性。由于涉及情感、态度、价值观的改变，与一般文化课知识学习相比较，强制灌输在德育上会更加无效。也正是因为这一点，柯尔伯格才说灌输“不是一种教授道德的方法”。自主的德育、自我建构的德育不仅是教育“效益”的要求，而且是教育伦理的要求。现

---

① POWER C, KOHLBERG L. Using a hidden curriculum for moral education [J]. Education Digest, 1987 (2) : 12.

② 毛泽东选集：第一卷［M］. 北京：人民出版社，1991 : 302.

代德育乃至全部教育之所以区别于古代德育、教育，一方面是彻底的人身依附的否定，另一方面是教育基于人是目的而非手段的伦理基础。因为无视学习主体的尊严，将学习者看作达成某种目的的工具或者器皿，所以“按着马头让其喝水”式的强制灌输意义上的德育才“不是一种道德的教授方法”。就是说，由于违背现代教育伦理，德育的强制灌输范式在本质上是反德育的。

自主的德育可能面临价值观教育的强制与放任之间的矛盾；强调生活的德育也可能面临德育对生活的适应与超越之间的张力。而促成价值引导与自主建构的矛盾解决的“中庸之道”，在于德育内容与形式的审美化。因为“道德教育的内容与形式如果可以处理成一幅美丽的画、一曲动听的歌，那么与这幅画、这首歌相遇的人就会在‘欣赏’中自由地接纳这幅画、这首歌及其内涵。道德教育的价值引导与道德主体的自主建构两个方面就可以在‘欣赏’过程中得以统一”[①]。所以，让道德学习主体自由真正实现的德育更一定是审美的德育。

正如自主、生活德育的意义不仅在于德育绩效的提升，也在于教育伦理的落实一样，审美化的德育最为重要的也不仅仅在于通过对德育内容、形式、师生关系等的审美化改造而使得德育更为生动、克服道德规范之于学习者的“顽强的疏远性”，审美化的德育最重要的意义，也在于席勒所言的“在有文化教养的圈子里，在审美的国度里，人就只需以形象显现给别人，只作为自由游戏的对象而与人相处”[②]这一极富美感的教育境界的达成。由于道德及其学习自由的真实获得，德育才可能让学习主体摆脱奴隶式的被动道德规训状态，也脱离“人和人以力相遇”的丛林法则所支配的

---

① 檀传宝．德育美学观［M］．北京：教育科学出版社，2021：224.

② 席勒．美育书简［M］．徐恒醇，译．北京：中国文联出版公司，1984：145.

野蛮生活。因此，审美化的德育实践是一种能使道德主体的意义求索和学习自由兼得的当代德育之道。

无论是自主的、生活的、审美的德育，或是其他许多浪漫、理想的中国当代德育理论主张，本质上都是在主张让德育成为因道德学习主体自由的真正实现而变得更加“美好”的教育，而这正是“物质丰裕的时代”中国社会对于德育最核心的要求。

依据新时代的发展逻辑，我们需要什么样的德育实践、德育研究？

我们认为，加强基础道德建设、开展民主法治教育、促进“人类命运共同体”的形成，应该成为新时代必须坚守的最重要德育主题；让中国德育成为专业的德育、审慎的德育、美好的德育，理应成为新时代德育形态变革的最重要的改革方向。如果上述德育主题（内容）、德育形态（形式）的发展方向的确是新时代发展逻辑的必然，那么新时代的德育研究理所当然服从这一时代转型的逻辑去求得自身的发展。新时代的中国需要高品质的德育，相应地也就需要与之相应的更高品质的德育研究。换言之，如果中国德育理论工作者要“将论文写在大地上”，就一定要投身于以高质量的学术研究推进中国德育在内容与形式维度的品质提升这一伟大的事业之中。

在这一时代背景之下，《中国德育研究大系》可谓当代中国德育学人对于高品质德育实践与理论建构这一时代责任的一次集体性的学术承担。

四、《中国德育研究大系》的缘起与编撰历程

湖北教育出版社是一家情系教育、志存高远的专业出版社。自 2002 年以来，出版社曾经与多位德育研究者一起合作研制、出版国家义务教育新课程标准教材《品德与生活》《品德与社会》（鄂教版），为基础教育课程改革添砖加瓦。在愉快而高效的合作过程中，出版社与德育专家们不仅加深了了解，而且获得了高度互信。2020 年 10 月，全国德育学术

委员会第 29 届学术年会在海南召开，湖北教育出版社方平社长专程与会，提出与全国德育学术委员会合作出版《中国德育研究大系》的详细设想。《中国德育研究大系》选题价值也受到了全国德育学术委员会许多专家的高度肯定。会后，我们就立即着手谋划书系的框架、邀请和遴选作者、商讨编撰工作的日程安排。

2021 年 6 月，《中国德育研究大系》启动会在华中师范大学召开。长江出版传媒股份有限公司领导、湖北教育出版社领导和多位编辑参加会议，全国德育学术委员会时任理事长檀传宝教授、副理事长杜时忠教授，以及十位作者：孙彩平教授、卜玉华教授、齐学红教授、唐爱民教授、程红艳教授、班建武教授、叶飞教授、刘长海教授、李敏教授、刘春琼副教授参会研讨。为了认真总结中国当代德育研究的重要成果、应对德育研究面临的时代挑战、回应社会对德育实践的重大关切，与会专家一致认为在“两个一百年”的历史交汇点，编写《中国德育研究大系》适逢其时。在这次会议上，大家对《中国德育研究大系》的编写思想、风格定位、内容体例等问题进行了深入讨论，并形成如下共识：第一，丛书要成为高水平研究成果的集成，要优先考虑德育研究的学术性、专业性。第二，要突出时代气息和中国特色，充分反映中国德育发展和德育理论进步的整体风貌。第三，要具有国际视野、中国立场，要成为一个具有民族特色和世界眼光的德育研究精品系列。

最终呈现的《中国德育研究大系》由《德育基本理论研究》《学生品德发展研究》《教师道德研究》《德育课程研究》《班级德育研究》《家庭与社会德育研究》《德育方法研究》《德育评价研究》《中国传统德育研究》《中国德育研究新进展》十个分册组成，基本实现了预期目标。为了确保《大系》的学术水准与出版质量，在十册图书编写、审校完成后，我们又特别邀请了十位学者分别对上述十部书稿进行了审阅，他们分别是：周小李教授、张添翼副教授、蔡辰梅教授、郑航教授、李家成教授、李太平教授、朱晓宏教授、唐汉卫教授、冯永刚教授、郑富兴教授。十位审稿人认真阅读了书稿，并提出了大量中肯而有益的建设性意见，各册作者在此基础上进行了修改完善。

在此，我们对十位审稿人表示衷心感谢！

这十册图书汇集了中外德育研究的最新成果，在深入探讨德育基本理论、中国传统德育及面向未来的中国德育等诸多理论课题的同时，也系统分析、回应了教师道德、品德发展以及影响青少年品德成长的课程、教材、教学评价等德育领域的重大实践课题。《中国德育研究大系》既是汇集当代德育研究成果的百科全书，更是推进中国特色社会主义德育理论建构的工作平台。它不仅为中国特色社会主义德育理论的建构提供了一个系统、深入的崭新起点，更为构建方向正确、内容完善、学段衔接、载体丰富、常态开展的新时代德育工作体系，大力促进德育工作的专业化，提升德育的创新性、实效性，落实立德树人的根本任务，奠定了重要的教育理论之基。再加上作者团队——全国一批深具专业实力的德育研究者的积极参与和倾情奉献，我们有充分的理由相信：这是一套集权威性、公益性、原创性和实用性于一体的集大成之作。其出版，无论对于中国德育理论的建设还是德育实践品质的提升，都具有十分重要的时代意义。

汇集一批好学人，做成一桩大事情。在《中国德育研究大系》即将出版之际，作为主编，我们由衷感谢出版社有关领导、编辑团队对于本书系的有力支持，真诚感谢十位作者在百忙之中的积极响应、倾情投入和高品质的产出。与此同时，我们更是和全体作者一样，由衷地希望与更多的读者们同行，携手迎接一个中国德育研究更加美好的新时代！

檀传宝　杜时忠

目录

导　论

班级德育作为中国特色社会主义教育的重要组成部分，承载着学校德育的育人功能，以其系统性的德育过程、专门化的德育途径、全面性的德育影响，对青少年的社会性发展发挥着潜移默化的作用。班级德育作为一种隐性课程的道德教育，与学科德育、社会实践活动、研究性学习等德育形式共同构成具有中国特色的独特学校德育形态。与新中国七十多年社会生活以及学校德育的发展变化相适应，班级德育在组织方式、内容与形式、途径与方法、发展与评价等方面也发生了诸多变化。本书遵循“当下的历史”的分析视角，从历史、当下、未来三个时间向度，对新中国七十多年班级德育的发展演变进行梳理，试图呈现班级德育的动态发展过程。

第一章主要对班级德育的内涵、价值与功能等本体性问题进行理论梳理，对班级德育形态进行历史回顾，对班级德育未来进行展望。班级作为一种社会组织，经历了从作为工业社会与现代学校制度产物的班级，走向体现社会主义特色的班集体，以及作为现代公民社会产物的班级共同体三种组织形态的变化。班级组织形态的发展变化，构成了班级德育的本体论问题。如何认识班级，决定了班级德育的目的与功能、内容与形式、途径与方法等。由于现代学校制度客观存在的条块分割、学科教学与德育工作相割裂的弊端，作为现代学校制度产物的班级不利于全体教师育人作用的发挥以及青少年身心的全面发展。全员育人背景下的班级管理体制改革，成为班级德育的未来发展走向，也为班级德育的理论研究与实践探索创造了巨大的改革空间。

第二章是对班级德育微观场景的具体呈现。就青少年的发展而言，班级德育体现为不同主体之间的相互关系，班级德育的实施主要体现为班级教育关系的建设。班级教育关系通过多种人际关系的互动对学生身心发展施加一定的作用与影响，在青少年品德发展中发挥着潜移默化的影响。班级教育关系主要包括：教师之间、师生之间、生生之间以及家校之间的关系。其中，教师群体是班级德育的主体，师生关系是班级德育的主导性关系，同伴关系构成班级德育的人际氛围，家校关系作为班级德育的支持关系，共同作用于青少年的社会化发展。

第三章主要围绕班级德育的目标和内容展开论述。德育目标作为学校德育工作的出发点，对德育内容的确定起着重要影响。德育内容是指德育活动所要传授的道德价值、道德规范及其体系是德育目标的具体体现，是学校对学生施加的各种德育影响的综合，是影响学生道德品质形成和发展的基本来源。新中国七十多年来的学校德育目标经历了从政治化走向科学化、人本化的发展演变过程。党的十八大将“立德树人”作为教育的根本任务，为班级德育目标的确定赋予了新的时代内涵。班级德育目标的发展趋势表现为：从分化走向整合，从共性走向个性，从应然走向实然，更加关注学生的全面发展与个性发展。班级德育的内容主要包括班级德育课程与日常生活德育两部分，班级德育课程经历了从政治化走向生活化、从知识价值走向生活意义、从分科课程走向综合课程等发展变化。班级日常生活德育包括《中小学生守则》、民主纪律教育、劳动教育、榜样教育、理想信念教育、社会主义核心价值观教育、中华优秀传统文化教育、生态文明教育、心理健康教育等诸多内容，呈现出从课程化走向学科化、从单向度走向多向度的发展趋势。

第四章主要围绕班级德育的实施路径与方法展开论述。班级德育的实施路径是指为了达到班级德育目标、实现班级德育内容、完成班级德育任务的活动渠道，是在班级德育实践中采取的比较稳定的组织形式。新中国成立以来，班级德育主要包含班级组织、班级活动、班级管理和班级文化四大实施路径。班级德育的组织形态主要包括：中国少年先锋队和中国共产主义青年团。与班级德育组织形态的制度化、规范化相比，班级德育活动则呈现出开放性与多元性，向着发挥学生主体作用，以及家庭、学校、社会资源的教育活动等方向发展。班级管理研究包括：班级管理制度的历史演变，主要考察了班主任制度和班干部制度的发展，以及体现全员育人理念的新型班级管理模式——班级教育小组制度的建立与发展，揭示了重视全体教师育人作用发挥以及彰显学生主体作用的未来班级管理的发展走向。班级文化作为时代的风向标，具有鲜明的时代特征。新中国成立以来，我国的班级文化经历了由强烈的政治性到去政治性、突出榜样示范，再到体现学生中心的发展变化。

第五章探讨班级德育的主体与评价。学生、班主任与班级既是班级德育的主体，也是班级德育的评价对象。在对不同历史时期的学生评价进行回顾的基础上，本章分析了当下学生评价存在的问题并揭示了走向开放多元的学生评价的未来走向。班主任评价分别从班主任的工资与津贴、地位与作用、班主任专业化等物质与精神层面，对班主任评价制度进行了历史梳理。从评价主体的多元化、评价内容的多维化、评价方法的多样化等方面，分析了班主任评价制度的现实样态，并从个性与多元两个维度揭示了班主任评价的未来走向。在班级评价层面，首先对班级、班集体、共同体为载体的班级评价形态进行了历史回顾，并对绩效主义导向下的班级评价现状及问题进行了具体分析，呈现了指向全员育人的班级评价创新实践。

综上所述，班级德育的发展演变过程是新中国学校教育变革的浓缩，其从政治化走向科学化、人本化的内在逻辑，体现了学校教育中人的回归。即学校教育在强调教育要适应社会政治、经济、文化发展需要的同时，最终要走向促进人的发展以及人的自我价值的回归，进而回应培养什么人、为谁培养人、怎样培养人的本源问题。

第一章
班级德育的基本理论研究

德育工作是学校教育工作的重中之重，它直接关系到学校人才培养的质量，是推进素质教育的关键所在，也因此受到党和国家的高度重视。学校德育是一项复杂的教育活动，它以培养学生的道德品质、提升学生道德素养为主要目的，包罗多样的德育内容与路径。班级德育是依托于班级组织而展开的一种德育形态，是德育建设的重要组成部分。班级作为学校教育教学的基本单位，因其特有的制度性、组织性与活动性，承载着整体育人的核心功能，而在道德教育中具有独特的价值。班级德育也因此成为中国德育的重要分支。本章主要站在班级德育的理论原点透视班级德育的基本命题，探寻班级德育的本体性理论，并对班级德育进行历史回顾与现实审视。

第一节　班级德育的本体性问题

班级德育作为班级建设与发展的基本教育功能，其在学生道德发展过程中的作用与价值日渐受到重视。本节通过梳理班级德育的本体性理论，旨在探查班级德育的内涵、班级德育的功能、班级德育的价值，明晰班级德育发展的基本指向。

一、班级德育的内涵研究

德育专指道德教育。一种广义的德育概念解释为：“教育学上的德育，则是相对于智育和美育来划分的，包括培养学生的思想品质、政治品质、道德品质和心理品质。”[①]另有学者认为：德育包括“对人的思想教育、政治教育、理想教育、纪律教育、法制教育、劳动技能、心理教育、青春期教育、学风教育、审美教育、国防教育等，它们纷纷列入各级学校德育大纲，德育外延迅速扩大，几乎涵盖了社会意识形态的所有内容。可以说，我国目前的德育是一种涵盖整个社会意识形态的‘大德育’。”[②]

我国中小学基本以班级为单位进行教育教学活动，班级是学生学习、生活以及学校教育活动实施的基本组织单位。一般而言，班级具有两种基本属性，一是“班级是一个教育实体。意指班级是学校为实施教育影响，实现培养目标而构建的一个教育组织层次。班级犹如一个聚光镜，吸收着来自学校、社会、家庭的种种影响。二是班级是一个特殊的社会组织。在班级中，为了协调各个成员的行为，完成共同的任务，必然要建立一定的组织机构，制定班级的生活制度和行为规范，并进行必要的分工，使每个成员在组织中担任一定的角色，承担相应的责任，完成相应的任务。班级组织是学生学习适应社会生活，培养学生良好的交往品质的重要基础，并为学生学习在社会中处理好各种人际关系做好准备。”[③]正是基于班级的两种属性，班级得以具备一定的德育作用，使得班级德育成为可能。

班级德育主要指在班级组织中进行的促进受教育者在心理、道德、思

---

① 吴亚书.班级授课制的历史发展与德育改革研究[D].长春：东北师范大学，2007：14.

② 王志海.班级共同体建设：学校德育优化的有效途径[D].南昌：江西师范大学，2011：8.

③ 徐晓霞.学校道德教育的班级环境建设[D].济宁：曲阜师范大学，2009：8.

想、政治等方面不断建构和提升的教育活动。这是一种综合性德育路径，主要由班级组织进行架构，班级各个要素共同协作而开展的一种道德教育活动。“法国教育社会学家爱弥尔·涂尔干在其《道德教育》（1925）一书中提到，儿童在独自接受家庭抚育之后，第一次走进了一个生动活泼、组织完备的班级，他参与集体生活，而他的整个存在都得到了提升。为了达到这种效果，班级必须成为学生实实在在分享的一种集体生活。”[①]道德的形成与发展往往就发生在师生之间、生生之间的交往性互动之中，而不是学生与道德知识之间单向度的联系。班级德育作为一种特殊的德育形态，相较于德育的其他形式，例如家庭德育、社会德育等，班级德育对于学生的道德发展发挥着不可替代的独特作用，主要表现为基于长期性的集体性共同生活实践而促进道德教育发生的兼具显性与隐性双重效用的德育路径。诚如亚里士多德所言的，美德的培养有赖于实践，学生的一日生活更多发生在班级中，班级是学生成长发展的重要场域，是学生能够接触同伴群体最为持久稳定的关键场所，学生的道德遭遇与实践也往往发生在班级生活之中。总的来说，班级作为学生成长的主要场域，也是与学生相关联的多种关系的交合区，同时也是学生道德实践的训练场。班级的活动与氛围对学生的道德行为、道德认知能力及其个性发展都产生着重要作用，是一种与学生的学习和发展息息相关的“微观德育环境”[②]。

二、班级德育的价值指向

班级德育作为促进学生品德发展的主体性道德活动，具有区别于家庭德育、社会德育的独特价值。主要表现在三个方面：第一，班级德育提供

① 王志海.班级共同体建设：学校德育优化的有效途径［D］.南昌：江西师范大学，2011：4.

② 张承芬.教育心理学［M］.济南：山东教育出版社，2010：56.

一种系统性的德育过程。它将班级中各种德育的要素联结，形成德育力量，为学生的道德发展提供支撑；第二，班级德育呈现专门化的德育路径，是一种有目的、有计划、有组织的德育活动。德育的目的性、计划性、组织性为德育效果的最大化提供保障；第三，班级德育展现全面性的道德影响。通过全面性的德育路径、德育内容展现全面性的德育影响，促进学生品德知情意行的发展。总之，班级德育在学生道德的形成、发展上具有重要的价值。

（一）提供系统性的德育过程

班级德育作为一种区别于家庭德育、社会德育的重要形式，有着独特的德育价值。相比于家庭德育、社会德育的德育过程，班级德育是一种更加系统性的德育活动过程。家庭、社会虽然也通过自己的方式对学生的道德发展产生着影响，但是呈现出一定的零散性、碎片化的倾向，同时德育效果也较为微弱。而班级德育是一个系统性的过程。班级德育有具体的德育目标、德育内容、德育实施路径、德育实施的人员保障及相应的管理制度支持，是一个诸多要素相互协调、相互配合，共同发挥作用的德育机制。

首先，班级德育能够将发挥德育作用的多方要素汇集在一起，为班级组织发挥德育功能提供支持。班级德育课程、班级德育活动、班级德育组织、班级教育关系共同构成了班级德育的核心要素。通过德育课程的支持、德育活动的开展、班级文化的熏陶以及班级教育关系的影响，班级中的多种要素共同发挥着德育的作用，对学生施加一定的德育影响。

其次，各个要素相互交织，形成完整的道德教育网络。班级德育对学生施加的德育影响是整体性且严密的过程，其产生的德育效果也是显著的。班级德育中的各个要素不是零散的、各自为政的，而是相互联系的、紧密结合的。围绕着共同的德育目标，各要素在不同层次、不同角度上共同发挥影响，形成了一个汇集“人、事、物”的道德教育脉络情境。

在这个多维交织的德育脉络情境中，学生接受到的道德影响是全方位的、深刻的，学生形成的道德观念和道德认识是系统的。总之，班级德育是一个系统地引导学生道德成长的过程。在这种系统性的德育过程中学生的道德发展是稳固扎实的，能够为学生未来的人格发展奠定坚实的基础。

最后，班级德育的系统性还体现在班级德育的实施是一个完整育人的过程。在德育过程中，班级德育具有明确的价值引导，同时也提供给学生实践的机会，在实践中给予学生监督与规范，最后对学生的品德发展予以评价。可以看出，学生的道德发展经历了一个完整的有引导、监督、规范、评价的过程。在这个过程中，教师、同伴、家庭都共同参与全过程，为学生的道德发展提供一种全员保障，让学生能够获得一种系统性的道德发展教育，促进道德知情意行的形成与转化。班级是学生道德成长与发展的主要场域，班级德育为学生的道德发展提供了一种全方位的引导与监督作用。

（二）呈现专门化的德育路径

班级德育是一种专门化的活动，是有目的性的促进学生品德提升的社会活动。它以学生的社会性发展、道德的养成为基本目标，其产生的教育影响更加深刻，因此承载了学生道德发展的基本任务与责任。班级德育呈现的是专门的德育路径，能够为学生的道德发展施加专门化的影响作用。班级德育是一种有计划、有目的、有组织的德育活动。家庭德育虽然对学生的品德发展具有潜移默化的影响，但是家庭德育的发生往往具有偶然性，家庭成员的道德影响也往往存在随机性。相对来说，班级德育实施的机会、人员、方法上都更具有目的性。赫尔巴特认为教学伴有教育性，班级在教育教学过程中都蕴含着育人的重要任务，而学生道德品质的形成与发展是班级德育的重要命题。简而言之，班级教育活动中暗含着引领学生道德发展的目标。

班级德育作为一种有目的的教育活动，客观上要求其具有计划性。班级作为学校的基层组织，既是学生共同学习、生活的集体，也是学校开展教育、教学活动的基本组织单位，它并非是静止的空间，而是一种特殊的环境[①]。班级德育往往是有计划的展开的。这种计划性表现为德育目标、德育内容、德育实施方法与路径、德育的人员支持、各项活动的安排与组织均有计划性，学校、班级德育工作的实施亦有政策的引领。例如，当时的国家教委先后颁布了《小学德育大纲》(1993)、《中学德育大纲》(1995)，在这两份文件中，在德育的"实施途径"部分规定了班主任工作的相关内容。《中国教育改革和发展纲要》(1993)提出"中小学要由应试教育转向全面提高国民素质教育的轨道，面向全体学生，全面提高学生的思想道德、文化科学、劳动技能和身体心理素质，促进学生生动活泼地发展。"2017年教育部颁布的《中小学德育工作指南》，要求"各地要加强组织实施，将《指南》作为学校开展德育工作的基本遵循，纳入校长和教师培训的重要内容，并将其作为教育行政部门对中小学德育工作进行督导评价的重要依据，进一步提高中小学德育工作水平。"明确的德育工作计划为班级德育的专门化提供了保障。

(三)展现全面性的德育影响

班级德育对学生实施的教育影响是全面的，这种全面性体现在班级德育从内容到形式对学生的道德发展进行的整体观照。首先，班级德育实施路径的全面性，对学生的道德发展发挥着显性与隐性的双重作用。一方面，通过显性的德育课程、活动，引导学生的道德成长与发展，监测学生道德成长的发展程度，纠正学生的不良行为，从而促进学生更好地成长与发展。另一方面，通过师生、生生、家校之间的交往关系，共同促进学生的道德发展。作为一种隐性的道德教育，其影响既是细微的，也是深刻的。隐性

① 王志海.班级共同体建设:学校德育优化的有效途径[D].南昌:江西师范大学,2011:36.

的道德影响对学生的道德认知、道德情感的形成起到"润物无声"的效果。学生道德品质的形成不是一蹴而就的，隐性的道德教育与显性的道德教育共同推动学生道德的发展。

其次，班级德育的内容覆盖全面，对学生的道德影响是深远的。内容涉及学生成长中的理想信念教育、社会主义核心价值观教育、中国优秀传统文化教育、生态文明教育、心理健康教育等。丰富的、全面的德育内容，涵盖青少年品德发展的自然、社会、文化等多个维度。同时也观照了学生未来发展所需要的品质，例如在班级日常管理中渗透规则意识、安全意识等教育，为学生的社会性发展奠定了坚实基础。

最后，班级德育的教育影响是全面的，体现在对道德知情意行四方面的渗透。班级德育是以道德的认知、情感、意志、行为的发展为终极目标，通过德育课程的学习培养学生的道德认知，通过班级教育交往关系滋养道德情感、通过班级德育活动的组织开展锻炼道德意志，通过班级日常生活的实践形成道德行为习惯。通过课程育人、文化育人、活动育人、管理育人以及党团少先队建设育人组织，为学生道德知情意行的建立构筑条件。总的来说，班级德育是一种全面实施、影响学生全面发展的重要育人方式，对于促进学生道德的充分发展发挥着独特作用。"班级社会空间蕴含着丰富的道德教育资源。基础教育改革、道德教育改革最终是要通过学校生活、班级生活的整体改造得以实现。学校和班主任应增强对于班级社会功能，尤其是道德教育社会化功能的认识，通过教育理念、教育方式方法的不断创新，为广大中小学生营造一个有利于身心健康发展的人性化的班级教育环境。"①

---

① 齐学红. 班级社会空间：作为一种隐蔽课程的道德教育［J］. 班主任, 2013 (5): 5－8.

三、班级德育的功能发挥

班级具有多样化的教育功能，而班级德育是其中的一个重要方面。班级德育功能得以发挥主要源于班级三个基本功能的结合，即促进学生发展功能、社会化功能及个性化功能，具体落实在班级教育、生活与人际交往等诸多层面，以“润物无声”般之功效将道德教育浸润到班级生活中。

（一）作为一种教育性组织，发挥道德引导与规约的双重作用

班级作为学生重要的社会化场所，承载着对学生全面社会化的功能。班级是学生发展成为社会人的重要环境。个体要生存发展，必须首先适应社会，实现个体的社会化[①]。班级德育是一种群体道德生活，这种群体道德生活是一种具有引导与规范双重保障的制度生活，不是班级群体自发的、任意的无规定的生活。由此班级日常生活有别于社会生活，具有一定的特殊性。在这种群体道德生活中，有基于道德目标的引导与规范，这种道德生活也是一种教育生活。此外，基础教育阶段的班级成员因其是非成人组织，这种群体道德生活是一种半自治的道德生活，并非完全靠自身的力量管理自身，而是在一定程度上借助于外部力量。因此，这也为道德引导与规范的作用的发挥创造了条件。

班级德育是一种有目的、有计划的德育活动。学生群体开始班级日常生活的时候就了解了群体生活的一般规定，接受了群体生活规则的引导。这一过程同时也会伴随着对学生思想道德品质的过程性评价与终结性评价。在具体实践过程中，学生会出现僭越规定的问题。对于行为违背道德要求的学生，教师会进行引导教育、督促学习、纠正问题以保证学生的道

---

① 齐学红．班级社会空间：作为一种隐蔽课程的道德教育［J］．班主任，2013 (5)：5－8.

德发展保持正轨。通过引导与规范，使得学生获得道德发展的直接经验，在教育者的监督中不断修正、完善德性，促进道德品质的发展。“班级作为一种社会体系，其社会情境又不同于一般的社会情境。由于班级有共同的目标、有组织机构、有更严格的规范与制度要求、成员之间还有相对更密切的交往，因此，班级成员处于这样一种社会情境时，就有产生相符行为的趋同。”[①]“有针对性地进行引导、激励，以和风细雨式的谈心、疏导代替急风暴雨式的简单斥责、训诫，多从理解、关心的角度跟学生平等交流，即使是严格的管理也要让其心服口服的接受，达到‘教是为了不教’的目的，真正做到有爱心、耐心、恒心，让学生体会到被关心、被爱护，使学生亲其师而信其道。引导是方法，管理是目的，只有引导得法，才能管理有效。”[②]因此，有引导与规范双重制度保障的班级德育为学生道德发展提供了一种完备的道德生活过程。

（二）作为一种社会性空间，提供一种群体道德生活

德育除了要尊重学生的个性特点和发展规律外，更主要的是基于群体生活的共性要求。通过班级授课制这种教学组织形式，可以向学生集体渗透一种政治理念或德育理念，使德育要求成为每个学生必须遵守的规则，入脑入心。这种基于共性要求的德育原则，通过班级授课制的形式能够收到更好的效果[③]。班级德育的功能主要呈现为促进学生道德品质的发展，而这种道德影响作用相较于家庭德育、社会德育来说更为显著，原因在于班级德育能够为学生的道德成长提供一种群体道德生活。“正如回归生活道德教育改革所秉持的理念——‘教育即生活’，对学生进行怎样的教育，就要让学生过怎样的生活。而生活德育最直接的体现就是学校生活、班级

---

① 王洪明．从“管理”到“辅导”：班级变革研究［D］．上海：华东师范大学，2011：53.

② 谭华．班级德育工作的“五结合”［J］．职教通讯，2003(9)：63.

③ 吴亚书．班级授课制的历史发展与德育改革研究［D］．长春：东北师范大学，2007：16.

生活。"[①] 道德的形成是基于群体共同生活的一种需要，没有群体的生活，道德就没有生发的土壤。班级作为由一群较为固定成员构成的社会组织，有共同的行动目标与行动规则，成为学生社会性发展与品德形成的重要社会空间。在培养学生的社会性交往以及道德品质方面，班级成为重要的实践场域，班级生活成为学生道德发展的重要生活样态。"班级作为一种社会组织得以建立，不仅是为了实现某些外向性的评价指标（如提高教学效率，便于学校管理等），按照现代教育原理，更重要的是，基于其与成员——学生自身的奠基性学习的需要……青少年学生的奠基性学习，尤其是'社会文化'的奠基性学习不可能在个体独处的空间里完成，而是需要借助于群体生活的环境。"[②]

在班级德育过程中，通过班级活动的组织、人员的相互协作，班级日常生活成为一种蕴含着道德色彩的教育生活。通过德育课程的学习、教师的引导可以促进学生的道德认知形成，而道德认知的深化也需要学生在真实的道德生活情境中发生，通过与他人的交往互动逐渐深化道德认知，同时培养道德情感，砥砺道德意志及践行道德行为等，也都需要一种群体生活作为环境支撑。班级德育通过德育课程、环境氛围、班级管理组织及班级成员架构起一种系统的、专业的、全面的、综合的德育环境。在这种德育环境中，学生个体能够充分发展个体道德，这种环境氛围为学生道德发展提供尽可能的帮助与支持。因此，班级德育是一种寓于班级群体生活的道德教育，这种道德生活是学生未来参与社会生活的一种缩影。

（三）作为一种"半自治性"学生组织，呈现道德自我教育的可能

由于班级的主要成员——学生是未成年人，所以班级的另一特点便是它的"半自治性"。"所谓半自治性，是指作为未成年人的中小学生最初参

---

① 齐学红．班级社会空间：作为一种隐蔽课程的道德教育［J］．班主任，2013（5）：5－8．

② 吴康宁．教育社会学［M］．北京：人民教育出版社，1997：278．

与班级管理、班级活动时，由于其角色意识水平的自治性倾向和依赖性倾向并存，其组织调控技能不成熟等原因……必须在一定程度上借助于成人（主要是班主任）的力量进行班级管理。但是，成人的帮助只是为了使学生学会管理，所以，这‘半自治性’中要突出的是‘自治’的一面，这种‘半自治’是发展式的‘半自治’，随着学生的成长，最终将走向完全自治。班级终究是学生学习个体和群体自我管理和自我发展的重要阵地。”①这种半自治性组织的特点也给予了学生道德自我教育的可能。首先，由于班级管理的需要，班级成员会形成不同的角色分工。学生个体在不同的任务分工中会形成一定的道德认知，以一定的道德律令进行自我规约与教育，学会道德性地与他者交往，在具体实践中内化德性。其次，在集体生活中，“学生常常受到同辈群体的影响，希望获得他人的赞许与承认，正所谓见贤思齐。通过不断调整自己的个人行为，以使自己获得更完美的发展”②。这种德育影响是隐性的而非灌输的，学生接受道德影响是主动自觉的而非被动强制的。“心理学研究发现，人的心理是具有可暗示性的。洛扎诺夫认为：‘暗示是人类个体之中一种普遍的品质，由于它，才使人和环境间的无意识关系发生作用。’‘其身正，不令而行；其身不正，虽令不从。’就是对暗示在德育中作用的肯定。马卡连柯也认为，教育中的暗示和解释、说话一样都是最常用的方法。”③班级为这种暗示影响的发生提供了重要环境。另外，作为一种半自治式学生组织，班级常常衍生出非正式组织，这种非正式组织是学生群体自下而上形成的，在这种非正式组织中所形成的规范、习俗、角色意识等，会对学生产生一定的影响。在良性的非正式群体中，学生某种程度上也可以获得道德自我教育。最后，半自治性的情境特点也为学生发展个性提供了机会。在班级生活中，学生依照班规、班纪等，进行一定

---

① 徐晓霞．学校道德教育的班级环境建设［D］．济宁：曲阜师范大学，2009：10.

② 同①11.

③ 潘杰．班级组织隐性德育的理论研究［D］．南京：南京师范大学，2002：8.

的自我调适与表达，基于道德律令达成自我理解，进行道德实践。班级在一定程度上提供给学生真正的生活交往场所，在其日常实践中帮助学生更好地理解道德规范，形成道德观念。

总而言之，班级社会关系和结构中蕴含的再生产更广泛社会关系和结构的因素，主要是通过有目的与无意识、显性与隐性、规范与自主并存的多样化方式对学生的世界观、信念、道德、规范等方面的社会化发挥作用。

第二节　班级德育形态的历史演变

班级组织是班级德育实施的重要依托，班级的发展主要经历了班级、班集体、班级共同体的三种形态。回顾班级发展的历史脉络，有助于爬梳班级发挥德育功能的发展基点，廓清班级在历史发展中是如何作为一种德育形态而出现的，明晰班级德育形态经历了怎样的发展历程，以后对于学生的道德发展发挥着怎样的影响作用。

一、现代学校制度下的班级研究

在现代学校制度的班级授课制出现以前，中国的教育主要采用个别化教育的方式，例如中国古代的私塾，个人办学，个别施教。虽然教学方式在当时的社会条件下发挥了一定作用，但总的看来这种教学方式缺乏体系且教学效率较低。欧洲文艺复兴后，大众教育得到重视。为了改进个别教育效率低、难以实现普及教育的缺陷，学界出现了教育大众化的理念，班级授课制应运而生。

“在教育史上，最先采用这种教学方法的是 15 世纪末德国纽伦堡和萨克森选帝侯国的人文主义学校。1485 年的《纽伦堡学校规程》和 1528 年的《萨克森选帝侯国学校规程》规定，应将学生划分为三个阶段的班级，各个班级配以不同的古典教科书进行教授。”[①] 这就是班级授课制的雏形。

捷克教育家夸美纽斯（1592—1670）是为班级授课制提供了理论依据的第一人。他倡导“节约时间和精力”“大量生产”的教学方式——班级教学组织；提出了依据年龄分班，各学年分别设置不同学科的方案。

伴随着班级授课制的发展，我国教育制度也获得了很大发展。由于我国封建社会历史绵长，长期以来私塾在教育中占主体地位，加上严格的科举制度影响以及资本主义发展的不成熟，我国班级授课制的形成与发展，具有独特的历史与特征。

1862 年，清政府在北京开办京师同文馆，目的是培养外交事务人员和翻译人员。京师同文馆是我国最早设班级的学校，最初只设英文班，1863 年春季法文班和俄文班又继续开班，各招学员 10 人。1900 年，八国联军入京，同文馆解散。而后清政府把同文馆合并到了京师大学堂。1902 年颁布《钦定学堂章程》（壬寅学制），该学制对学校类型、班级教学及其人数都作了规定。1904 年张之洞、张百熙、荣庆合订的《奏定学堂章程》（癸卯学制），构成了清末新学校教育制度的主要依据。此时，伴随着班级制度的发展，班主任制度也逐渐建立起来，在《奏定学堂章程》中可以看到班主任制度的雏形。清政府颁布《奏定学堂章程》规定：“凡初等小学堂儿童之数，六十人以上一百二十人以下，例置本科正教员一人；其力足添置副教员一人者听。”“正教员任教授学生之功课，且掌所属之职务。”1905 年 8 月，清政府谕立停科举以广学校，至此以后，学校与班级在中国逐渐兴起并迅速发展。

班级授课制兴起以后，我国很快进入新民主主义革命阶段，直到中华人民共和国成立以前，我国存在着国民党统治区教育和共产党领导的解放

---

① 吴亚书．班级授课制的历史发展与德育改革研究［D］．长春：东北师范大学，2007：3.

区教育，都以学校教育为主，实行班级制教学。但受战争影响，无论是国民党统治区还是解放区，学校教育发展都比较缓慢，且学制短、学员少。尽管如此，通过发展探索，我国班级授课制的基础已经确立，同时伴随着班级授课制，班主任制度获得初步发展。1938 年，国民政府颁布了《中等以上学校导师制纲要》，其中规定，把每个班级的学生分成若干小组，每组 5~15 人，设一导师，由校长指定专任教师担任。另有主任导师（通称训育主任）专管导师指导事务[①]。这时的导师制对教师提出了管理、教育学生等职责，与现在所称的班主任有较大的相似性。伴随着班主任制度的初步发展，可以看到班级制度在初步完成设立时，已经有对学生进行道德教育的意识并已初步认识到班级的德育功能。

班级授课制的出现适应了社会发展的需要，符合社会发展潮流，是教育史上的一大进步。作为一种促进教学而生成的教育制度，强调教学功能，加强了教学的统一性，并且在很大程度上提升了教学效率。然而班级授课产生和发展 300 多年来，特别受到批评和改革的 100 多年来的理论和实践，已充分地显示其局限性……班级授课制对个性的约束也就更加突出。班级作为现代工业社会的产物，如果用一个比喻，那就是工业生产的流水线。班级是教育现代性的表征，即学校一切工作都由考核评价来体现，就像工业产品都要有质量检测，“班级”主要任务是升学教育的社会需求，在追求高效发展的唯一指标面前，不容易关注到每个学生的个体发展[②]。在班级教学中，往往只注重课堂教学、教材学习，这又必然在不同程度上导致教学的封闭状态，导致教学脱离劳动、社会实践和生活实践，脱离各种各样的社会成员和错综复杂的人际关系。这使得教育成为一种脱离真实生活

---

① 宋恩荣，章咸．中华民国教育法规选编（1912—1949）［M］．南京：江苏教育出版社，1990：159－160.

② 齐学红．人的回归：从班级管理走向班级教育［J］．班主任之友，2023（12）：4－11.

的形式教育[1]。

二、社会主义制度下的班集体研究

班集体是按照班级授课制的目标和教育的规范性要求而组织起来，以共同学习和直接性人际交往为特征的社会心理共同体。班集体的概念最早来自苏联，也是最能体现社会主义特色，尤其是集体主义教育的一种模式。班集体的产生及发展与集体主义教育、共产主义教育等有着密切联系，是社会主义国家班级建设的特色。在某种意义上，班集体范式是带有政治伦理性的，它既是为了凝聚社会力量，也是为了有效的培养社会主义接班人。马卡连柯是率先“将班级看作一个学生集体，强调学生集体的建设，在实践和理论上做出探索并取得成就的”[2]。新中国成立后集体的建设与发展成为我国当时发展的主要任务，与此同时，学校教育也将班级建设定位于建设班集体。国家教委十分重视班集体建设并将《班集体科学理论研究》作为课题，编纂了《学校班集体建设辞典》(1992)。我国的班集体建设理论是学习苏联，尤其是马卡连柯工学制集体主义班级建设的结果[3]。《教育大辞典》对班集体作出的定义为“班集体是由整个班级所组成，以完成学校教育任务为共同目标，有一定的组织机构、规章制度的学生共同体。具有作为集体有机整体的行为与特征，不是班级个别学生的总和，是班级群体发展的高级形式。”[4]

关于班集体建设形成几种认识：第一，将班集体作为教育的对象，即

---

① 吴亚书 . 班级授课制的历史发展与德育改革研究［D］. 长春：东北师范大学，2007：8－10.

② 李慧 . 班级建设的范式变革：由“班集体”到“班级共同体”［D］. 济南：山东师范大学，2017：9.

③ 同②5.

④ 顾明远 . 教育大辞典［M］. 上海：上海教育出版社，1998：475.

教育的客体，与班级中的学生个体一样由学校领导、教师引导班集体，按一定的教育目标与原则发展。第二，将班集体作为促进学生道德发展的重要手段。在学生群体化过程中重视集体对个体有关个性、规范的认同与同化影响[①]。“班集体可以有目的，系统地实现对各成员身心发展的全面发展教育目标。也就是说，教他们科学和文化知识，创造社会生活的基本技能，学习社会生活的规范，培养社会行为，培养学生的社会角色。统一和进步的集体，严格的管理制度，协调的人际关系，和共同的责任和荣誉可以使每个成员的个性得到发展。”[②]班集体建设尤其重视培养学生的社会性发展、道德成长的功能，超越班级教学管理的一般功能，是学生个体社会化的重要路径。但班集体在发展中也呈现出一定的不足。首先，班集体是计划经济的产物，其组成是机械式的条块组合，讲求整齐划一，而缺少融合性。其次，班集体在发展与建设中，“由于科层制与权力情结等因素，出现了集体主义管理主义化倾向，教师‘一言堂’等现象”[③]。班集体中班主任与任课教师任务分隔，使得班级德育的任务整体落在班主任身上，不利于全员育人体系的构建。最后，班集体漠视个体的需求，在个体与集体之间更加强调同一性与统一性，集体利益高于一切。班级由两个文化主体构成：一个是教师；一个是学生。如果教室里只有教师文化，成人说了算，正如大教学论的核心观点，成人把自认为最好的知识用最好的方法教给学生，而不是站在儿童立场上进行内容和方法的设计，就会忽视学生个体的真正需求，教育的价值也会大打折扣[④]。改革开放以来，伴随着基础教育课程改

---

① 李慧．班级建设的范式变革：由“班集体”到“班级共同体”［D］．济南：山东师范大学，2017：10.

② 刘璐．浅谈班集体建设在小学德育中的作用［C］//．中国智慧工程研究会智能学习与创新研究工作委员会．教育理论研究（第一辑）［C］．重庆市鼎耘文化传播有限公司，2018：404－406.

③ 同①.

④ 齐学红．人的回归：从班级管理走向班级教育［J］．班主任之友，2023(12)：4－11.

革，尊重学生主体性与个性的浪潮逐渐袭来，“解构班级”“重建班级”“超越班级”似乎成为一种颇具潮流气息的话语，“去集体化”教育现象的危险信号应引起理论研究者的注意①。

三、公民社会下的班级共同体研究

苏联教育家苏霍姆林斯基说过：“班级建设的最高境界是形成一种平和愉悦的精神共同体——它既是教育工作追求的自然归属，也是我们的快乐所在。”②学术界把共同体译为“Commune”（公社、村社）或“Community”（社区），其构成要素包括：一定的人群、地域、一套制度和管理机构、生活服务设施，以及基于一定的经济、社会发展水平和历史文化传统的社区文化、生活方式，以及与之相连的社区成员对所属社区在情感上和心理上的认同感和归属感。“在滕尼斯那里，共同体是一种以血缘、地缘等自然因素为基础的原始的、真正的、持久的群体生活。无论是以血缘还是地缘为基础，实际上滕尼斯的共同体是熟人社会中共同生活的一种形式。这种原始的关系存在基本上依赖于某种共同遵从的传统习俗或约定来维系。”③班级共同体是继班级、班集体发展的又一次班级发展的创新，是对于以往班级建设的又一次超越。班级共同体是一种什么样的共同体？它“不是地域性、血缘性的共同体，而是意味着由叙事、言词与祈愿的情结构成的富有想象力的共同体，是显示人与人之间‘关系’的概念，而不是像‘集体’

---

① 张聪．班集体建设还有意义吗？——对我国七十年班级教育的追问与审思［J］．湖北社会科学，2019 (12)：160 − 166.

② 王志海．班级共同体建设：学校德育优化的有效途径［D］．南昌：江西师范大学，2011：45.

③ 李慧．班级建设的范式变革：由“班集体”到“班级共同体”［D］．济南：山东师范大学，2017：16.

那样，意味着一个划一的、凝固的集合。”[①] 班级作为一个社会心理共同体，更多是现代公民社会的产物，强调共同的期望和愿景，同时也要关注个体的差异性，共同体是师生“共在”的概念，不是一定由教师来管理或管控学生。[②] “把班级作为‘共同体’来培育，既可以强调集体主义教育，也可以关注班级中的个体生命；既可能重视班级作为特殊社会组织的目标与规范要求，也可能考虑到班级作为初级群体的交往与互动特征，充分整合班级的教学、管理与教育功能，彰显了班级的应然价值。”[③]

班级共同体作为班级、班集体的超越，其在促进学生道德发展方面同样也实现一定的超越。品格发展在两个方面需要共同体的滋养：其一，儿童的共同体是学习品格的适当场所；儿童的共同体是表现品格的场所，在亚里士多德看来一个人因为做美德的事情而习得美德。其二，“教育者应该促进学生和共同体成员的自我调节。有道德的个体必须相当自动的监控其行为和选择，美德一旦形成，就必定会通过选择适当的朋友和环境而得以保持下来（Aristotle，1988）。”[④] 因此，班级共同体对于促进学生品德发展具有重要价值，在共同体中，个体能够更多地获得一种精神上的共振。个体道德发展是趋于内在自觉自发的，共同体成员在彼此的共处中实现真正的共在。跳脱以往班级、班集体对于学生道德发展的一般预设，班级共同体更强调内在的体认与理解。然而，班级共同体的发展也面临窘态，表现为在班级共同体中容易陷入“虚假共同体”的陷阱。“在班级共同体建设中，由于部分教师只注重班级整体性或群体性的建设，没有抓住班级共同体的内在本质：意志共在，所以导致建设的班级共同体并没有成为真实共同体，

---

① 李慧．班级建设的范式变革：由“班集体”到“班级共同体”［D］．济南：山东师范大学，2017：16.

② 齐学红．人的回归：从班级管理走向班级教育［J］．班主任之友，2023 (12)：4 － 11.

③ 王洪明．班级变革：框架与路径［M］．上海：上海三联书店，2015：198.

④ 基伦，斯美塔娜．道德发展手册［M］．杨韶钢，等译．北京：教育科学出版社，2011：723 － 725.

而是虚假共同体。在注重班级整体性或群体性的班级建设中，部分教师注重发挥个别人意志，部分教师注重发展多数人意志，这造成了实践的误区：虚假共同体。其表现形态有二：一是强调个别人意志的虚假共同体，二是强调多数人意志的虚假共同体[①]。虚假共同体不但不会发挥相应的作用，反而对于学生的道德发展产生一定的阻碍作用。

综上所述，现代班级的发展演变主要遵循着从"班级""班集体"走向"共同体"的逻辑，从"无我"的存在，"大我"的存在，走向师生的"共在"，应树立班级公共生活的概念，对于师生而言，班级应成为"有我的存在"，"属于我的存在"和"为我的存在"[②]。

第三节　全员育人背景下的班级德育研究

作为学校组织的基本单元，班级承载着道德教育的重要任务。新时代背景下班级德育也需要与时俱进，不断探索新的理论与实践，变革组织形态以更好地促进德育功能的发挥，育人目标的实现。

一、走向全员育人的班级德育理论研究

上一节在对班级德育组织形态发展演变的历史梳理中可以发现：无论是班级、班集体，还是共同体都存在着一个不证自明的假设：那就是班主任成为班集德育的唯一合法主体，而班级里的其他科任教师则游离于班级教育之外。这样一种班级教育生态不仅不利于学生身心的全面发展，更不

① 曹艳菊．班级建设：从"虚假共同体"到"真实共同体"［D］．杭州：杭州师范大学，2018：19.

② 齐学红．人的回归：从班级管理走向班级教育［J］．班主任之友，2023（12）：4－11.

利于每一位教师教书育人意识和能力的提升。时代的发展呼唤“全员育人”的班级德育理论与实践探索。

（一）“全员育人”的理论阐释

中共中央、国务院《关于加强和改进新形势下高校思想政治工作的意见》（2017）提出，坚持全员全过程全方位育人（简称“三全育人”）的要求。“全员育人从广义上指学校、社会、家庭、学生共同构建育人机制，从狭义上则指学校的全体教职员工（不但包括思政课教师、学工干部、共青团干部等，还包括党政领导、专业教师、后勤管理等人员），共同参与教书育人、管理育人、服务育人。”①“‘全员育人’体现在树立‘全员参与’的大德育观，要求全体教职员工和各有关部门都具备育人意识，承担育人职责，相互配合，交叉合作，实现教书育人、管理育人、服务育人，形成渗透协调、完整和谐的‘大德育’工作体系和格局。”②班级德育主要通过班级场域、班级活动而实施。基于班级的实践空间，构筑全员参与的样态，能够更大程度地促进班级德育功能的发挥。

全员育人具有三个主要特征。第一，全体性。“全员育人的主要渠道是学校的日常生活，并渗透于人与人相互交往及全员关系之中。”③学校里的每个人都是德育工作的实施主体，学科教师、班主任以及学校的相关行政人员共同构筑德育实施的主体，形成道德教育的关系网。第二，全面性。全员育人不仅依靠全体人员的德育投入，更主要的是要施展全面性的德育影响。在不同人员的合作中，发挥不同主体的作用，对学生的道德发展给

① 苗青.“全员育人、全程育人、全方位育人”德育机制的实践探索［J］. 河南教育（高教），2018 (4) : 31.

② 王亚利，温晶晶. 构建全员、全程、全方位育人的“大德育”模式［J］. 中国高等教育，2012 (21) : 50 − 51.

③ 张烨. 全员育人：中小学德育工作推进的资源整合与边界消弭［J］. 江苏教育，2020 (23) : 9.

予不同方面的影响。同时，“全员育人要求教师从培养全人的目标出发，关注学生学习生活的心理体验，帮助学生在参与教师无痕设计的德育渗透或德育活动中感悟道德生长的力量。另外，为了有效培养学生的必备品格和关键能力，全员育人也应体现学生的德育主体性……鼓励学生参与到德育活动的设计、开展甚至是评价过程中来，帮助学生在道德参与的过程中健康成长。”① 第三，全程性。全体教育人不仅要关注学生当下的现实需求，更要关注学生过去的道德经验以及未来的可能发展，将道德教育贯穿于学生发展的整个过程。

（二）全员育人背景下班级德育的必要性

1. 现实需求

“从传统观念来看，班级德育就是班主任依据国家、学校的要求，针对班级学生的现状，开展的有计划、有组织的德育工作。班主任工作具有全息性，综合体现着国家、地区、学校的要求。”② 但是仅仅依靠班主任的力量并不足以支撑起班级德育功能的发挥。班级德育需要全体教育成员共同参与、支持，架构起班级德育的整体性育人力量。“长久以来，知识分子生态系统借持续不断地分门划界，分割成‘分离’的建制和专业空间，以便达致目标、方法、能力和实质专业技能的表面细分。”③ 由于专业的分工，部分科任教师将学科教学作为自己的主要任务，而忽略学生的道德教育，实际上严重影响了班级德育作用的发挥。总的来说，班级德育需要不同主体的参与与互动，而道德教育的全面施展也依赖于不同主体的互动，

① 张烨．全员育人：中小学德育工作推进的资源整合与边界消弭［J］．江苏教育，2020 (23)：9.

② 李家成．透析班级德育生态——复杂性研究的视角［J］．思想·理论·教育，2006 (1)：21.

③ 华勒斯坦等．学科·知识·权力［M］．刘健芝，等译．北京：生活·读书·新知三联书店，1999：21.

主体间的互动质量直接关系着班级德育的质量。

此外，当前由于信息发展的多元化以及亚文化的发展，学生的思想道德教育面临着巨大的挑战，单一的育人结构并不足以支撑起班级德育的作用发挥。当前互联网以及人工智能的发展使学生更为容易的接触大量讯息，其中有不少迷信、黄色等有害信息，严重侵蚀青少年的心理健康，对于学生的道德发展造成一定的危害，对于学校道德也提出了一定的挑战。因此，从现实发展来看亟需整合家庭学校社会等多方德育力量。

2. 理论基础

第一，马克思关于人的全面发展理论。新时代，党和国家在遵循中国特色社会主义教育事业发展脉络的基础上，把努力培养担当民族复兴大任的时代新人，培养德智体美劳全面发展的社会主义建设者和接班人作为总的目标要求。全员育人的理念与注重学生的全面、全方位发展具有内在一致性，学位应始终以人的全面发展为基准，重视学生知识文化水平提升的同时，更应注重学生的道德成长。在立德树人根本任务的背景下，以全体教育成员为主力军，力求完成德育使命。第二，马克思主义的合力思想。马克思最初对合力的阐述起源于生产力中的集体力。后来，恩格斯将其延伸到社会历史创造领域，他指出："有无数互相交错的力量，有无数个力的平行四边形，由此产生出一个合力。"[①] 这种相互交错的力量构成的合力具有整体超越部分的效应，社会发展遵循着合力的基本规律，学生的道德发展亦然。马克思主义的合力思想"帮助我们明确育人主体，整合分散的育人力量，形成教育合力。同时，我们也必须明白教育合力是育人主体力量的相互连接、融合，不是主体力量的简单相加，各育人主体在育人过程中相辅相成、相互补充、相互加强，最终实现大于单个力量相加的新的育人合力。"[②] 全员育人正是符合马克思主义的合力思想，以全体成员的共同

---

① 马克思恩格斯选集：第 4 卷［M］. 北京：人民出版社，1995：697.

② 刘徽 . 新时代高校全员育人研究［D］. 昆明：云南大学，2022：14.

合力推动育人目标的实现，在班级德育中依托全员育人能够最大程度的发挥班级德育的总体合力，完成育人使命。第三，贝塔朗菲的系统理论。“20世纪贝塔朗菲创立一般系统论，他指出：‘系统是处于一定相互联系中的与环境发生关系的各组成成分的总体’”，最初系统论被运用到数学和逻辑领域，后来系统论被广泛运用到其他学科之中。“三全育人”也是一个相互影响、相互作用的系统，全员育人从“三全育人”中抽离，体现了系统论的两大原理[①]。整体与要素相互统合，全员育人就是一个整合了个体要素的整体。它通过协调各方力量，发挥出系统所具有的整体性效应。

（三）走向全员育人的班级德育的可能性

早在20世纪90年代，南京师范大学班主任研究中心的创始人班华教授就提出了，发展性班级教育系统的概念。发展性就是要以学生发展为本，把学生发展作为班级教育的核心。在此基础上，齐学红教授提出了班主任社会支持系统的概念，并构建了班主任的三大支持系统[②]。改变当下学科教师只管教书，班主人负责育人，教书和育人“两张皮”的局面[③]。班级德育理论的探索进一步细化了班级德育走向全员育人实践的可能性。

1. 变革育人理念，立足实际行动

全员育人背景的班级德育建设首先需要改变教师的固有观念，即德育工作是班主任或思想品德学科教师的工作，科任教师只要教好学科知识即可，不需要承担德育任务。要将全体教师纳入全员育人的体系中来，“学校管理者要通过系统有效的顶层设计和扎实具体的保障措施，呼吁并督促全体教师改变自身观念，构建起以人的发展为核心的教育心智模式，在校

① 刘微．新时代高校全员育人研究［D］．云南大学，2022：14.

② 齐学红．班主任社会支持系统的建构［J］．班主任，2014（10）：5－8.

③ 齐学红．人的回归：从班级管理走向班级教育［J］．班主任之友，2023（12）：4－11.

园的全时空、全境遇生活中肩负起履职担当的育人要求，通过政策引领和机制保障，激发他们承担德育工作的热情，督促他们将育人要求主动转化为行动自觉。”[①]学校各职能部门不是上传下达的关系，而是树立服务意识，协助班主任共同做好育人工作，协调家长的教育力量，构建班主任工作的家长支持意识。[②]“知是行之始，行是知之成”，改变教师固有观念，建立全员育人的新观念，以观念改变引导行动创新，是全员育人的班级德育开展的前提。而教师观念的改变并非是一朝一夕之事。在教师的职前与职中专业学习培训中，在学校的文化建设导向中，都应该引导教师树立全员育人的理念，明确自身的育人职责，认识到个体在全员育人中的价值，强化教师的全员育人理念，以理念推动行动，提升教师的行动自觉。

2. 建立育人导师共同体，将班级德育落到实处

“组织结构决定组织功能的实现。当前中小学德育的组织体系基本上是以一名分管领导、一个德育处室和一群班主任为主体构成。这种基于传统工作分工的德育组织体系，已不能适应新时代德育工作要求，也不符合全员育人的内在要求。”[③]全员育人要求全体教育人员投入到班级德育之中。既然需要全体成员的共同参与，就应做到分工明确，将具体的任务分配给每一位教师，例如作为学生导师，全面关心学生的学习、生活、身心健康等。让每一位教师明确自身的任务与职责，以及自己与他人的合作部分与职责要领，作为德育工作分工不分家。每位教师都是学生道德发展的指导教师。导师在开展德育工作时，要注意在学科教学中渗透德育，积极发挥学科的育人功能。共同建立以班主任为总导师，全体任课教师为导师的育人导师体。“学校要鼓励全体教职工担任本科班级的兼职班主任，将班主任工作

① 张烨. 全员育人：中小学德育工作推进的资源整合与边界消弭［J］. 江苏教育，2020 (23)：7－11.

② 齐学红. 人的回归：从班级管理走向班级教育［J］. 班主任之友，2023 (12)：4－11.

③ 童文兴. 全员育人，落实立德树人根本任务［J］. 中国德育，2021 (18)：11－14.

与自身岗位职责结合起来。兼职班主任可以利用业余时间了解学生的心理状况，参与学生活动、关注学生成长，帮助学生树立正确的三观，在全员育人中发挥德育教育和思政管理教育的作用。”[①] 以导师责任制促进班级德育功能的总体发挥。

3. 建立全面育人的评价体系，构建育德机制

全员育人的班级德育的有效实施，需要一套与之相应的评价体系的建立。为此，改变以往单一的育人模式，建立全方位一体化的全员育人结构体系，完善监督评价机制。有学者提出，“有必要在《义务教育质量评价指标》框架基础上，集中力量开发一套基于县域、学校和学生三个层面的立德树人监测指标体系，让立德树人从看不见的定性软指标，变成看得见、可衡量、可操作的量化硬指标，让立德树人成为一项显性工作、刚性工作、重要工作。指标体系的建立也为学校和教师的立德树人工作指明了方向，是对教师有效履行立德树人职责的科学指引，也是落实全员育人最好的指标参照。”[②] 同时构建对应的德育实施机制，如导师制、第三方的评价机制，确保教师全员参与的实际质量。

二、全员育人背景下班级管理体制改革的创新实践

自现代班级授课制诞生之后，班级便成为学校教育的基本单位，并且出现了班集体、班级共同体等的发展形态。近年来，中国的教育研究者和实践者也针对班级管理体制改革进行了大量本土化的研究与实践，开创了全员育人背景下班级管理体制改革的实践标志，为中国班级建设发展奠定

① 苗青．“全员育人、全程育人、全方位育人”德育机制的实践探索［J］. 河南教育（高教），2018 (4)：31 − 33.

② 童文兴．全员育人，落实立德树人根本任务［J］. 中国德育，2021 (18)：11 − 14.

了坚实的理论基础①。本部分主要对于全员育人背景下的班级管理体制改革优秀案例进行呈现，在具体的实践样态中可见全员育人的理论意涵。

（一）班级教育小组制度的设计与实施

“班级管理体制指学校在一定的教育思想观照下，为实现既定的教育目标，在班级教育过程中进行组织管理的各种形式及各项制度的总和。其内涵涉及班级教育组织系统的设置、隶属关系、职责范围和运行机制等，外延包括班级教育领导体制、班级教育运作体制和班级教育评价体制。”南京外国语学校仙林分校于2008年开始，改革当前中小学班级管理体制，从班主任一人负责制走向了班级教育小组集体负责制，班级是学校最小的细胞，班级的组织形态发生了变化，势必引发整个基础教育形态的变化，从此拉开了班级管理体制的序幕②。

1. 班级教育小组制度的顶层设计

（1）人员构成：班级教育小组由班主任、部分任课教师、生活教师、学生干部代表、家长代表组成。其中班主任任组长，部分任课教师（2~3人）、生活教师（寄宿制学校）为核心成员。班长、团支部书记（中队长）、班级家长委员会主任为小组重要成员。班级教育小组成员包括了教师、学生、家长三方代表。在教师队伍中包括了过去专管德育的班主任，分管教学工作的任课教师以及承担生活管理工作的生活教师。学校所有教师、生活教师全部进入了班级教育小组，实现了全员育人的目标。

（2）办公形式：改变过去以教研组、备课组为单位的办公形式，实施以班级教育小组成员（主要指教师）集中办公的形式。同时加强教研组、备课组活动，以保证学科教师的业务交流和教学研讨活动的正常进行。

---

① 齐学红．全面育人：班级教育关系的重建［M］．南京：南京师范大学出版社，2022.

② 齐学红，钱铁锋．建立班级教育小组制度：班级管理体制改革的尝试［J］．班主任之友（小学版），2008(8)：9－11.

（3）决策方式：在班主任的主持下，由班级教育小组成员集体作出重要决策（如学期工作计划、班级各项重要工作和活动、学期工作总结等），班级日常工作决策主要由核心成员提出并制定。

（4）行动方式：决策制定后，在班主任的领导下，由班级教育小组成员分工负责落实，所有任课教师既教书、又育人。在对全班学生个体指导方案确定后，具体指导工作分工到每一位任课教师。

（5）评价制度：学校对教师的评价，既要看其在学科教学中的表现，同时也要看其在班级教育小组工作中的表现，评价制度与分配制度密切挂钩。

2. 班级教育小组制度的实施过程

南京外国语学校仙林分校自2005年秋季起，对班级管理体制实行改革，大体经历了三个发展阶段：

（1）第一阶段，2005年秋季至2007年春，学校中、小学各班级先后全部实行班级任课教师集中办公制度。最初，还没有“班级教育小组”的概念，虽然在管理层和教师中认识还不尽相同，但最终还是完成了这种办公方式的转变。班级教师之间的矛盾开始减少，合作增多。

（2）第二阶段，2007年春至2008年春，学校明确提出各班建立班级教育小组的要求，并对班级任课教师集中办公制度加以完善。中小学部分别印发了“班级教育小组工作手册”，出台了“班级教育小组工作要求”“班级教育小组工作暂行规定”（修订稿）及“年级组、学部对班级教育小组管理考评办法”。这个阶段，在班级教育小组制度建设的组织领导，教育运作、评价考核等环节均涌现出很多新的经验和做法，如在组织领导方面，确定了含班主任在内3~4名任课教师（生活教师——该校为寄宿制学校）为核心成员，家长代表、部分学生代表为重要成员的做法；核心成员“日碰头”“周例会”（有时含重要成员）制；核心成员与班级全体任课教师共同出席的对学生“月诊断”的经验；将全班学生分包到每个教师具体指导的经验；年级、学部对教师实行两方面（教学工作、班级教育小组工作）考核评价的经验等等。显然，班级教育小组制度建设进入全校规范化运作的条件日渐成熟。

（3）第三阶段，2008年春季新学期开始，学校正式颁布“班级教育小组制度建设的若干规定”，要求各学部、各年级、各班级严格按照“规定”执行，同时要求各教育小组大胆实验，勇于创新，“班级教育小组工作评价制度”也在加紧研制。班级管理体制改革进入了新的阶段。

3. 班级教育小组制度的特色与优势

班级教育小组作为一种新型的班级管理体制，彰显出强大的制度优势。首先，班级教育小组有利于对学生发展现状进行全面了解和动态把握。过去任课教师对学生的了解仅限于本课程的学习情况，班主任对学生的了解也取决于其与任课教师接触的主动性。现在班级教育小组成员集中办公，随时交流学生信息，这就使所有教师对学生的了解更全面、更及时，避免了“盲人摸象”。同时，通过班级教育小组的例会制度，生活教师、家长代表对学生也获得了更多的了解。

其次，班级教育小组有利于学校教师全员育人，克服了“教书、育人两张皮”的现象。过去，任课教师主要负责课程教学工作，虽说学校要求所有教师要“管教管导”，除了教学工作外，也要重视德育工作，但在班主任负责制下实际上难以做到。在班级教育小组制度下，有了机制的规定，全员育人成为可能。有利于班级学科教学力量的整合，提高了教学质量。在班级教育小组制度下，任课教师集中办公，这使得他们平时的接触、交流机会显著增多。

再次，有利于对学生进行个性化指导。在班级教育小组制度下，通过对学生更多、更深入地了解，对学生个体的全面诊断，可以制订出每个学生的全面指导方案（包括智力因素、非智力因素），并由相应的教师（含生活教师）全面指导（整体负责）和重点指导（某一单项），从而提高了教育的针对性，有利于学生的全面发展和个性化发展。

最后，班级教育小组有利于形成教师、学生、家长“三力合一”的局面。中小学生处在学校、家庭两个环境中，教师和家长如果能够在教育中取得一致，将有利于学生的健康成长。现实情况是，学校缺乏与家长建立共同教育的机制，家长在学校教育中的作用容易被忽视，这也是当前基础教育的难点和盲点。班级教育小组中的家长代表，对班级情况、学生情况有了更深入的了解，并将其传达给其他家长，同时带来了其他家长的反馈意见，这就为班级决策提供了宝贵依据，同时也为决策的落实提供了家长基础。班级教育小组制度使家长参与学校教育成为可能，从而为形成教师、学生、家长相互协作，提升班级文化品位，提高学生生命质量提供了理想的平台。

（二）阳光教育小组制度的学校实践

“阳光教育小组”是在班级教育小组集体负责制的基础上，以“小组合作”为出发点，以“阳光教师”“阳光学生”为工作目的的一种班级管理模式。江苏省镇江实验学校建立了阳光教育小组制度，取得了一定的成功经验，阳光教育小组的建立经历了如下的基本步骤[①]。

（1）完善例会，保障运行。为了保证阳光教育小组运行，建设了“三会”制度。即组长和核心成员“日碰头”“周例会”，交流工作重难点和学生情况。每月的第四周“周例会”改为“月诊断”。校长室、德育处、教务处等各职能部门和级部对各班“三会”情况进行过程管理，督促各班在“三会”中进行班级“阳光教育小组”的决策、执行、总结、反馈，确保“阳光教育小组”的有效运行。

（2）分工合作，责任到人。将班级管理工作依据各人的特点进行分工，坚持常规工作包干制分工、文化建设擅长制分工、学业管理牵手制分工、重大活动协作制分工、诊断反馈全员制分工等原则，以确保分工合理、精确，促进班级管理到位到人。

---

① 夏建平．阳光教育小组：对班级管理体制的改革［J］．华夏教师，2019（16）：91－92.

（3）转变角色，培养组长。通过加强对组长的培训，在师徒结对、办公室安排、教师安排等方面尽可能地为组长提供互相学习、互相影响的机会，打造一支成熟的、优秀的组长队伍。

（4）突破重点，成长组员。核心成员对于“阳光教育小组”的态度，在很大程度上决定这项改革最终实施的效果。为此，成长组员在很大程度上影响着班级管理的最终效果，提升教师个人管理与合作的意识与能力，能够确保班级管理的有效性。

（5）建设考评制度。“阳光教育小组”评价制度的改革必须关注到捆绑考核，强调对集体的考评，又要关注到每一个教师个体。评价制度将“个人问责”纳入其中，对师德范围内的细则一律进行“个人问责”考核。为保证班教组长的工作能动性，考评体系将“服从组长的合理分工”作为师德考核的重要内容，对于组内协同共同完成的任务的考评，采用“捆绑考核”。

（6）挖掘资源，家校共育。首先，开展“家长资源进课堂”活动，邀请有一技之长的家长代表走进课堂，丰富活动内容，以新鲜的、多元的元素带给学生全新的课堂，努力丰富并形成特色“阳光娃”大课堂的课程资源。其次，开展“阳光你我他”家校沙龙活动。邀请家长代表在全体家长中广泛征集教育最为棘手的问题，对相关问题进行规整，组织全体家长在沙龙活动中共商对策，相互学习、分享成功的家教经验。最后，畅通“组长成员我来评”家长评价渠道。以促进班教成员管理能力为目的，以校讯通的形式向家长公布分管校长、督导的电话，鼓励家长参与到教师评价中。

（7）锻炼学生，自主管理。首先，取消班干部，加强对学生代表的培训，培养服务意识和参与班级管理的能力。邀请学生参与到班级管理事务，以此激发学生代表参与班级管理的积极性、荣誉感，教给学生积极有效的自主管理方法。其次，形成“我是‘四美两会’阳光娃”手册，以自主评价促自主管理。为搭建学生自主发展的平台，促进自主管理，学校对“期末三好生制度”进行了一系列的改革，将原先的“四美两会”养成教育评价制度和学期素质报告单相结合，设计较为全面的“我是‘四美两会’阳光娃”

自主评价手册，评价主体的多元化放大了学生的优点，增强了自信。

阳光教育小组是在全员育人背景下的班级管理体制改革尝试，教师之间的相互合作、学生的自我管理及家长的充分参与，形成了班级管理制度的全员合作，在阳光教育小组班级管理体制中，各个成员形成教育合力，在分工合作中达成了全员育人的教育效果。

第二章
班级德育的主体与关系

对于青少年发展而言，班级德育首先体现在不同主体之间的相互关系中，班级德育的构建主要体现为班级教育关系的建设。班级教育关系是指围绕着班级教育展开的关系，主要包括教师之间、师生之间、生生之间以及家校之间的关系。班级教育关系通过多种关系的互动对学生身心发展施加一定的作用与影响，在青少年品德发展中发挥着潜移默化的影响。一方面，班级教育关系的亲疏和谐与否关系着班级德育展开的现实条件，良好和谐的班级教育关系为班级德育的开展奠定基础。另一方面，班级教育关系构筑一种隐性的道德生活氛围，在不同主体的交互中生成一种潜在、持久的道德影响。本章将从班级教育的四组关系入手，围绕四组关系的形成发展脉络、现实样态以及未来走向，分别探究不同的教育关系在班级德育中的作用发挥，以期为班级德育的开展提供社会支持系统。

第一节　教师群体：班级德育的教育主体

“师者，教人以道者之称也”(《周礼·地官司徒序》)，“师也者，教之以事，而喻诸德者也”(《荀子》)，“师者，所以传道授业解惑也”(韩愈《师说》)，是中国古代对于教师的传统定义，意指教师承担着讲授道理、传授学业、培养德性、解答困惑的重要职责。从这些定义可以看出，中国古代对于教师的一般要求：教师不仅要教授学生知识，更要注重培养学生品格。现代对于教师的一般定义可参见《中国大百科全书》，其对教师定义为“教师，是传递和传播人类文明的专职人员，是学校教育职能的主要实施者。从广义上讲，凡是把知识、技能和技巧传授给别人的人，都可称之为教师。从狭义上讲，教师指经过专门训练、在学校从事教育教学工作的专门人员。教师是学校教育工作的主要实施者，其根本任务是教书育人。”由此可见，教师含义具有双重职能。对于知识与道德的共同关注是教育的应然之义，教师作为教育活动展开的主体应该关注对学生进行知识与道德的共同教育。教师群体有责任与义务担当起班级德育的责任。

我国现行中小学组织形态中，班级是学校进行教育、教学的基本单位，学校各项工作的开展是以班级为单位进行的。因此，从这个意义上说，将中小学德育工作贯穿融入学校各项日常工作之中，首先就要融入班级工作之中[①]。在班级德育过程中，德育的主体主要为教师，班主任应积极调动教育场域中的其他人员助力班级德育的开展。《中小学德育工作指南》指出：“班主任应加强与任课教师、家长以及学生所在社区的联系，努力形成教育合力。”

一、制度设计：班主任制度与学科德育的历史沿革

班主任与任课教师都是班级德育开展的教育主体，但是二者作用的发挥存在一定的区别。班主任作为全面负责班级事务的教师，在班级德育中发挥着组织者、领导者的核心作用，是班级德育的主要推动者。科任教师也肩负着对学生进行道德教育的重任，但是科任教师对于学生进行道德教

① 尹艳秋．核心价值观教育班级化的必要性与路径：基于对《中小学德育工作指南》的解读［J］．江苏教育，2019 (55) : 11.

育的主要途径是通过学科教学的方式，在学科德育中完成任课教师的德育职责。同时任课教师也应积极配合班主任工作，与班主任共同进行班级德育工作，起到协调、配合德育的支持性作用。回顾班主任制度与学科德育的历史沿革有助于厘清班主任与任课教师两类群体在班级德育中不同作用的发挥与功能定位。

（一）班主任制度是中国特色的教育制度之一

班主任是学校中全面负责一个班学生的思想、学习、健康和生活等工作的教师，是一个班的组织者、领导者和教育者，也是一个班中全体科任教师教学、教育工作的协调者[①]。班主任制度的建立是中国特色教育制度之一，已有100多年的历史。班主任制度由萌芽、产生到发展，基本经历了“级任制”“导师制”“班主任制”三个阶段。

1. 级任制——班主任制度的源头

最早的班主任制度雏形可追溯至1904年，清政府颁布的《奏定学堂章程》规定：“凡初等小学堂儿童之数，六十人以上一百二十人以下，例置本科正教员一人；其力足添置副教员一人者听。”“正教员任教授学生之功课，且掌所属之职务。”[②]1916年1月8日公布《国民学校令施行细则》规定：“正教员担任儿童之教育，并掌管教育所属事务，助教员辅助正教员之职务。”[③]可以看出级任制是指一教师担任班级的全部课程并且对班级所属事务均有一定的掌管职责，级任制可以看作我国班主任制度的源头。

2. 导师制——班主任有管理学生的职责

1932年，江苏最早推行了与“分团指导法”相近的导师制，用以改进“级

---

① 中国大百科全书总编辑委员会．中国大百科全书（教育卷）［M］．北京：中国大百科全书出版社，1985：12.

② 璩鑫圭，唐良炎．学制演变［M］．上海：上海教育出版社，1991：301.

③ 朱有瓛．中国近代学制史料［M］．上海：华东师范大学出版社，1990：148.

任制”的不足[①]。操作起来就是“学校每学级人数超过30人者，即应分成两组，每组设导师一人，其中一人仍兼级任导师，导师由担任该学级课程教学的专任教师担任，以促进训教合一。”[②]此制度使得每个教师管理学生人数有所减少，因此便于教师深入地了解学生。1938年，国民政府将级任制改为导师制，颁布了《中等以上学校导师制纲要》，其中规定，把每个班级的学生分成若干小组，每组5~15人，设一导师，由校长指定专任教师担任。另有主任导师（通称训育主任）专管导师指导事务[③]。这时的导师制对于教师提出了管理、教育学生等职责，与现在所称的班主任有较大的相似性。

3. 班主任制的最终确立

1941年，孙萍在《陕甘宁边区完小的一般状况》一文中指出，完小的行政组织，一直到现在还没有比较统一的组织。1942年，绥德专署教育科的《小学训导纲要》直接提到：“实行教导合一制，必须加强班主任的责任，否则教导主任就忙不过来。”[④]至此，“班主任”的概念首次出现，并沿用至今。1952年教育部颁发的《小学暂行规程（草案）》和《中学暂行规程（草案）》，规定“小学各班采教师责任制，各设班主任一人，并酌设科任教师”[⑤]；“中学每班设班主任一人，由校长就各班教员中选聘，在教导主任和副教导主任领导下，负责联系本班各科教员指导学生生活和学习。班主任任课时数，可根据具体情况，较专任教员酌减。”[⑥]两份文件指出我国中小学各班采用

---

① 胡洋. 改革开放以来我国中小学班主任制度研究［D］. 长春：东北师范大学，2013：8.

② 杨同芳. 中学训育［M］. 上海：世界书局，1941：275.

③ 宋恩荣，章咸. 中华民国教育法规选编（1912—1949）［M］. 南京：江苏教育出版社，1990：159－160.

④ 陕西师范大学教育研究所. 陕甘宁边区教育资料（小学教育部分上）［M］. 北京：教育科学出版社，1981：274.

⑤《中国教育年鉴》编辑部. 中国教育年鉴（1949—1981）［M］. 北京：中国大百科全书出版社，1984：728.

⑥ 同⑤731.

教师责任制，每班一名班主任，校长可在各班教员中选聘。这可以看作是我国班主任制度的正式建立，从具有现代意义的学校系统建立之日到我国中小学班主任制度的最终确立，其间经历了约半个世纪的历程[①]。

4. 班主任工作的德育职责

1956 年到 1966 年是中国开始全面建设社会主义的十年，也是初步探索中国社会主义教育的十年。其中伴随着经济发展的“大跃进”运动也波及教育，给教育发展带来重大损害。1961 年后对教育进行整改，主要涉及到三个方面：压缩规模，合理布局；团结和使用知识分子；规范学校的管理[②]。其中在“规范学校管理”方面，中共中央制定了两个非常重要的文件：1963 年中共中央颁布《全日制小学暂行工作条例（草案）》和《全日制中学暂行工作条例（草案）》。通过其中的内容可以发现班主任工作内容有了一些改进，如指出“班主任应在科任教师的协助下开展工作；对本班学生进行思想（品德）政治教育；指导少年先锋队开展课外活动；评定学生操行；进行家长工作”。可以看到当时对班主任工作职责的设定已经涉及到德育工作的基本内容。

1978 年后进入到改革开放的新时期，我国教育的发展也进入到新阶段，党和政府高度重视教育工作，提出教育面向现代化、面向世界、面向未来的重要方针。学校教学质量得到重视，中小学班主任制度得以恢复并延续。国家教育部门开始颁布系列文件来加强对中小学班主任岗位的管理，包括规范管理班主任的聘任来源、主要职责、在职培训等方面，中小学班主任津贴制也得以初建，中小学班主任制度在恢复过程中发展得很快[③]。

为了贯彻和落实《中国教育改革和发展纲要》（1993）的精神，国家教委先后颁布了《小学德育大纲》（1993）、《中学德育大纲》（1995），在

---

① 胡洋. 改革开放以来我国中小学班主任制度研究［D］. 长春：东北师范大学，2013：9.

② 付辉. 我国中小学班主任工作职责变迁研究［D］. 南昌：江西师范大学，2012：18.

③ 同① 12 – 13.

两份文件中，分别在德育的“实施途径”中规定了班主任工作的相关内容[①]，从德育的视角明确了班主任在德育中的具体工作内容与职责，针对性极强。1993 年的《中国教育改革和发展纲要》提出“中小学要由‘应试教育’转向全面提高国民素质的轨道，面向全体学生，全面提高学生的思想道德、文化科学、劳动技能和身体心理素质，促进学生生动活泼地发展”。2004 年 3 月，中共中央、国务院印发《关于进一步加强和改进未成年人思想道德建设的若干意见》，2006 年教育部印发了《关于进一步加强中小学班主任工作的意见》，进一步明确了中小学班主任在学生身心发展、思想品德建设方面的主导作用。其中，《关于进一步加强中小学班主任工作的意见》对中小学班主任在德育工作方面的规定更加具体细微，如在“做好中小学生的教育引导工作”方面，强调“思想道德教育”，并进一步具体化为“引导学生明辨是非、善恶、美丑，从身边的小事做起，逐步树立社会主义荣辱观，确立远大志向、增强爱国情感”。

2009 年 12 月，教育部出台《中小学班主任工作规定》并沿用至今。《中小学班主任工作规定》对中小学班主任的配备与选聘、职责与任务、待遇与权利、培养与培训、考核与奖惩等进行了明确规定。总则第二条指出班主任是中小学日常思想道德教育和学生管理工作的主要实施者，是中小学生健康成长的引领者，班主任要努力成为中小学生的人生导师，点明了班主任在德育中的重要位置。

总之，班主任制度是具有中国特色的教育制度之一，从其萌生、发展到变迁经历了一百多年的发展历史。在发展变迁中班主任制度逐渐完善，在配备与选聘、职责与任务、待遇与权利、培养与培训、考核与奖惩等方面形成一个完整的制度体系。从班主任的职责与任务角度审视，班主任工作职责随着时代的发展出现一些新的变化，但是班主任作为班级德育的重

---

① 王宝祥，牛志强，陈燕慈．班主任工作全书［M］．北京：专利文献出版社，1997：791，801.

要指导者、建设者的角色却始终未发生动摇，进入到教育发展新时代，教育主管部门和学校对班主任发挥班级德育价值，促进德育实施反而提出了更高的要求。

（二）班主任德育是落实立德树人根本任务的重要途径

2012 年 11 月，党的十八大明确提出：“全面贯彻党的教育方针，坚持教育为社会主义现代化建设服务、为人民服务，把立德树人作为教育的根本任务，培养德智体美全面发展的社会主义建设者和接班人。”党的十八大以后，习近平总书记在多个场合强调立德树人的重要性。2016 年 9 月 9 日，习近平总书记在北京市八一学校考察时指出，基础教育是立德树人的事业，要旗帜鲜明加强思想政治教育、品德教育，加强社会主义核心价值观教育，引导学生自尊自信自立自强。2017 年 10 月，党的十九大提出：“要全面贯彻党的教育方针，落实立德树人根本任务，发展素质教育，推进教育公平，培养德智体美全面发展的社会主义建设者和接班人。”

2017 年 9 月，中共中央办公厅、国务院办公厅印发了《关于深化教育体制机制改革的意见》，提出健全立德树人系统化落实机制。同年，教育部印发《中小学德育工作指南》，对中小学校德育工作的四条基本原则、五项主要内容和六大实施途径作了具体要求。2019 年 6 月，中共中央、国务院印发的《关于深化教育教学改革全面提高义务教育质量的意见》再次强调，落实立德树人根本任务，健全立德树人落实机制。

综观近几年的教育文件，立德树人是当前教育的重中之重，是新时代贯彻教育方针的重要体现，也是学校教育中一个不可小觑的环节。那么立德树人是立什么德？树什么人呢？根据 2018 年 5 月习近平总书记在北京大学座谈上的讲话，树人就是要培养孩子成为社会主义事业的建设者和接班人；是德智体美劳全面发展的人；是担当民族复兴大任的时代新人。立德首先是要立成“人”之德，要有孟子的“仁义礼智”之心，其次是要立时代之德，培养学生的社会公德。教育旨在培养学生有成人之德和时代之德，要求学生牢固树立社会主义核心价值观，学习中华民族传统美德，弘扬民族精神和时代精神，树立全球观念和生态意识等①。

为回应立德树人的根本任务，学校教育人员应当把立德树人渗透在学校工作的各个环节中。在我国现行的中小学组织形态中，班级是学校进行教育教学的基本单位，学校各项工作的展开是以班级为单位展开的，因此，立德树人根本任务的展开也是以班级为单位展开的。班主任作为班级的组织者和管理者，理应是落实立德树人根本任务的中坚力量。

班主任在落实学校立德树人根本任务中居于重要地位，是学校德育的中坚力量。班主任工作繁重且多变，要落实立德树人的根本任务，就要建立班级育人支持体系。首先，从班主任层面来看，班主任要树立立德树人的意识，学习德育理论和德育方法；班主任要从自身要求自己，德高为师，身正为范；班主任可通过教学活动，培养学生的优秀品质，将社会主义核心价值观渗透在教学中，将教学内容与自身行为相结合，引发道德思考；班主任要根据学生身心发展特点，定期组织主题班会，将时代精神和学生实际相结合，循序渐进地带领学生进行德育学习与实践，将道德认知转化为道德行为。其次，从学生层面来说，要建立管理育人机制。班级事务很多，如卫生、学习、纪律，如果每件事都要班主任亲力亲为，必然会加重班主任的负担。因此，班主任可借助班委的力量来帮助其管理班级，从而培养学生良好的习惯、端正学生的学习态度等。第三，从班主任与任课教师的关系来说，班主任是任课教师和学生之间的一个重要纽带。班主任的工作无形之中会影响到任课教师的课堂教学、师生交流等。因此，班主任可与任课教师达成一致，重视学生的品德培养，把落实立德树人任务作为所有任课教师教学中必不可少的内容。第四，从班主任与学校领导关系层面来说，班主任是学校德育活动执行的重要领导者和策划者，因此，学校领导

① 冯建军．立德树人的时代内涵与实施路径［J］．人民教育，2019 (18)：39 − 44.

应建立相关规章制度，明确学校职工职责，制定合理的评价机制和奖惩制度，为班主任和学科教师进行德育创造良好的环境。

（三）学科育人是开展班级德育工作的有效支撑

新中国成立初期的学科育人主要是以政治课进行直接的道德教育。比如这一时期中学取缔了国民党的《公民》《党义》《中国之命运》等政治课，取而代之的是《毛泽东青少年时代》《革命故事》《社会发展史》《中国革命和中国共产党》《新民主主义论》《政治经济学》等新课程。由此看来，这一时期的思政课主要是意识形态的教育。1957 年，毛泽东指出，要加强思想政治教育，恢复中学政治课，取消宪法课。同年 8 月，教育部发出了通知，规定高中一、二年级设《社会发展常识》、高三年级设《社会主义建设》。1959 年，规定全国各中学开设《道德品质教育》《社会发展简史》《中国革命建设常识》和《唯物主义常识》。在全面建设社会主义的十年，由于党的工作在指导思想上有过严重失误，只开设了《社会主义教育》课，实质上是以政治运动代替思想政治课，思想政治课主要为批判"修正主义"服务。这些错误严重破坏了中学政治课程设置的科学性，削弱了课程的积极功能。1978 年至 1992 年，全国中学恢复使用统编教材，高中开设了《社会发展简史》《科学社会主义》等课程。1981 年起，初一至高三分别开设《青少年修养》《社会发展简史》《法律常识》等五门课程。这一时期的政治课与当时思想领域"正本清源，拨乱反正"的任务相适应，比较注重完整准确地讲述马克思主义的基本观点[①]。

综上所述，新中国成立初期到 21 世纪初期，国家主要以思政课来对学生进行直接的道德教育，以培养学生正确的意识形态与高尚的思想品德等，并未提出其他学科同样具有肩负德育的使命。

---

① 朱涛．两岸中学德育课程比较研究［D］．武汉：湖北大学，2013：4－6.

直到 2014 年，教育部在印发的《关于培育和践行社会主义核心价值观进一步加强中小学德育工作的意见》中提出“改进课程育人”。文件提出，“各级教育部门和中小学校要充分发挥课程的德育功能，将社会主义核心价值观的内容和要求细化落实到各学科课程的德育目标之中”，“推动学科统筹，特别是加强德育、语文、历史、体育、艺术等课程教学的管理和评价，提升综合育人效果。”开展学科德育精品课程展示活动，引导各学科教师依据课程标准和学生实际情况，设计相应的教学活动，在传授知识和培养能力的同时，将积极的情感、端正的态度、正确的价值观自然融入课程教学全过程。至此，课程育人以文件的形式被正式提出来。

2016 年 12 月，习近平总书记在全国高校思想政治工作会议上讲话指出：要坚持把立德树人作为中心环节，把思想政治工作贯穿教育教学全过程，实现全程育人、全方位育人。这一重要讲话对学校提出了全员育人、全程育人和全方位育人的要求[①]。学校教育应该在课程、教学、文化等方面进行育人，在学科课程、教学过程、教学内容等方面进行育人观照，培养新时代“四有”新人。

而学科德育的明确提出是在 2017 年教育部出台的《中小学德育工作指南》（简称《德育指南》）中，该文件在第五部分“实施途径和要求”中提出要通过“课程育人”，“充分发挥课堂教学的主渠道作用，将中小学德育内容细化落实到各学科课程的教学目标之中，融入渗透到教育教学全过程”。在这个文件中，德育目标被列在教学目标中提出来，并要在教学过程中融入德育元素，由此可知德育在教学过程中的重要性。

习总书记指出：“要用好课堂教学这个主渠道，思想政治理论课要坚持在改进中加强，提升思想政治教育亲和力和针对性，满足学生成长发展需求和期待，其他各门课都要守好一段渠、种好责任田，使各类课程与思

① 冯建军．立德树人的时代内涵与实施路径［J］．人民教育，2019 (18)：39 − 44.

想政治理论课同向同行，形成协同效应。”[①]可以看出，习总书记非常重视利用思政理论课对学生进行育人，其他课程也要观照到思想政治教育，和思政理论课联合，形成合力，共同促进学生的成长。

综上所述，学科德育已经成为各科教学必不可少的一部分。目前来看，直接进行德育的科目叫“道德与法治”。除此之外，其他科目比如语文学科、数学学科等也承担着德育的使命。在这个过程中，学科教师起着至关重要的作用。一堂课的德育影响如何，与教师对学科内容的传授和学生对于学科知识的感受密切相关，更与教师对学科内容中蕴含的德育元素的挖掘能力密不可分。教师要结合学科特点、学生年龄特点，充分挖掘学科中的教育要素，将学科知识与相关生活实际相结合，形成具有挑战性的学习任务，并通过实践，提升学生的核心素养，实现知行合一的有意义的教学过程[②]。有学者认为，学科育人重在回归育人本位，充分挖掘学科育人价值，培养全面发展的人，扭转当前教学中“重智育轻德育”的局面[③]。总之，学科教师要注重学科中蕴含的德育价值，有意识地对学生进行德育影响，教学生如何做人。由此看来，学科教师的德育能力对学生的德育发展起着举足轻重的作用，也直接影响着班主任的德育工作。当前在很多地方，学科德育并没有得到应有的重视，处于“遭人弃”的境遇，不少学科教师没有把德育任务看作自己工作分内的事，想当然地以为是德育教师的任务。这种观念影响了学科德育政策的落实，不利于班主任德育工作的开展。我们知道，对学生的教育是所有教师的职责，而不应该仅仅是德育教师的事。此外，教学的教育性是教学之为教学的内在规定性，倘若在学科教学中不进行道

① 习近平．习近平谈治国理政（第二卷）［M］．北京：外文出版社，2017：378.

② 申军红．基于人本位的学科德育内涵与实施策略［J］．基础教育课程，2019（5）：46－49.

③ 车言勇，王金德．学科德育让教学回归育人本位［J］．中国教育学刊，2019（7）：103－104.

德教育则教学不复为教学。因此，要提高学科教师的德育意识和德育能力，这会有利于班主任德育工作的开展，对于德育效果也会锦上添花。当然，我们在提倡进行学科德育的时候，也不能太“过头”。新课改以来，“情感、态度、价值观”成为新课标的一维，有些教师把很多时间用在了学科德育而非学科知识教学中，学科德育失去了其间接性、潜移默化的特点，变成了赤裸裸的“德育课”，失去了学科本身应有的特色。对一堂课的评价也是先看是否对学生进行了德育，这造成了对学科教学的忽视和僭越。

综上所述，学科德育和班主任德育是相辅相成的关系，学科德育是班主任德育工作开展的基础和支撑，班主任德育工作是学科德育的助推器，共同促进学生的德育发展。

二、主体分离：班主任与科任教师的德育工作

按照班级教育中具体职责的划分，教师群体可以划分为两类：班主任与科任教师。回顾班主任制度的设定与发展可知，班主任肩负班级德育的职责已有一定的历史，而学科教师发挥德育功能也是教育认知进一步提升的产物。审视当前教师群体德育工作开展的现实境况，发现班级德育教师群体中的班主任与科任教师在德育工作中存在着相互脱离、各自为政的问题。二者的相互配合及张力问题构成了当前教师群体在班级德育工作中的实践样态。这些问题对于发挥教育主体的合力，促进班级德育的有效展开有一定的阻碍作用，从长远来说，不利于班级德育的有效进行。本部分通过对当前班主任德育、科任教师德育工作展开的实践样态进行剖析，试图探讨致力于提升班级德育有效性的未来班级德育教师群体发展的理论建构。

（一）德育和教学的“两张皮”现象

在班级管理中，班主任负责制导致“任课教师负责教学”“班主任负责德育”的教育现状，形成了学校教学工作和德育工作“两张皮”的局

面[①]。在对学生的培养和全面发展问题上，任课教师过于依赖班主任，理所当然地把一些非自己管辖领域的问题推给班主任，认为班主任才是管理学生的合法人员。而班主任在平时工作中是班级各种德育常规的主要负责人，比如卫生、两操、仪容仪表等。班主任不仅要关注集体的德育状态，及时进行集体教育，还要关注学生个体的状态，进行个别教育。可以说，只要和德育相关的工作都是班主任的事情，任课教师只需管好教学，这样就导致了德育工作和教学工作的分离局面。这种局面一方面给班主任带来了沉重的工作和心理压力，另一方面不利于班级德育工作的开展，使学科教师的教育资源闲置，使班级教师的集体智慧和群体作用的发挥受到了很大限制[②]。

（二）分离与融合：班主任双重角色的意义呈现

班主任不仅承担着对本班学生进行德育的任务，同时也担任某一学科的教学任务。班主任一般并非单独设立，而是从任课教师中选拔有才能者担任，德育与智育并举赋予了班主任双重角色的特殊性质[③]。班主任双重角色发展呈现分离与融合的不同发展阶段。第一，班主任双重角色的分离阶段。1934 年《中华苏维埃共和国小学校制度暂行条例》提出每个班级设一位主任教员，主任教员并不授课，只参与班级指导。第二，班主任德育与智育的融合阶段。1942 年，绥德专署教育科的《小学训导纲要》直接提出："实行教导合一制，必须加强班主任的责任，否则教导主任就忙不过来。"双重角色由此产生。1949 年 7 月，《陕甘宁边区政府关于新区目前国民教育改革的指示》提出：废除训、教分离制度，实行教导合一，这一

---

① 齐学红，钱铁锋．建立班级教育小组制度：班级管理体制改革的尝试［J］．班主任之友（小学版），2008 (8) : 9.

② 同①.

③ 朱元嘉，蔡和．师生互动中班主任双重角色的意义呈现［J］．教学与管理，2021 (27) : 76.

原则从两方面实施：①教师不只教书而且要参加具体的指导工作；②组织上训育与教务统一。双重角色再次以政策文件的形式得以强化。第三，班主任角色的专业化发展。改革开放以后，党和政府出台了相关政策，强化班主任工作的专业化。1979 年 11 月，教育部印发的《关于普通中学和小学班主任津贴试行办法（草案）》，首次规定了班主任的工作量、津贴标准和班主任工作要求。2006 年，教育部颁布了《关于进一步加强中小学班主任工作的意见》，进一步明确了班主任的工作职责，并就班主任选聘和培训、班主任待遇和奖励制度、班主任合法权益等方面提出了更为明确的要求。2009 年，教育部颁布了《中小学班主任工作规定》，规定中就教师对学生的批评教育权利等问题作出了较为明确的规定。

通过对班主任角色的梳理不难发现，班主任既有教学任务在身，又有作为自身角色的特殊“德育”任务在身，班主任的“工作职责”越来越广泛。班主任的德育工作现状呈现以下两个特点：

1. 德育和教学的失衡

笔者了解到，在南京的一些中学里，班主任除了一周有至少 12 节的正课教学任务之外，还要处理很多工作：联系家长、执行学校上级领导发布的各种行政命令、组织学生进行各种活动、关注问题学生并及时进行心理疏导等。除了关注班级的常规工作外，班主任还要时刻关注班级动态，及时发现问题，解决问题。除此之外，班主任还要处理学生的各种事件诸如课堂违纪、作业不写等现象。班主任工作处于饱和状态，很多班主任会抱怨自己是“全时间保姆”“管理者”“联络员”等，这些抱怨无不隐匿着班主任对自我角色的迷惘，长此以往会使班主任产生职业倦怠。

作为“儿童工作者”，班主任主动或被动地被卷入“泛化关系”的旋涡之中，从积极意义上说，为了更加了解儿童，协调教学力量，以及争取更加丰富的教育资源，班主任被卷入这种多元化的关系，在一定程度上是合理的。[①] 但班主任具有德育和教学的双重角色，除了处理各种事务之外，还要兼顾自己的教学工作，进行备课和上课。对于新手班主任来说，常常顾此失彼，容易影响到教学质量，不利于班主任作为学科教师角色的教学能力发展，也不利于班主任专业化的发展。

对于这种情况，南京外国语学校仙林分校实行班级教育小组制度，在班主任之外，另邀两名学科教师加入“班教小组”，帮助班主任分担和管理德育工作，大大减轻了班主任的工作负担，使班级教育效果提高很多。

2. 班主任德育素质的缺失

德育素质是由教师的品德（亦称师德）、德育观念、德育责任心、具体德育目标的追求、德育因素的利用、德育途径方法的熟练运用、德育对象的了解、德育效果的评价、德育研究、德育理论修养等方面的科学认识和能力以及与此相应的德育理论修养所构成的[②]。

班主任德育素质为什么会缺失？原因是多方面的。一方面班主任在烦琐的工作中，无暇对德育工作有更多的思考和学习，学校层面也缺少专业的德育指导，导致班主任德育素养欠缺。另一方面，素质教育在一些学校并未得到真正落实。尽管新课程改革已进行多年，但考试评价制度改革滞后，社会对学校仍以升学率为标准进行评价。应试教育迫使教师、学生围着升学转，导致智育成了硬任务，德育成了软任务——说起来重要，忙起来不要[③]。另外，班主任德育素质的缺失和学校德育管理体制的局限性有关。当前，很多学校对班主任的考核是通过看得见的成效，譬如看哪个班级的卫生状态不错，学习成绩较好，获奖多一些，这个班的班主任就可以评为先进。这种量化考核的方式只能使少数班主任获得“优秀班主任”称号，

---

① 佘林茂．走向教师领导：学校日常生活中的班主任角色构建［J］．苏州大学学报（教育科学版），2021 (1) : 64.

② 费建良．班主任偏离德育为首理念的现状及其对策［J］．教学与管理，2005 (13) : 14.

③ 同②.

而那些关心学生思想波动、时常找学生谈心却不重视各种比赛的班主任则不被看见。现代德育工作具有开放性等特点，负责学生思想工作的班主任的辛勤劳动，许多地方难以检测，难以量化。由于班主任评价起着重要的导向作用，不科学的班主任评价方式不利于激发班主任的积极性，也不利于班主任德育素质的发展[①]。

班主任德育素质缺失，造成班主任没有把德育工作作为一项重要的事业来做，工作能力较为欠缺，不能很好地指导学生的思想工作，从而影响了学生的长期发展[②]。当前中小学部分学生出现厌学情况，有些班主任已经“放弃”这类学生，认为他们只要上课保持安静，不影响其他同学上课就行了。因此，如何激发学生热爱学习，引导学生变苦学为乐学，变厌学为爱学，是班主任工作的一项重要任务。对于班级里厌学的孩子，班主任应该积极采用各种方法和学生沟通，从学生的兴趣入手引导学生热爱学习，从所教授的内容入手引发学生思考，从学生所处的现实和未来对学生进行“晓之以理，动之以情”的劝勉，激发学生学习的动机和热情。总之，班主任拥有高尚的德育素养有利于培养学生高尚的道德素质，促进学生的能力和个性发展，否则会不利于促进学生的全面发展。

（三）配合与统一：科任教师角色的认同

班主任制度的实行，在一定意义上影响了科任教师对自己角色的认知。自班主任制度确立以来，党和国家的教育文件反复强调班主任工作的重要价值和意义，这在一定程度上有利于彰显班主任工作的专门性、重要性。但这种一味“强调”“突出”，在观念上极易误导人们，即认为在学校里，只有班主任才应该、必须承担教育学生的职责，班主任是教育学生的唯一合法人选，而科任教师只需要把课教好，根本无须承担教育学生的职

① 费建良．班主任偏离德育为首理念的现状及其对策［J］．教学与管理，2005 (13) : 14.
② 丰娴静．浅谈班主任德育工作现状与对策［J］．现代教育科学，2009 (12) : 36.

责。这种“教书”和“育人”的分离导致科任教师对自己的角色认知的偏差。这种偏差造成的后果是显而易见的：一方面造成班主任的任务越来越重，另一方面，科任教师可以“合法”、理直气壮地推卸教育责任[①]。

1. 学科教师应承担德育工作的理论依据和政策依据

学科教师和班主任一样，有教学和德育的双重角色，不仅要向学生传授学科知识，而且有通过课程内容育人的职责。赫尔巴特认为，教学如果没有进行道德教育，只是一种没有目的的手段，道德教育如果没有教学，就是一种失去了手段的目的[②]。因而，道德教育对教学有特殊规定性。学者刘争先认为，学生作为道德主体，道德教育不能将学生作为知识传授的客体，而是要作为学校道德生活的主体。道德教育旨在提升个体的道德认知结构和水平，引导人们向善，过有德性的生活，从而得以真正获得美好生活。教师作为道德榜样，教育教学价值的实现需要教师具有较高的道德品质并对教学的道德维度具有自觉的意识。在教师所需具备的诸多品质中，关怀和公正是两种最为重要的品质。关怀学生、与学生保持密切的关系是促进学生智力与道德发展的重要路径。[③]

科任教师具有育人的职责不仅有理论依据，而且我国的教育文件对此也有相关规定。2014 年，教育部印发的《关于培育和践行社会主义核心价值观进一步加强中小学德育工作的意见》提出“改进课程育人”。文件指出，各级教育部门和中小学校要充分发挥课程的德育功能，将社会主义核心价值观的内容和要求细化落实到各学科课程的德育目标之中。“推动学科统筹，特别是加强德育、语文、历史、体育、艺术等课程教学的管理和评价，提升综合育人效果。”2017 年教育部出台的《中小学德育工作

① 杜时忠．“班主任制”走向何方？［J］．教育学术月刊，2016 (11)：5 － 6.

② 赫尔巴特．普通教育学·教育学讲授纲要［M］．李其龙，译．北京：人民教育出版社，1989：217.

③ 刘争先．学科德育与教师的德育能力［J］．教育理论与实践，2015 (25)：39 － 42.

指南》，提出要通过“课程育人”，“充分发挥课堂教学的主渠道作用，将中小学德育内容细化落实到各学科课程的教学目标之中，融入渗透到教育教学全过程”。因此，科任教师应该承担“教书”和“育人”的双重使命，对自己的角色有正确的认知，在传授知识的同时传递相应的价值理念，实行学科德育。

2. 学科教师进行学科德育的具体实践

所谓学科德育，是指除班队和专门的品德课程以外，教师结合学科教学内容特点，在学科教学的同时适时地对学生进行思想道德品质和道德情感等的教育活动①。不同学科有不同的德育内容，比如语文教学应当善于利用课文中对祖国山河、伟大人物、历史成就、科学知识、道理来培养学生热爱祖国、明辨是非、自尊自信、勇于创新、坚持不懈等品质。数学学科是用数学观点认识世界、培养优秀个性品质、培养美学意识、培养科学探索与创新能力。英语是为学生进行爱国主义和集体主义教育；对学生进行语言美教育；对学生进行遵守交通秩序和中学生日常行为规范教育；对学生进行助人为乐的高尚情操教育。历史学科是促进中学生形成正确科学的世界观、人生观、价值观；激励学生形成维护祖国统一、民族团结及振兴民族、创造更高文明的历史感；拓宽学生历史认识空间，提高学生思想境界；使学生易于接受具有时代精神的道德规范。体育学科为培养学生的坚强意志、竞争意识、团队合作意识、自我约束能力和健康的心理状态②。

因此，科任教师要对自己“教书”和“育人”的角色有清楚的认知，要有学科德育的意识，和班主任、家庭等各方力量共同承担起育人的职责。

---

① 转引自黄河．我国义务教育阶段学科德育研究的现状与反思：基于 2011 — 2017 年 CNKI 文献［D］．武汉：湖北大学，2019：17.

② 同①.

（四）协作与沟通：班主任与学科教师的互动

《中小学班主任工作规定》（2009）提出，班主任平时要常与任课教师联系，协调课业负担，共同做好学生的思想工作；协调与统一多方面的教育力量；支持科任教师完成课堂教学工作；负责联系和组织科任教师商讨本班的教育工作，互通状况；多与副班主任、任课教师联系，了解和研究学生思想状况、学习状况，求得相互配合、相互支持，以及教育资料的相互渗透。由此可知，班主任和任课教师都是学生成长路上的重要引路人，应加强联系和协作，互相配合、互相支持，共同育人。

1. 班主任和任课教师之间的协作

在班级教育关系中，班主任和任课教师是相互协作的关系。班主任是“领头人”“导演”，要帮助任课教师搭建好平台。首先，班主任应为任课教师提供班级成员的基本信息，使其了解学生的家庭情况，性格特长等，以便任课教师在以后的师生交往中采取最恰当的方法；其次，教育学生尊重任课教师，向学生介绍科任教师的优点，巧妙树立科任教师的威信，使学生内心对任课教师产生敬佩之情；第三，班主任在引导学生制定班级目标时，不能忽视学科教师的参与，应积极和学科教师联系商讨，并请任课教师结合自己的教学实际提意见，将班级目标和任课教师的目标整合起来；第四，当科任教师生病不能来上课时，班主任应积极补位并引导学生课后去慰问，给科任教师送去温暖[①]。

科任教师作为班主任的“合作伙伴”，在协同班主任的管理中，要甘心做“配角”“助手”。在教书育人的同时，要积极支持和配合班主任工作。首先，认真完成自己的教学工作，教会学生学习，挖掘学科的德育价值以影响学生，帮助学生树立正确的世界观、人生观、价值观；其次，协同班

① 孙娜．厘清班主任与科任教师的角色［J］．教学与管理，2011 (8)：8－10.

主任搞好学生和班级的日常管理，在教学和班级管理上与班主任主动保持高度一致。对班级中的一些规定，科任教师要带头执行；第三，配合班主任完成班级的阶段性目标；第四，积极反馈班级课堂状况。由于班主任的特殊角色，有些调皮的学生在班主任课上比较乖巧听话，在其他教师课上就是另一番景象了。对于这种情况，任课教师要做好“参谋”的工作，积极反馈;第五,科任教师要做好积极的“补位”工作,当班主任不在的时候,要主动帮助班主任管理班级，积极代替班主任出席学校的相关会议，向学生传达会议内容，主动代替班主任督察班级纪律，并把班级运转情况及时向班主任反馈[①]。

一个班级的管理像几匹马拉车一样，班主任应该是驾辕的，任课教师则应是拉偏套的。虽然拉的是偏套，但心要往正道上想，劲要往正道上使，否则会影响前进的方向和速度[②]。然而，在当前的学校生活中，班主任和科任教师却像两股互不相关的力量，科任教师教自己的课，班主任管理自己的班级。不少班主任在制定班级目标时，尤其是在开学制定班规的时候，很少去征求科任教师的意见，平时也很少去联系科任教师，这样科任教师在和学生交往中就很难去执行班规，不利于班级长远的发展。有些科任教师在课堂上和学生发生冲突后，自己冷处理或者不处理，很少把情况告诉班主任，班主任也不知道发生了什么。长期下去，造成任课教师和学生关系紧张，不利于学生的学习乃至整个班级长期的发展。还有的科任教师在课堂和学生发生了不愉快的事件，直接把学生推给班主任处理，自己则一走了之，想当然地认为教育学生是班主任的事情，和自己没有关系。这种处理方法会使班主任的压力越来越大，也没有体现出班主任和科任教师之间的应有的协作关系。

---

① 孙娜 . 厘清班主任与科任教师的角色［J］. 教学与管理 , 2011 (8) : 8 − 10.

② 同①.

2. 班主任和任课教师要加强沟通

班主任和科任教师要加强沟通，这符合教育相关文件的要求。《中小学班主任工作规定》明确班主任要多与科任教师联系，了解学生的思想状况等，实现教育资源的互相渗透。相关教育文件也规定科任教师要协助班主任做好学生的思想教育工作，既管教又管导。在课堂教学中培养学生良好的学习习惯和道德行为习惯。由此看来，班主任和科任教师之间应该常常沟通，互相了解学生的情况，才能形成教育合力。

马卡连柯说过：只有那种由共同的意见、信念和相互帮助所联系起来的，摆脱了妒忌心和个人追求，学生爱戴的教师集体，才能进行教育[①]。教育学生不单是班主任的责任，也是全体科任教师的责任。在班级教育关系中，班主任是“总指挥师”，有着举足轻重的地位。班主任要经常联系科任教师，及时告知科任教师特殊学生的情况。班主任应是学生和科任教师之间沟通的“桥梁”，譬如，某生出现了偏科情况，作为班主任，应积极找科任教师了解情况，并认真听取学生偏科的原因和建议，反馈给学生并给予鼓励。班主任还应该积极找任课教师了解学生的上课情况、作业完成情况，以免偏科、厌学等现象发生。然而，当前班主任和科任教师沟通中存在以下几个问题：①班主任平时不主动联系科任教师，和科任教师形同陌路。即使有科任教师来反映情况，班主任也是漫不经心，抱着无所谓的态度。任课教师饱含责任心而来，却扫兴而去。久而久之，班主任成了孤家寡人，工作开展不起来，真正是“孤掌难鸣”。②班主任以自我为中心，忽视团队的力量，自认为工作能力强，听不进其他教师的建议，久而久之任课教师失去了和班主任沟通的热情，班主任忙得晕头转向，而任课教师却事不关己，高高挂起。对于这种情况，班主任要改变自己的态度，以学生的发展为重，换位思考，理解、支持科任教师的建议。另外，班主任也

① 马卡连柯．马卡连柯全集：第5卷［M］．北京：人民教育出版社，1956：172.

要讲究沟通的艺术，对什么人说什么话，和科任教师达成共识，共同教育学生。

作为科任教师，也要做好班主任的“参谋长”，帮助班主任出谋划策。譬如，当发现某些学生在课堂上讲话影响课堂秩序时，要及时向班主任反馈情况，及时调开学生的位置；科任教师也要做好“配角”，发现班级管理中的一些漏洞，及时进行补救，并告诉班主任采取后续措施；科任教师要充分发挥自己的“智囊”作用，积极为班级管理建言献策，要在充分分析班级学生优势和不足的基础上，针对班级中存在的问题，提出合理化的建议和整改措施，帮助班主任及时消除班级管理中所隐藏的问题[①]。总之，班主任和科任教师对于了解到的学生情况应互通有无，共享教育资源，这样才能真正实现班级的这驾马车朝着正确方向前进，正所谓“人心齐，泰山移”。在学校生活中，学生和教师的接触是最频繁的，师生之间发生冲突也在所难免。作为任课教师，要妥善处理师生冲突并和班主任沟通；作为班主任，要在调查清楚的情况下合理处理，既要尊重任课教师，又要想办法让学生“亲其师”，心服口服。总之，班主任处理好和科任教师的关系是一门艺术，需要在实践中不断学习。

三、全员育人：班级教育关系的未来走向

当前，党中央已经把“三全育人”，即全员育人、全程育人、全方位育人，作为立德树人的基本途径。在全员育人背景下，本文从教师关系的制度创新、提升教师的育人意识和育人能力两个维度，力图构建班级德育发展的教师关系图景。

---

① 孙娜．厘清班主任与科任教师的角色［J］．教学与管理，2011 (8)：8 − 10.

（一）构建班级教育关系的制度创新

在教师关系中，班主任和任课教师应该是互助合作的关系，共同致力于班级管理工作。南京外国语学校仙林分校实行的班级教育小组制度，改变了过去班主任一人负责制的形式，实行班级教育小组集体制，其中班主任任组长，部分任课教师（2~3 人）、生活教师（寄宿制学校）为核心成员。班长、团支部书记（中队长）、班级家长委员会主任为小组重要成员。

这种制度改变过去以教研组、备课组为单位的办公形式，实施以班级教育小组成员（主要指教师）集中办公的形式，加强了班主任和任课教师之间的联系。班级教育小组成员集中办公，随时交流学生信息，使所有教师对学生的了解更全面、更及时，避免了“盲人摸象”。制度基本实现了学校教师全员育人，克服了“教书、育人两张皮”的现象。在班级教育小组制度下，有了机制的规定，全员育人成为可能[①]。这种制度有利于班主任专业化的发展和任课教师全面素质的提高。班主任在班级教育小组制度中不再是单枪匹马，而是要领导一个团队，在一个更高的层面开展工作，需要不断提高自己的专业化水平。而任课教师过去只负责教学，很少参与学生的工作，对学生的了解也存在局限性。在班级教育小组制度中，他们可以全面参与班级工作，对学生的了解也更为全面，这就促使他们的全面素质得以提高。最后，班级教育小组制度的评价制度与分配制度密切挂钩。学校对教师的评价，既要看其在学科教学中的表现，同时也要看其在班级教育小组工作中的表现。这就大大调动了学科教师参与班级管理的积极性，有利于实现全员育人。

---

① 齐学红，钱铁锋．建立班级教育小组制度：班级管理体制改革的尝试［J］．班主任之友（小学版），2008 (8)：9 − 11.

（二）教师育人意识和能力的提升策略

首先，要唤醒教师的育人意识。当下全员育人还没有成为学校的自觉，更没有成为教师的自觉，这源于教育部门、学校和教师对育人工作的思想认识出现了问题，特别是和对教师职业的错误认知分不开。要落实全员育人，首先要唤醒每个老师内心育人的意识，要将全员育人的理念传递到每个教师心中，并落实在教育实践中。一名合格的教师，首先要具备以德育工作为核心的育人素养，然后才是术业有专攻的学科素养。其实学科的育人工作做好了，也就解决了学生学科学习的动力问题。一个关心学生的教师会让学生“亲其师”。当一个班级的所有教师都有德育意识并践行育人时，师生关系无形之中就会融洽起来，学生的整体素质也就慢慢提高了。

其次，教师的德育能力又叫育人能力，是研究如何做人的工作，激发人的善意和潜能。可以说，教师的德育能力包括课堂教学中的学科育德能力和课后的育人能力。

1. 教师的学科育德能力

首先，教师从自己的学科出发，有意识地挖掘自己学科中蕴含的德育元素，培养学科价值内涵所具有的优秀品质。譬如，语文学科培养学生热爱祖国、明辨是非、自尊自信、勇于创新、坚持不懈等品质；数学学科培养学生的美学意识、科学探索与创新能力；历史学科培养学生形成维护祖国统一、民族团结及振兴民族、创造更高文明的历史感；政治学科培养学生形成正确的世界观、人生观、价值观，学生独立思考和与人合作的能力，刻苦学习精神、科学精神、创新精神、爱国主义精神等；体育学科培养学生的坚强意志、竞争意识、团队合作意识、自我约束能力和健康的心理状态等。当然，教师在授课时不是将以上标签生搬硬套在课程中，而是在尊重学生的主体能动性的前提下，将学科本身的育人价值和教学过程结合起来，引发学生思考。

其次，教师的学科育德能力应贯穿在整个教学过程中。在上课之前，教师要注重学情分析，了解学生原有的知识和经验，从而遵循意义学习规律。在制定情感态度价值观目标时，要聚焦教学目标，找准教学内容与育人价值的融合点。在教学导入时，教师要善于用巧妙的导入，激发学生的兴趣和求知欲。学生对知识的喜爱和对知识的渴望，是唤醒心智，自愿发挥其力量的两大兴趣之源[①]。在讲授新知环节，教师要善于通过启发、诱导，让学生自己去发现真理，成为真理的发现者。这也是教学规律中教师主导作用与学生主体作用相统一原则的体现。

最后，教师自身的人格魅力、教学态度、教学方法等也具有教育意义。譬如，教师专业的知识、扎实的功底会让学生产生钦佩之情，积极地投入学习。教师认真、严谨的教学态度会潜移默化地影响学生，通过教师的言传身教，学生会以教师为榜样认真地学习。课堂上，教师探究式、启发式的教学方法也是尊重学生主体性的体现，这和社会主义核心价值观体现的民主、平等、自由的观念不谋而合[②]。

2. 教师的课后育人能力

当前强调学科教学的课程育人，学科教师只注重课堂德育，和学生的日常生活是脱节的。其实学科教师也应该在日常生活中和学生多接触，进行及时的教育，利用课后时间对学生进行谈心教育。这种谈心教育可以让师生双方都处在相对放松的状态，学生放下戒备，教师以关心的语气了解原因，拉近了师生之间的距离，使学生对教师的认识有所改观，也有利于问题的解决。对于中小学生而言，不喜欢某个教师，也很难喜欢他所教授的知识。教师课后的育人有利于和学生建立友好的关系，了解学生的生活状态、心理活动等，更能够以朋友的身份给予劝勉，让学生认同。新时代学生问题的复杂性对教师提出了更高的要求。除了拥有专业的教育学知识

---

① 约翰·格里高利．教学七律［M］．陶秋月，译．北京：团结出版社，2018：69.

② 李滨，李兵，张志维．课程思政建设的育人价值与实践研究［J］．职业技术，2021 (2)：77－81.

外，教师还要涉猎心理学、管理学等知识，了解学生的内心世界，给学生提供实质性的帮助。

总之，在全员育人背景下，建立班级教育小组制度是未来教师关系发展的趋势，能使班级德育效果得到较大程度的改善。除此之外，提升所有教师的德育意识和德育能力是当下实现班级德育必不可少的途径，应引起学校层面和所有教师的重视。

第二节　师生关系：班级德育的主导性关系

雅斯贝尔斯在《什么是教育》中提到，教育过程最重要的是精神成长过程，其次才是科学获知的过程，其中的“精神成长”表明了教师要关怀学生，进行生命教育和人性化教育[①]。这说明在教育过程中，教师和学生之间是相互感知、相互关怀的关系——师生关系。师生关系是教师与学生之间，基于教育教学活动展开的，通过交流与对话的方式形成的在认知、情感、行为等方面建立的交往关系，其包含亲缘伦理、契约伦理以及人的关系[②]。它是教育教学最基本、最重要的关系，同时也是班级德育的主导性关系。师生关系有两个层面的内容：一是师生关系是具有事务性内涵的关系，其主要围绕教育教学活动而产生，是社会性角色规定的交往关系；二是师生关系是一种人际关系，师生之间的交往除了事务性的交往也存在着个人性的交往。因此，作为一种事务性关系与人际关系统一体的师生关系对于学生的成长发展，尤其是道德发展有着重要的影响作用。在师生互动过程中构建的师生关系广泛地渗透着德育的内容。教师作为社会的代言人，对学

---

① 王琪，刘春芸．生命是教育之本：一种面对生命的教育感知[J].人民教育，2003 (8)：10.

② 毕世响．师生关系：以教学为交往实践的特指关系——亲缘伦理关系、契约伦理关系和人的关系[J]．上海教育科研，2009 (8)：25 － 27 + 46.

生进行知识传递的同时也应将一定的社会要求、主流的思想价值观念传递给学生，对学生进行思想道德教育。而这种传递一方面得益于正式的、显性的道德教育，例如有目的的班会教育、德育课程教育。另一方面则来自于师生之间的互动交往，在人际互动中潜移默化地影响着学生的道德发展，可以说师生关系是班级德育的重要隐性影响因素。本文在回顾师生关系的历史基础上，审视班级师生关系的现实样态，厘清班级师生关系对道德教育的影响机制，探讨促进德育功能发挥的未来师生关系建构路径。

一、师生关系的历史回顾

师生关系伴随着教育活动的产生而产生，中国历史上早有重视培养和建立良好师生关系的传统，对于师生关系的研究也一直是教育研究中的重要主题。通过对新中国成立 70 年来师生关系发展演变历史进行梳理，可以将师生关系发展大致划分为三个阶段：新中国成立至改革开放前，此时的师生关系由等级森严走向民主平等；改革开放后至 20 世纪 90 年代，师生关系中的“主客体”问题成为研究争论的焦点；20 世纪 90 年代后期至 21 世纪，师生交往研究成为新热潮，构建新型师生关系以及如何构建成为主要话题。师生关系的发展经历了漫长的历史过程，在持续的研究中人们对师生关系的认识在不断深化，主题也在发生变化。回顾师生关系的历程可以帮助我们把握师生关系变化的发展脉络。

（一）由等级森严走向民主平等

新中国成立初期由于受传统师道尊严思想及苏联凯洛夫教育思想的影响，以教师为主导的师生关系占主要地位[①]。教育部在 1952 年颁发了《小

---

① 王越，潘宝红．新中国成立70年来师生关系研究回顾与展望[J]．教师教育论坛，2019(10)：21－25.

学暂行规程（草案）》，提出“以上课为教学的基本形式。教师应在教学方面起主导作用”[①]。这一时期，师生关系中教师的地位过于突出，存在着过于严重的师道尊严观念，是教师为主导的等级森严的封建的师生关系。1958 年学界关于师生关系的问题引起了大讨论，研究者们认识到师生关系中教师的主导作用不仅体现在教学方面，还应该体现在促进学生主动性与创造性上，教师的主导作用不应该表现为教师的“一言堂”。国务院在 1958 年颁发了《关于教育工作的指示》，明确指出：在师生中应当树立民主平等的关系。而社会主义新中国迫切需要“又红又专的人民教师”来完成培养全面发展的劳动者的历史使命。教师需要转变角色，与学生构建民主平等的师生关系，在民主的关系中助力学生的成长与教育。此时的师生关系研究也着力批判传统的封建性的师道尊严观念，认为教师与学生之间应该是平等的，教学相长的关系。这一阶段“旧的封建的资产阶级的师生关系基本破除，而新的民主平等的师生关系正在建立”[②]。倡导在巩固和发展新的师生关系的过程中继续破除旧的师生关系；此时对于师生关系发展的认识也从等级森严走向民主平等。

（二）“主客体”争论成为焦点

1978 年改革开放以后，随着政治经济关系的调整也带来了人们的思想解放，长期被压抑的人的主体性需求被充分释放，学生自主意识大为增强，教师和学生作为教育主体的价值追求也开始不断彰显[③]。这一阶段的师生关系研究主要集中于师生主客体关系的争论。1979 年于光远发表《关于

---

① 北京市教育局 . 北京市普教资料选编 1949 — 1985: 第三集 (上、下册)［C］. 北京 : 1986 : 24.

② 宋兰舟 . 建立民主平等的师生关系［J］. 上海师范大学学报 (哲学社会科学版) , 1959 (1) : 11 − 13.

③ 车丽娜 , 徐继存 . 我国师生关系研究 70 年 : 历程与反思［J］. 河北师范大学学报 (教育科学版) , 2019 (4) : 28 − 36.

教育科学体系问题》一文，“认为教育者是第一主体，受教育者是认识论上的主体，但又是教育者施加影响的对象”[①]。同年，刘佛年主编的《教育学》（人民教育出版社，1979 年）指出，“在教育教学活动中，学生是认识世界的主体”[②]。自此，师生主客体论争的序幕拉开，学界对于师生关系的主客体问题展开了大讨论。1981 年，顾明远等发表论著，提出“学生既是教育的客体，又是教育的主体”[③]，引发了学术界的讨论。1983 年，王策三先后发表系列论著，正式提出“主导主体论”，认为教师的主导作用与学生的主体作用不应该分裂开来，教师发挥主导作用要与学生发挥主体作用统一于教学过程中。以冯向东、庞学光等为代表的学者提出了“双主体论”，认为教学过程中师生同为主体，合作并存[④]。从改革开放后至 20 世纪 90 年代中后期，学者们以马列哲学为指导，在师生孰为主体孰为客体的问题上极尽理论思辨之能事，从不同角度、不同深度上拓展了师生关系研究的范畴[⑤]，为进一步理解师生关系奠定了理论基础。同时对于师生主客体的争论也进一步促进了教育民主化的进程，对于重新审视师生关系，构建民主平等的教育氛围具有重要的价值。

（三）师生交往研究成为新热潮

20 世纪 90 年代末至 21 世纪初，关于师生关系的认识又出现了新的转

---

① 于光远 . 关于教育科学体系问题：在全国教育科学规划会议上的讲话［J］. 教育研究，1979 (3).

② 张涛 . 教学主体研究的缘起、现状及未来走向［J］. 河南大学学报（社会科学版），2006 (4) : 156 − 159.

③ 顾明远 . 再论教师的主导作用和学生的主体作用的辩证关系［J］. 华东师范大学学报（教育科学版），1991 (2) : 69 − 73.

④ 转引自王越，潘宝红 . 新中国成立 70 年来师生关系研究回顾与展望［J］. 教师教育论坛，2019 (10) : 21 − 25.

⑤ 车丽娜，徐继存 . 我国师生关系研究 70 年：历程与反思［J］. 河北师范大学学报（教育科学版），2019 (4) : 28 − 36.

向。研究者开始对“主客体”的师生关系进行反思，师生主客体争论可分为关于概念的争论、关于正误的争论和无实质分歧的视角的争论。基于对以往研究的深刻反思，研究者逐渐淡化了对“主体—客体”的讨论[①]。随着后现代文化在教育里的渗透，关于师生观的研究也发生了变化，师生关系不仅是围绕教育教学构建的关系，也是师生双方相互交往、相互对话的关系，基于“你—我”的主体间性的师生关系。叶澜教授提出了教育的交往起源说，直接引发了师生交往研究的热潮，全国教学论专业委员会于 1998 年 5 月围绕教学交往问题进行了专门的学术讨论[②]。关于师生交往的研究学界从不同的研究视角切入探寻师生交往关系。师生交往关系的研究最早从教学关系入手，张广君认为教学的本质存在于师生交往之中，教学是师生为完成特定任务而形成的师生交往活动，教学关系是一种重要的师生关系[③]。有学者从文化社会学、文化哲学角度探究师生交往关系，展开师生交往与冲突的研究。

吴康宁将师生课堂冲突归结为一种文化冲突，认为其存在原因是教师规范文化和学生非规范文化的差异，冲突的消除可以从课堂文化的选择入手，经历以教师为主导的价值性文化整合，实现课堂文化的生成[④]。肖川认为应从对话、交往中改善师生关系，构建理想的师生关系。在关于师生交往的研究中，师生冲突成为一个突出领域[⑤]。学者致力于从文化哲学、伦理学、社会学等领域寻找解决师生冲突的理论工具，或者将师生交往看作是一种文

① 王吉康，徐继存．改革开放 40 年我国师生关系研究的回顾与反思［J］．现代基础教育研究，2018 (3)：28 － 33.

② 车丽娜，徐继存．我国师生关系研究 70 年：历程与反思［J］．河北师范大学学报（教育科学版），2019 (4)：28 － 36.

③ 张广君．本体论视野中的教学与交往［J］．教育研究，2000 (8)：54 － 59.

④ 吴康宁．课堂教学社会学［M］．南京：南京师范大学出版社，1999：129 － 156.

⑤ 肖川．文化生态领域中的师生关系［J］．高等师范教育研究，1999 (4)：45 － 50.

化现象，将基于文化的批判与反思看作是建构良好师生关系的途径[①]。

进入21世纪，师生关系的研究发展到一个新的阶段，构建新型师生关系成为大势所趋。2001年教育部颁布了《基础教育课程改革纲要（试行）》，进行了新一轮的基础教育课程改革。在新课改的背景下师生关系也发生了变化，教师不仅要传递知识，更要让学生学会学习。2004年9月，中共第十六届中央委员会第四次全体会议提出“构建社会主义和谐社会”，2006年10月党的十六届六中全会审议通过《中共中央关于构建社会主义和谐社会若干重大问题的决定》，全面深刻地阐明了中国特色社会主义和谐社会的性质和定位、目标和任务、工作原则和重大部署[②]，在“和谐社会”重要指导思想下，“和谐校园建设”也引起教育学者的关注。构建和谐的师生关系成为重要课题。21世纪以来，关于师生关系的研究还在不断深化。从师生关系的本体性研究逐渐延伸到师生关系与教育其他领域的交叉部分，例如师生关系的德育作用、师生关系对于教学的影响、对于学生学习兴趣的影响等。总之，新时期师生关系的研究还在持续，并且在不断的深化中。

二、班级师生关系的现实审视

师生关系是班级教育关系之一。在班集体中，教师作为教育活动的引领者与指导者，其对于学生的道德教育往往发挥着重要的作用，以明确的身份职责、方式路径在教育教学活动中、在与学生的交往中对学生在道德的认知、情感、实践方面产生潜移默化的影响。因此，师生关系也成为了班级德育的主导性关系。良好、正向的师生关系对于班级德育发挥着促进

---

① 陈旭远，杨宏丽．文化哲学视野下的师生交往［J］．现代教育论丛，2005（3）：1－5.

② 车丽娜，徐继存．我国师生关系研究70年：历程与反思［J］．河北师范大学学报（教育科学版），2019（4）：28－36.

作用。审视当前班级师生关系的现实图景，可以发现当前师生关系中仍然存在着一定的问题。师生关系中的问题阻碍良好师生关系的建构，同时也限制了师生关系发挥德育作用的效果。厘清师生关系中存在的问题，可以让我们明晰未来师生关系改革发展的新路向。

（一）师生关系单一功利化

师生关系从关系主体上看是教师与学生之间的关系，从关系的连接点上看是围绕着教与学展开，但是并不局限于教与学之中。师生关系是师生双方建构起的一种内涵丰富的交往性关系。新中国成立之后，教育上主要借鉴苏联教育家凯洛夫的教育模式，对知识教育过于重视，表现为很强的应试教育。1985 年提出素质教育之后，教育出现了新变化，但是过于重视知识教育的历史痼疾仍然或多或少的存在。伴随着知识教育的鼎盛，师生关系也受到影响，变得越发狭隘，由一种内容丰富的教育关系变成一种狭隘单一的任务关系。内容丰富的教育关系是教师伴随着学生成长的整个过程，在过程中有对学生进行智力教育的内容，同时也有参与学生精神成长的内容，在师生关系之外是一种平等的人际交往关系，交往的内容除了知识学习外，还有来自个体间的互动。然而在教育教学实践过程中，教师往往过度追求学生的学业成绩，既不关心自己作为人的情感体验，也没考虑学生的内心世界，用机械的态度与学生进行交往，师生间缺乏理解与对话[①]。在当前的师生关系中可以看到，师生关系越发狭窄，成为一种主要围绕知识学习进行的教师身份与学生身份之间的任务性关系。任务性关系是伴随着任务的开始而开始，随着任务的结束而结束，这种关系是非连续的，是一种机械的关系。交往的场域固定狭窄，交往的内容形式单一是任务性关系的主要特征。交往空间的狭窄主要表现为师生交往局限于课堂内、教

① 栾阿诗，吴志成，刘迪．关怀伦理学视域下师生关系的困境及重建［J］．教学与管理，2019（33）：67－70.

室中，在课堂外的、学校场域外的交往不足。在教学任务完成后，较少有教师愿意主动与学生有其他方面的接触。同时提供给师生交往的空间平台也明显不足。师生交往方式内容单一表现为除了教师与学生群体间、学生个体间围绕教学展开的活动外，较少有其他的互动内容。交往方式多为短时性的面对面的交往，交往方式不够丰富化。

功利化的师生关系中充斥着工具理性，以目的达成为准则。在这样的师生关系中，教师传递给学生的影响是有限的，表面看来师生之间实现了地位的平等，但实质上师生都把对方当作外在于自身的“物品”而追求个人的私欲，这贬低了教育的价值，也使师生关系充满矛盾和冲突，师生之间的交往是一种功利性的交往①。单一功利化的师生关系实际上是脱离了原本内容丰富充盈的关系样态。在功利化的师生交往关系中教师会更加重视对学生的知识性教育，轻视通过师生交往对学生施行的道德影响，实际上丧失了对学生进行道德熏染的绝佳教育机会。此外，单一功利化的师生关系也难以为学生的道德成长提供条件，道德认知、情感的形成以及道德行为的衍生需要丰富的交往内容作为基础，在丰富、多样的交往互动中，通过教师的引导与示范，学生的体验与感知，在关系性的交往中促进学生的道德成长。因此，单一同质的交往关系内容是难以促进学生道德品质的生成的。

（二）师生关系疏离淡漠

情感是人际关系中重要的要素，任何人际关系的建立离不开情感的支持。在与他人的交往中，每个人或多或少会产生不一样的情感体验，良好的情感体验会促进交往的进一步增加，增进彼此间的联系性与紧密性。在师生关系中，情感是影响关系程度的核心要素。我国师生关系总体上呈现良好状况，不可否认的是师生关系中仍然存在着关系疏离、情感淡漠的问

---

① 孟璨．师生关系的时代困境、理想样态与现实构建［J］．当代教育科学，2015 (17)：7－8＋13.

题。林崇德认为疏离感是一种异常心理，其主要表现就是情感障碍，包括无意义感、无能为力感、自我分离感等[①]。这种异常心理对于学生的道德感及社会性的建立均会产生一定影响。疏离淡漠的师生关系中师生间的亲密度和依恋度都比较低，教师不会主动亲近学生，学生对教师也没有最基本的信任，师生之间是疏离的、甚至是彼此互斥的。因此，疏离冷漠的师生关系带给学生的是消极的情感体验，不利于学生亲社会行为的培养与建立。造成师生关系疏离冷漠的原因主要有两个方面：一方面，教师过于重视教授知识，轻视培养能力，重视管理，轻视沟通；另一方面，学生过分追求个性，期望值过高以及师生间存在代沟，交流阻滞等[②]。

淡漠的师生关系在道德教育中作用式微。首先，淡漠疏离的师生关系不利于师生相互建立信任，德育效果大打折扣。学生在与教师交往过程中如果能获得理解、接纳、尊重、认同等情感体验，那么学生对教师会形成一种正向的情感依赖，在这种情感依赖中会增加对教师的信任。对于教师传授的知识、讲授的道理更能理解与接受，正所谓“亲其师，信其道”。然而，师生情感寡淡，师生间难以建立起深厚的情谊，导致学生抗拒向教师吐露心扉，教师难以走近学生内心。师生之间情感上的屏障也带来教师对学生道德教育的滞碍。其次，情感上的冷漠本身就不利于学生的道德成长。当一个人情感淡漠，对他人、对社会漠不关心时，也往往表现为道德上的冷漠。教师是除了父母之外的重要的学生成长监护者，师生之间关系冷漠对于学生的心理及道德发展是十分不利的。教师与学生如何交往，师生之间的情感关系如何都会影响到学生世界观、人生观的建立。冷漠的师生交往关系为学生提供了消极的交往情感体验，对于学生与他人建立交往关系产生消极暗示。

---

① 林崇德，杨治良，黄希庭．心理学大辞典［M］．上海：上海教育出版社，2003：1166.

② 郑少君．高校师生关系影响因素与构建对策初探［J］．黑龙江高教研究，2004（4）：67－69.

（三）师生关系紧张冲突

近年很多新闻报道、身边案例和教师感受都指向了一个不争的客观事实：师生关系发生了异化：很多学生不再敬畏教师，悖师行为（如不遵教师教诲、故意破坏教学秩序等）与日俱增，甚至还出现了辱师（采取某种方式侮辱教师）、伤师（通过暴力攻击伤害教师）[①]等现象。师生矛盾冲突已成为一个不容忽视的教育问题。按照冲突强弱程度可以划分为显性冲突与隐性冲突。显性冲突主要为学生与教师发生的公然冲突，一般表现为语言与肢体上的冲突,这种冲突影响较大。隐性冲突多为心理层面上的冲突，往往表现为情绪上的对立，学生多会通过消极行为展现情绪上的对立，如有意扰乱课堂秩序、不遵守校规校纪等。调查显示：新时代师生关系总体上较为和谐，但有少部分的冲突问题，冲突强度主要表现为低强度的隐性心理冲突,高强度的对抗冲突较少[②]。然而低强度的隐性心理冲突对于师生关系的构建仍然有着一定的影响。在这种隐性的对抗中包含着学生对教师权威的承认同时也内含着抵制，在这种师生关系中存在一种反向张力，师生双方陷入一种表面平静、实则争执的相互博弈之中。

师生冲突是一种特殊的师生互动方式，具有双重功能。适度的、合理的师生冲突可以起到师生间互动沟通的作用，而消极的师生冲突则会引起师生矛盾升级、关系断裂。因此，教育中需要重点关注消极师生冲突的处理与解决。消极冲突的师生关系对于班级德育有不利影响，体现在学生道德认知的建立会受到交往关系的影响，而师生关系可以说是学校教育场域中对学生影响较大的交往关系，教师是学生成长中的重要他人，所以师生

---

① 百里清风，宫福清，张鹏．学生为什么不再敬畏教师？——兼论师生命运共同体的构建［J］．当代教育科学，2021 (11)：60 － 66.

② 赵敏，黄明亮，何晋铭．新时代中小学师生关系的现实图景与和谐之道：基于全国1669 名中小学教师的调查［J］．教育研究与实验，2021 (1)：81 － 86.

关系会影响学生道德认知的确立。在师生交往中，教师对待工作的态度、为人的作风、行为的习惯等都会成为学生自己发展的参照对象，刺激学生的交往感知，引导学生注意交往中包含的各种社会意识与规范，思考自己的所思所行，以及逐渐建立起自己的世界观与价值观。在冲突、决裂的关系氛围下，还处于成长中、心智并不完全成熟的学生难以分辨是非，学生难以对教师权威真正信服，而是对教师个人进行前提性排斥与全盘否定，学生对来自教师的各样信息进行屏蔽甚至完全抵制。在这样的关系氛围中，如教师出现一些失范行为，更会引起学生的怨恨排斥，教师容易成为学生道德成长的“消极榜样”，产生“师源性伤害”。总之，冲突的师生关系需要调控化解，以减少对班级德育的负面影响。

三、促进德育功能发挥的未来师生关系建构

作为一种隐性课程的道德教育，班级教育关系在班级德育中发挥着重要作用。师生关系是班级教育关系之一，师生关系从多个方面影响着德育的实施效果，在学生道德成长中，这种影响是隐性的、细微的却也是深刻的、持久的。在学生成长发展中与周围重要他人的互动交往所形成的道德认知、情感、行动会逐渐潜移默化为基本的道德品质。鉴于师生关系的现实问题，本文主要提出改进师生关系的策略，以期能够构建良好的促进德育功能发挥的未来新型师生关系。

（一）创新班级管理制度，构建民主平等的关系氛围

良好的师生关系应是一种民主平等、相互协作、体验轻松的交往关系。构建民主平等的师生关系，首先需要建立一种民主、平等的班级治理方式，因此创新班级管理制度势在必行。传统的班级管理体制主要是班主任负责制，班主任承担了过多的责任，承载了过于沉重的工作和心理压力。班级管理中班主任负责制对学生的道德形成与发展也带来一定的负面影响，容

易导致学生过于依赖教师，养成不承担或逃避承担责任的习惯，难以让学生发挥在班级德育工作中的主体作用，影响班级德育的效果，不利于学生道德品质的形成与发展。创新班级管理体制，可以为构建新型合作、民主、平等的师生关系提供条件。

南京外国语学校仙林分校建立班级教育小组制度是新时代下改革班级管理方法的重要创新。在班级教育小组中，班级决策方式改变以往以教师为主的工作作风，主要为在班主任的主持下，由班级教育小组成员集体作出重要决策（如学期工作计划、班级各项重要工作和活动、学期工作总结等），班级日常工作决策由核心成员提出并制定。行动方式为决策制定后，在班主任的领导下，由班级教育小组成员分工负责落实，所有任课教师既教书又育人[①]。同时，在班长、团支书传达方案后，班级成员也可以共同商议、探讨，提出诉求，可以将反馈意见由班长、团支书返回班级教育小组。在班级教育小组制度下，学生与教师之间是民主平等的关系，这种民主平等有真正的制度保障，在师生关于班级事务决策的互动交流中，有明确的步骤路径，学生有反馈的渠道，为师生双方的有效沟通提供了制度支持。班级教育小组制有利于发挥学生的主体作用，改变以往教师权威过盛的师生交往局面，在班级的事务管理中发挥学生的作用。教育是师生双边作用的过程，必须调动师生双方积极性，班级教育小组由于有学生干部参加，学生在教育中的弱势地位有很大的改善，这在一定程度上保障了学生在班级工作中的知情权，为学生管理班级提供了条件，有利于发挥学生的主动作用。班级生活是学生社会性学习的一部分，是未来一代在学校生活中学习并且践行民主政治生活的客观需要。班级治理方式的变化首先是对民主政治生活发展需要的自觉回应。学生参与班级生活的方式，就是让学生在班级里过民主的生活，通过参与班级公共事务，培养学生的责任意识、参与

---

① 齐学红，钱铁锋．建立班级教育小组制度：班级管理体制改革的尝试［J］．班主任之友（小学版），2008 (8)：9－11.

意识等[①]。其次，班级教育小组集体决策、集体行动也能够发挥民主精神，增强师生双方合作的意愿，鼓励师生双方协作交往，为构建民主平等的关系奠定坚实基础。

（二）形成师生文化共同体，增加情感与心灵上的互动

构建师生文化共同体，能够提升师生交往的情感温度，促进心灵对话。从教师文化主导向师生文化共同体的转变，意味着教师文化与学生文化作为两种不同的文化形态，具有同等重要的意义和价值。在一个文化多元的时代，学生文化代表着未来的发展方向，教师文化作为唯一合法化文化的观念受到了挑战。其次，在共同构建班级民主政治生活的维度上，教师与学生同为文化的主体，教师自身同样需要学习。在文化意义上，儿童为成人之师，互喻文化时代对于教师文化而言更加具有建设性的意义和价值。因此，在班级层面应提倡师生文化之间的平等对话与交流，教师应不断为学生文化增权赋能，在张扬学生文化主体性的同时，给予必要的价值引领。为此，教师应有一种文化自觉意识，将科学、民主、公平、正义作为班级文化建设的目标[②]。构建一种师生文化共同体，双方互相学习，了解对方，形成有共同文化基础的统一体。教育家保罗 · 弗莱雷指出，“学生在被教的同时反过来也在教育教师，他们合作起来共同成长”[③]。因此，在师生共同体中，师生双方是双向平等的合作共进关系。该关系能够进一步拉近师生距离，提升师生情感温度。

在师生文化共同体中，首先双方需要对话与引导，真诚交流。交往关

① 齐学红 . 从校长生活史透视学校变革 : 一项口述史研究［J］. 教育发展研究 , 2018 (6) : 6 － 11.

② 齐学红 . 论班级治理方式的三种变革［J］. 中国德育 , 2018 (1) : 11 － 14.

③ 保罗·弗莱雷 . 被压迫者教育学［M］. 顾建新 , 等译 . 上海 : 华东师范大学出版社 , 2001 : 31.

系中的情感建立受到多方面因素的影响，其中对话是增进情感的重要方式。师生间的对话交流实际上并不少见，但是多围绕事务性工作进行沟通对话，师生间贴近心灵的对话是十分稀缺的。建立和谐亲密的师生关系需要教师主动引导，与学生进行真诚的情感与生命的交流对话，走进学生内心，了解学生的需求与想法，展开道德、情感向度的对话。在与学生的交流中增加情谊，建立共识。教师应主动亲近学生，给予学生关爱、关怀。在交往过程中，点滴小事可以触动人心，教师通过对于学生日常小事的关注、关怀，利用关键事件让学生体会到接纳、关心。通过主动的关怀引导让学生对教师产生情感上的依赖与信任，从而激发学生积极主动地与教师交往，在相互的关爱中促进师生情感的增进。

（三）对话与协商，在理解中走向共生

师生冲突指教师与学生之间基于某种差异，而产生的隐性或公开的排斥、抗拒与对立的实践样态。班级教育与管理过程中，要完善师生交往规制，因势利导化解矛盾，在师生双向理解中走向共生。当师生冲突产生时，首先要善于利用技巧化解矛盾。例如师生关系出现紧张、冲突时，可以采用暂时回避策略，将师生冲突的情境转换，能够在一定程度上避免问题的扩大化，同时也能规避师生冲突时双方因情绪激动而产生的过激行为。另外，教师可以提升语言艺术，避免咄咄逼人的语气与态度，幽默的语言、委婉的语气态度可以转化冲突时的敌对气氛，避免师生言语冲突时激化矛盾。事实上，很多时候正是教师在语言上挖苦讽刺学生，不给学生留“面子”，才造成学生拼命也要争“面子”，为了挽回自己的“自尊”而与教师发生冲突，不惜挑战教师底线，尤其是自我意识已经觉醒的中学生更是如此[①]。如果教师在教导学生的时候能够做到“晓之以理，动之以情”，学生会从内心信

---

① 王琴．从教师权威的消解与重构看师生冲突的化解［J］．中国教育学刊，2018 (7)：88 – 93.

服教师，接受、理解教师。因此，进行有效的言语沟通是避免师生矛盾冲突的重要条件。其次，基于学生的个性特点有的放矢地进行交往互动。当对学生有充分的了解后，教师能够理解学生的一些行为，从而促进师生间的有效沟通，有效地避免师生冲突的爆发。一方面，可以通过建立学生成长档案袋的方式了解学生。对于学生成长中各个阶段的思想品德、学习成绩、行为表现进行记录，给教师可以充分了解学生的机会，帮助教师对学生进行全方面的了解，充分掌握学生的成长信息。另一方面，教师应该做好家校沟通，与家长沟通交流，掌握学生成长中的动态信息，根据学生的个性特征进行教育。同时教师应该转变管理方式，尽量避免采用惩罚式教育方法，多采用鼓励式的教育方式，这可以在一定程度上避免矛盾。克里夫 · 贝克等人的研究发现，当教师较多地采取惩罚方式来控制学生的不良行为时，学生不良行为发生的比率从 9% 上升到 31%。惩罚只能让学生感到受责备，却不能使他们对自己的行为负责，而且容易使学生发怒或者抱怨，不能促使他们去检查自己所应负的责任[①]。最后，学校应该设立相应的协调机制，对于严重的师生冲突问题进行协调化解。第三方的力量应该是校领导、家长或学生干部组织等。需要第三方的干预必须要满足以下四个条件，即师生双方都想逃离冲突、对冲突和平解决充满信心、强大的文化规范力量的推动以及师生对自己独立解决冲突持悲观态度，方可取得良效[②]。第三方在进行协调时，应该秉持公正的原则。通过第三方的调节化解，促进师生双方相互理解，化解矛盾，达成共识。

---

① 王琴 . 从教师权威的消解与重构看师生冲突的化解［J］. 中国教育学刊，2018 (7) : 88 － 93.

② 付春新，赵敏 . 权变理论视角下的中学师生冲突化解之道［J］. 教学与管理，2019 (18) : 74.

第三节　同伴关系：班级德育的人际氛围

同伴关系主要指同龄人或心理发展水平相当的个体间在交往过程中建立和发展起来的一种人际关系。在班级德育中同伴关系具有独特作用与价值，良好的同伴关系可以助力班级德育作用的发挥。

一、同伴关系的研究回溯

我国对于同伴关系的研究最早可追溯至20世纪80年代中期，当时关于同伴交往和同伴关系的研究主要集中于儿童社会性发展方面。研究人员首先对国外有关儿童交往研究进行介绍，然后在了解和借鉴国外研究经验的基础上，对我国儿童的同伴交往进行本土研究[①]。20世纪90年代初期以后主要侧重于对同伴交往问题的探讨及交往能力培养的实践探索。在2000年以后，对于同伴关系的研究逐渐增多，其研究大多集中于探讨同伴交往的互动关系，研究趋向于探讨社会系统的文化和区域价值观为背景的、学校或课堂中的角色与个体特性的交互作用[②]。研究对象随着研究的深入由幼儿扩展到儿童、青少年群体。

（一）同伴关系的内涵

同伴关系的研究内容具体涉及同伴关系类型、同伴关系功能。按照不同标准对同伴关系进行分类，国外研究者 Bukowski 和 Hoza 等认为同

① 纪红艳，刘春蕾. 儿童同伴关系研究综述[J]. 吉林省教育学院学报，2008 (2)：31 – 33.
② 同①.

伴关系可分为同伴接纳、同伴拒绝和友谊关系[①]。Molloy，Gest 和 Rulison 将同伴关系分为相互的友谊关系、频繁的互动关系和小组成员关系，这三类同伴关系的亲密程度依次递减。国内学者澄丹认为，同伴关系可分为学生个体与学生个体之间的关系，学生个体与学生群体之间的关系，学生群体与学生群体之间的关系等等，总之它是一种关系的总和。张裕灵将同伴关系分为上进同伴关系和不良同伴关系，上进同伴关系指的是学生和具有学习成绩优良、学习努力刻苦等行为的同伴进行交往过程中建立和发展起来的一种人际关系；不良同伴关系是指学生和那些具有违反学校规章制度的同伴进行交往过程中建立和发展起来的一种人际关系[②]。

（二）同伴关系助力个体道德形成

关于同伴关系的发展功能，我国学者邹泓在总结国外研究的基础上提出，同伴关系的基本功能分为三个方面：为个体提供社会支持；满足社交需要；有利于自我概念与人格的发展[③]。冯玲指出同伴关系具备一定的德育功能。中心原则是通过与同龄人的关系和互动，学生们构建了对道德的理解[④]。已有研究得出同伴关系在三个方面助力个体道德形成。首先，同伴关系对于道德情感的形成有重要影响，马斯洛需要层次理论认为归属、爱及尊重是人的基本需要。青少年有相互交往的需要，同伴之间通过交往增进

---

① William M. Bukowski, Besty Hoza, Michel Boivin. Popularity, friendship, and emotional adjustment during early adolescence［J］. London New Directions for Child and Adolescert Development, 1993 (60) : 23 − 37.

② 张裕灵 . 中学生同伴关系、学校归属感与校园欺凌的关系研究［D］. 重庆 : 西南大学，2020 : 7.

③ 邹泓 . 同伴关系的发展功能及影响因素［J］. 心理发展与教育，1998 (2) : 39 − 44.

④ 冯玲 . 同伴关系和社会群体对大学生德育的影响［J］. 中国多媒体与网络教学学报（中旬刊），2021 (6) : 208 − 210.

感情交流，获得心理上的满足[①]。其次，同伴关系影响个体道德判断力形成。国外对于同伴关系的研究较为丰富，已经认识到同伴关系在道德成长方面的作用。Piaget 特别强调了同伴间的讨论和争论是道德判断能力发展所必须的……Hartup（1977）同样表达了类似的观点，他指出，没有与同伴平等交往的机会，儿童将不能学习有效的交往技能，不能获得控制攻击行为所需要的能力，也不利于性别社会化和道德价值的形成[②]。皮亚杰认为，儿童与同伴之间的合作、观点之间的冲突、感情之间的共鸣、思想之间的碰撞，有利于儿童掌握人际交往技能，帮助儿童形成对社会更广泛的认知，培养儿童的道德判断能力。再次，同伴关系影响学生道德成长的心理氛围。“所谓近朱者赤，近墨者黑”，从学生的道德学习过程来看，对其影响较大的一个群体是朋辈（同辈）。同辈群体尤其是他们要好的朋友，在学生道德观念的形成和道德行为的养成方面发挥着不可替代的作用。朋辈关系，其实就是日常话语中的朋友关系[③]。

班级同伴关系是指班级成员之间由交往而形成的心理上的关系，即心理距离，它反映了班级成员心理需要得到满足与否的心理状态。班级道德教育环境建设的成败以及利用班集体对学生进行道德教育的成败，在很大程度上取决于班集体人际关系的好坏，一个同伴关系有序、融洽的班集体，对集体成员的影响就会大些。同样，儿童的合作、友善、亲社会行为与同伴接受性成正相关，而攻击和破坏行为则导致同伴拒绝。在同伴接受性上有困难的儿童，往往会产生消极的自我评价和对外部世界的敌意倾向，反过来，又进一步加强了他们的攻击和破坏性。社会行为与同伴关系的这一

---

① 周化光．“家校社”一体德育课程引领学生成长：基于学生积极同伴关系的构建［J］．江苏教育，2017（34）：49－51.

② 转引自邹泓．同伴关系的发展功能及影响因素［J］．心理发展与教育，1998（2）：39－44.

③ 徐晓霞．学校道德教育的班级环境建设［D］．济宁：曲阜师范大学，2009：17.

交互影响，构成了社会性正常与变态发展的基础[①]。

（三）影响同伴关系的重要因素

非正式群体是学生个体成长中一个重要的影响因素，往往会成为青少年发展期的重要他人。非正式群体一般指自发形成的小团体，对于学生个体和班集体的建设与发展具有积极或消极的作用。正向的非正式群体对群体内的成员有正向的引导作用，助力于正式群体的道德教育。不良的非正式群体则可能导致校园欺凌的产生，不利于学生道德的正向发展。班主任要有意识地强化正式群体，把非正式群体纳入班级发展轨迹；要区别对待不同的非正式群体，因势利导，扬长避短，发挥其正面作用，促进班级沿着健康的方向发展[②]。

在同伴关系的研究中，有学者注意到青年亚文化对班级德育有独特影响。当代中国青少年为了有别于主流文化而创造的一种文化，以“叛逆”为主要色彩，显示了当代中国青少年对“成人文化”或“主流文化”的偏离、排斥甚至对抗。青少年的生活环境相对单纯，思维相对活跃，具有青春期的叛逆心理，具有相对独立的心理、角色及其精神需求、生活方式、行为模式以及价值观念[③]。不良的青年亚文化可能导致校园欺凌的产生，不利于学生道德的正向发展。青年亚文化对学生的道德观、价值观、生活观都产生着重要的、不可忽视的作用，要建设优良的班级道德教育环境也必须有意识地引导青年亚文化的发展。

---

① 张晓峰．儿童同伴关系的研究综述［J］．辽宁教育行政学院学报，2009 (11) : 144.

② 齐学红，黄正平．班主任专业基本功［M］．南京：南京师范大学出版社，2013 : 226.

③ 吴龙远．青少年亚文化对中学德育的影响及对策研究［D］．苏州：苏州大学，2011 : 7 – 8.

二、班级同伴关系的研究现状

（一）班级正式群体

正式群体，是在校行政、班主任或社会团体的领导下，按一定章程组织起来的学生群体。它通常包括：班学生群体、共青团和少先队等，负责组织开展全班性的活动。此外，在班上还有为配合开展班集体活动，完成某一方面的任务而组织起来的学生小组，如班刊编辑小组、学科小组、文体小组、学习小组等。这也是一种正式群体[①]。正式群体在学校、班主任及其他老师的支持与指导下，成员相对比较稳定，活动开展有明确的目标，工作计划有条理。正式群体引领着大家的奋斗方向，如果组织得好，就能有力地团结班级的同学，为着共同的目标而努力奋斗。

1. 班委会

班委会是由班级学生干部组成的、为班级服务的机构。班委会是班主任开展班级工作的得力助手。班级很多工作是在班主任与班委会成员相互支持、齐抓共管的基础上进行的，在班主任的领导下，班委会成员对班级各项工作分工负责，专人落实，促进了班级的自我发展。班委会是联系班级学生群体与班级任课教师的纽带，可以起到很好的沟通师生思想和情感的作用。班委会是班级学生开展学生自治的核心力量，是班级学生进行自我教育的榜样。班委会是班主任可以利用的一支重要教育力量，通过对班委会成员有目的、有计划地培养和指导，可以使其能力得到锻炼和培养，进而更好地发挥其示范引领作用。

---

① 王道俊，王汉澜．教育学［M］．北京：人民教育出版社，1999：521.

2. 少先队和共青团

少先队是中国共产党创立和领导并委托共青团直接领导的少年儿童群众组织，是少年儿童教育的重要组织，是学校教育的重要力量。少先队作为班级发展的教育力量，主要通过班级中队活动发挥作用。班级中队开展活动的过程就是全体学生接受教育的过程。作为中队辅导员的班主任要善于利用少先队中队活动教育学生，并通过这一组织让学生进行自我教育，促进学生素质的全面提高。

中国共产主义青年团（简称共青团）是中国共产党领导的先进青年的群众组织，是广大青年在实践中学习共产主义的学校，是中国共产党的助手和后备军。共青团作为班级教育力量的重要组成部分，也是帮助班主任完成教育任务的助手，班主任应当把开展班级团工作放在重要位置，发挥其在班级教育中的重要作用。

（二）班级非正式群体

《中国大百科全书 · 社会学》一书认为："非正式群体指以个人好恶兴趣等为基础自发形成，无固定目标，无成员间的地位及角色关系的群体。"① 非正式群体，是学生自发形成或组织起来的群体。它包括因志趣相同、感情融洽、或因邻居、亲友、老同学等关系以及其他需要而形成的学生群体。其类型多种多样②。

非正式群体的特点：1. 成员间相互满足心理需要。非正式群体多是因满足心理需要而自愿结合在一起的，成员之间或是有共同的观点，或是受过类似的挫折，或是兴趣爱好相投，或是有着共同的利害关系，或是性格互补。因此，非正式群体的成员之间情投意合，交往频繁，传递信息迅速，

---

① 中国大百科全书总编辑委员会《社会学》编辑委员会 . 中国大百科全书 · 社会学［M］. 北京：中国大百科全书出版社，1991：472.

② 王道俊，王汉澜 . 教育学［M］. 北京：人民教育出版社，1999：521.

对其同伴的行为相互认可并支持。2. 具有较强的凝聚力，但有可能存在着排他性。非正式群体的成员之间具有强烈的情感联系，相互之间都以感情为重，对自然产生的领导者言听计从，每个成员对非正式群体都有一定程度的归属感，但有的小群体或其成员对其他小群体有排斥的倾向与行为。3. 行为上具有一致性。非正式群体具有共同的行为规范，这些规范是约定俗成的，而且成员往往具有共同的行为目标，并为实现共同目标而力求行动协调一致。4. 成员的角色和数量不固定。虽然非正式群体中有领导者或中心人物，但不固定。随着情境的变化，会涌现出由成员认可的新领导者。非正式群体没有固定的数量，成员的流动性也很大，自由参加，自由退出。

1. 非正式群体发挥积极引导作用

非正式群体具有自己的目标、价值取向和行为规范，满足了学生当前成长的需要，具有明显的自发性。如果能引导其与班集体的奋斗目标与行动相一致，就会对学生的成长和班集体的活动起到促进作用。例如，班级中有些自发组织起来的以文化学习、科技制作、兴趣爱好为核心的兴趣小组活动，活动由大家商量确定，容易调动成员参与的积极性，满足了学生的成长需求，与班集体的目标、价值取向相一致，教师应给予引导和支持。

非正式群体的成员因性情相近、志趣相同而在一起，大多感情融洽，所以有利于学生之间的情感交流。结交志同道合的朋友、相互倾诉与安慰，使学生更有安全感与归属感，这解决了学生在成长过程中的情感需求。这种情感需求容易为学校、家庭教育所忽视。同时，非正式群体的成员之间交往频繁，心理需要满足程度高，交流沟通更真诚、更全面、更畅通。了解非正式群体部分成员的思想动态，有助于了解其他成员以及班级其他同学的意见和想法，从而及时有效地解决学生的思想问题，帮助学生形成正确的人生观和价值观。

非正式群体的领导者往往是小群体中学生自然产生的，在小群体中具有较高的威信。班主任可以把非正式群体中有能力的领导者选拔出来，在正式群体中担任适当工作，通过教育他们来激发其他成员参与班集体活动的积极性，引导其他成员的发展，将小群体融合进正式群体中，从而增强班级的凝聚力。

非正式群体虽然是自发形成的、不稳定的和易变的，其存在时间也可能是短暂的。但它确有活力，是学生进行学习、娱乐、生活和交往所必需的，可以弥补正式集体活动之不足。每个学生在班级的集体活动之余，都需要过一些非正式的小群体生活。这不仅是个人的需要，而且使班群体生活充满友谊与欢乐。所以，非正式群体与正式群体共存，对学生的身心发展有不可忽视的影响[①]。

2. 非正式群体也具有盲目消极的一面

当然，非正式群体也有盲目消极的一面。非正式群体一般没有正式的组织机构和长远的活动计划，其成员也不稳定，易受外部条件和内部人际关系变化的影响，特别是其主要成员的变化（如退出或有新的参与）会严重影响它的活动，导致群体解体与重组[②]。

有些非正式群体的活动，背离了班集体的目标、价值取向和行为规范，不利于学生的健康成长。有的小群体迷恋于吃喝玩乐，或沉迷于网络，害怕吃苦，以享乐为自己的人生追求，不求上进，严重影响班级的班风、学风。有的小群体有不良的人生观与价值观，比如经常聚在一起或者在QQ 群里讨论早恋，有的脏话连篇，有的认为老师、家长压制了自己个性的发展，追求所谓的“自由”。还有的小群体由一些纪律较差学生组成，在领导者的带领下，做一些阻碍班集体活动、影响其他同学的事情，如上课、自习时讲话，欺负同学，甚至打架斗殴，公然与老师、同学对抗。还有的非正式群体过分热衷于小群体活动，不愿意参加班集体的活动，不愿意在正式群体中担任工作，对小群体以外的同学冷漠对待或者传播

① 王道俊，王汉澜．教育学［M］．北京：人民教育出版社，1999：522.

② 同①521.

流言蜚语，与正式群体对立，严重影响班级活动的开展和班集体的发展。对这类小群体，教师要适当引导，及时制止非正式群体领导者的不良行为，针对其特点进行批评、教育、引导和改造，将其纳入班集体的发展轨道，变消极因素为积极因素。只要班主任真诚地关怀和帮助他们，耐心细致地做工作，防止拉帮结派的倾向，就可以缩小其不良影响，化消极因素为积极因素。

班级中的非正式群体是一个不可否认的客观存在，它是同伴关系的一种重要形式。班主任要公正、热情地对待各种学生群体。不可偏爱正式群体，非难、歧视和打击非正式群体，而要关怀它和尊重它，看到它的积极一面是主要的。要善于引导非正式群体的发展，使它与正式群体（包括班集体）的奋斗目标一致起来……这样，就能使正式群体与非正式群体之间关系融洽、目标一致，为了集体的共同目标和利益，积极地发挥各自的作用[①]。

（三）青少年亚文化研究

青年亚文化具有一定的反叛色彩，这是源于青少年主体意识的觉醒、信息渠道的通畅、社会价值观的多元化，他们开始有自己的独立见解，如选择自己喜爱的衣服、发型，话语中充斥着流行话语，对各类明星的追逐，对动漫的迷恋等，这是正常的心理和行为。从空间上看，中学校园作为青少年学习生活的场所，其所存在的不良亚文化现象更应该引起我们的重视，如手机（短信）文化、课桌文化等。手机上短信陷阱、黄色笑话、带有诱惑性的欺诈广告等比比皆是，令人防不胜防，给青少年手机使用者带来了极坏的影响。校园内流行的课桌文化，有相当一部分内容低俗，这些内容在学生中流传，影响极坏。其他诸如作弊、校园帮派以及敲诈勒索等亚文

---

① 王道俊，王汉澜．教育学［M］．北京：人民教育出版社，1999：522.

化现象都值得关注。

青少年亚文化作为社会文化环境的一部分，既能够使青少年产生群体归属感，获得某种寄托和抚慰；同时，又深刻地影响到青少年的思想、品质、心理和生活方式等，给学校德育工作带来了种种挑战。我们要从积极和消极方面分析其影响，并认真反思我们的教育，以做好青少年的德育工作。

1. 积极影响

青少年亚文化能帮助青少年宣泄情感、释放压力。当今社会充满了竞争，给青少年的学习和生活带来了许多困惑和压力，他们必须拥有自己的文化，以此融释这种压力。青少年亚文化融生活情趣、相互合作、信任支持以及自我实现的理想于娱乐、运动和信息网络文化之中。在这个过程中，青少年逐渐学会释放压力、缓解情绪、解决各种矛盾、与人合作及其他社会生存技能，这是家庭和学校教育所不能全部提供的。

青少年在成长过程中，由于社会阅历和心理调节能力的不足，理性调节压力的能力没有完全形成，所以就会采用一些感性的，能在同龄人中产生心理共鸣的表达方式。从某种意义上说“亚文化”中的许多形式与内容，本应该与成人分享的，却被挤压成了一种只能与同龄伙伴分享、并且要躲避家长和教师等社会权威视线的“亚文化”。青少年通过自己独创的与同辈群体共享的亚文化形式，实现精神的发展和心灵的愉悦。这种青少年亚文化可以在一定程度上帮助青少年寻找到自己的价值和潜力，在一定程度上避免青少年行为“出轨”或误入歧途。青少年独特的服饰、奇异的发型，对歌星、影星、体育明星的崇拜等，透露出其对传统的主流文化形式与成人意志的反抗，实际上也是对审美生活缺失的一种补偿。

2. 消极影响

以马克思主义为理论基础的德育所强调的主流价值观具有经典性和权威性，需要受教育者内心产生共鸣，对接受者接受心理准备要求很高，但青少年亚文化群体浮躁不安、追求感官刺激的心理，首先在态度上就主动与经典权威疏离，使他们无法静下心来接受严肃庄重的主流文化的洗礼[①]。青少年亚文化对主流文化的疏离和颠覆权威与偶像的态度，对学校德育的有效性产生了较大影响。亚文化的影响导致的青少年德育缺陷主要表现为：强调个性张扬，拒绝统一行动；热衷于通过“短、平、快”的手段成名得利，拒绝长期奋斗和积累；追求感官刺激和享乐，拒绝思考、挫折和平淡；幻想人人为我，乐于坐享其成，拒绝为他人、团体和社会考虑等等，从而造成一系列的社会道德问题。长期的熏染和盲目的模仿往往会造成青少年的道德缺陷、心理畸变和行为失范，从而造成一系列的社会道德问题，甚至违法犯罪[②]。

（四）校园欺凌现象研究

2020 年，我国修订的《中华人民共和国未成年人保护法》指出，学生欺凌是指发生在学生之间，一方蓄意或者恶意通过肢体、语言及网络等手段实施欺压、侮辱，造成另一方人身伤害、财产损失或者精神损害的行为[③]。《未成年人保护法》定义的“学生欺凌”与“校园欺凌”并非等同概念。学生欺凌属于校园欺凌的一种。联合国教科文组织认为，校园欺凌是一种在学龄儿童中发生的、违背他人意愿的攻击行为，这种行为往往伴随着实际或认知到的权力不平衡，会在一段时间内反复发生或有反复发生的可能性[④]。2017 年 12 月教育部等 11 部门印发《加强中小学生欺凌综合治理方案》指出，中小学生欺凌是指发生在校园（包括中小学校和中等职业学校）内外、

---

① 吴龙远 . 青少年亚文化对中学德育的影响及对策研究［D］. 苏州：苏州大学，2011：22－27.

② 同①.

③ 中华人民共和国未成年人保护法（最新修订本）［M］. 北京：中国民主法制出版社，2020：40.

④ 联合国教科文组织 . 校园暴力与欺凌：全球现状报告［M］. 巴黎：联合国教科文组织，2017：9－48.

学生之间，一方（个体或群体）单次或多次蓄意或恶意通过肢体、语言及网络等手段实施欺负、侮辱，造成另一方（个体或群体）身体伤害、财产损失或精神损害等的事件。由上述界定可以看出，这种恶意的、带有欺辱性的，甚至是与金钱挂钩的恶性欺凌，已经远远超出同学“矛盾”的范畴,造成的后果十分严重。校园欺凌足以影响学生的心理健康及人格发展。多数被欺凌的同学出现恐惧、消沉抑郁、创伤后遗症、忧虑，必须引起重视①。

欺负（bullying）是儿童之间，尤其是中小学生之间经常发生的一种特殊类型的攻击性行为。仔细观察中小学中的欺侮行为，会发现受欺者群体是相当稳定的。也就是说，欺人者总是选择同伴中的那一小部分人作为欺负的对象。是什么原因导致受欺者群体的长期受欺侮呢？Olweus（1978，1984）在一项研究中让瑞典的学校教师对男性学生中的受欺者与适应良好者分别进行提名，然后从教师、父母、同伴以及这些男孩自己那里获得两个群体的特征信息。对比发现，受欺者在学校和家里有慢性焦虑的情况，自尊比较低，受同伴排斥，身体比较弱小，并且不敢反抗。这些发现表明，受欺者受到更多的攻击是因为他们被认为是弱小的，可能给攻击者提供“奖赏”，并且他们不会反击，这些表现强化了攻击者的攻击行为②。

受欺现象一般稳定性较强，但攻击和受欺并不是完全相反的两极。一些研究发现，一些最极端的受欺者同样也是最极端的攻击者。他们常常挑起事端,找别人的麻烦,并且很容易被激怒。或许这些孩子愚蠢地激起了“不好惹”的对象，因此又变成了被欺者。对受欺者最好的干预方法是改变他们消极的自我意象，并且教会他们以非强化的方式回应攻击行为，如坚决

① 王梓露．校园欺凌问题成因与预防分析［J］．法制博览，2018（29）：155.

② 桑标．当代儿童发展心理学［M］．上海：上海教育出版社，2003：435.

地捍卫自己的权利，对嘲讽一笑置之[①]。校园欺凌的频繁发生、屡禁不止需要引起高度重视。预防欺凌的发生，也需要多方联动、综合施策。作为班主任，要帮助自己的学生远离校园欺凌。

1. 开展教育，牢记“四要四不要”：要勇于说不，主动寻求同学老师家长的帮助；要建立信心，勇于保护自己；要多交朋友，融入集体；要谨慎交友，远离校园欺凌多发地。不要沉默忍受、不要报复、不要悲观厌世、更不要变成欺凌者。

2. 指导家长加强关注：平时加强和孩子的思想沟通；对孩子爱之有道，不一味地满足其要求，适当进行挫折教育，培养孩子坚强品格；教育和管理好孩子远离暴力性动画片、暴力游戏及影视作品，不沉迷于网络；掌握与孩子关系较好的同学或家长的联系电话，以备应急时寻找孩子；教育孩子，当看见别的同学受到欺负时，不要做旁观者，要及时向老师报告;经常和学校沟通，了解孩子在校的真实情况，如孩子遭受到校园欺凌，要稳定孩子的情绪，理解和果断支持孩子，给孩子足够的安全感，并要有理有节地拿起法律的武器来保护孩子，让实施欺凌者的家长承担民事侵权责任[②]。

三、建构良好同伴关系的对策建议

随着时代的发展，青年亚文化对班级德育中同伴关系的影响是不容忽视的。德育工作者需及时更新自己的观念，通过把握青年亚文化的特点与影响，了解青少年的特点和思想轨迹，从而采用更具针对性的德育方法，引导青少年健康发展。

---

① 桑标 . 当代儿童发展心理学［M］. 上海：上海教育出版社，2003：435.

② 王梓露 . 校园欺凌问题成因与预防分析［J］. 法制博览，2018 (29)：156.

（一）正确认识亚文化，更新德育理念

1. 科学认知青少年亚文化

首先，必须正视亚文化的存在，承认和允许它的存在。必须更新德育观念，认识到青少年积极追求成人化、认同感和个性化发展的一面，避免人为地压制青少年成长的动机和愿望，忽视青少年群体本身的价值和行为方式，进而全面否定青少年亚文化存在意义的做法。处在亚文化环境中的德育教育者，一方面要对亚文化采取正视、认同的态度，另一方面还要注意实现德育工作的社会化，使德育进入、融入青少年亚文化之中。

其次，确立与多元文化时代相适应的教育理念。青少年亚文化是当今社会生活在青少年群体中的真实反映与投射，它反映了青少年内在的心理需求，是亚文化成员自觉的文化选择过程。应该以更开放的心态理解和包容青少年亚文化的存在，给亚文化以生存的空间。为此，首先要树立与多元文化时代相和谐的教育理念。在多元化激荡的大背景下，必须重新定位青少年亚文化在人才培养中的地位和作用。要教育青少年正确把握市场经济条件下多元文化环境中的人生价值目标，自觉抵制各种不正确价值观的冲击，把自我价值和社会价值有机统一起来，确立以贡献社会为主导的人生价值观①。

2. 培养学生的交友价值观

少年儿童在最初的人际交往过程和价值判断中主要是以自我为中心，以自我所想的作为判断是非的准则，常按照自我所想的去对待周边的事物，没有考虑到主客观的相互作用。皮亚杰的认知发展理论也表明，少年儿童的道德发展是一个经过无律到他律到自律逐步发展，由客观责任感向主观责任感发展的过程②。由于学生缺乏这种客观地判断是非的能力，所以容易

---

① 刘浩．大学亚文化现象分析及其对策研究［J］．中国电力教育，2008 (13) : 191 － 192.

② 张方雪．少年儿童校园人际关系建构策略研究［J］．河南科技学院学报，2019 (8) : 30 － 34.

受到外在环境的影响，这时候则需要学校、教师、家长等进行正确引导。

对学校而言，可以开设相关的团体辅导和相关交友课程，通过一些具体的案例分析深化学生对于交友技能的理解，促使其掌握交友技巧与方法，提高人际交往的质量，同时宣扬良好同伴团体的作用，增强学生的团体归属感，使学生具备团体意识，与团体共上进。学校还可以根据实际情况加大心理辅导室的建设力度，让学生除了接受平时班主任的开导外，还可以寻求专业的心理教师进行疏导，帮助有交友困难或者社交恐惧症的学生树立自信，走出社交阴霾。

对教师而言，要善于引导学生正确的交往，若发现学生与不良行为的同伴交往过于密切时，应该尽早干预。干预措施一是对不良行为的同伴进行思想道德教育，引导其改掉自身行为，二是对于那些受到不良同伴关系影响的学生要单独加强沟通，让学生认识到不良同伴的危害，避免与不良同伴团体有过多的交往，引导他们重新投入到上进的学生团体当中。

对家长而言，要以身作则，发挥榜样示范作用。父母是孩子的第一任教师，家长也同样承担着子女教育的角色，而且家长对于学生的影响是潜移默化的，家长要营造良好的家庭氛围，以良好的关系影响孩子的交友关系，同时家长还要有危机意识，要善于关注子女的交友情况，一旦发现学生与不良同伴交往比较频繁，应采取相应的措施，减少不良同伴带来的恶劣效应。父母作为学生的监督人还要注重自身的教养方式，长期在粗暴型家庭中耳濡目染的学生也会认同这种暴力行为，甚至会习得这种暴力方式，转向对他人的攻击。另外，家长也不可以放任不理，初中生身心发展还不健全，甚至还无法辨别自身行为的好坏，也意识不到欺凌他人带来的严重后果，家长如果不进一步对学生进行教育，学生可能沾染不良的社会风气[①]。

---

① 张裕灵.中学生同伴关系、学校归属感与校园欺凌的关系研究[D].重庆:西南大学,2020:55－56.

（二）发掘青少年亚文化中的积极因素，营造和谐氛围

德育环境是“教育者为实现德育目标和任务而设置或使用的具有教育因素的环境”[①]。良好的德育环境会使青少年更易于接受教育,更能被感染，从而自觉的塑造自我，养成良好的品德，远离不良亚文化。

1. 学校提供同伴交往平台

上进同伴关系可以增强学生的学校归属感和降低校园欺凌行为发生的概率，不良的同伴关系则会削弱学校归属感，增加校园欺凌行为发生的概率。因此，学校要创设一个和谐向上的交往环境，促进学生良性交往。

首先，学校作为学生展开交往活动的重要场所之一，其本身就构成了一个文化生态系统，可以为学生构建一个自上而下、由里及外的良性交际圈。如果学生只是局限于在教室中上课、做作业、考试，那么他们与年级之间、班级之间的交往时存在隔阂，甚至是同班同学之间交往合作的机会都是不大有可能的[②]。为此，学校可以秉承学生参与的宗旨，开展年级之间的学习交流活动，或者是全校性的文艺活动、竞赛活动帮助学生打破班级和年级之间的障碍，为学生提供更多相互认识和交往的机会。这样一来让学生交往更加自然，二来提升了学生的集体意识，使学生更具集体归属感，为集体所接纳。

其次，教师要坚持以人为本的教育理念，提升利用教学环境的意识，善于根据课堂教学情况创设学生合作交往的环节，让学生在团体中明确自身责任分工，在互助的条件下完成学习任务，尤其是在课堂中学生之间的交流互动。教师常常扮演引导者的角色，帮助学生成为活动的主人翁。活动中的沟通、交流、合作对于学生来说都是十分丰富多彩的体验过程，能

---

① 顾明远 . 教育大辞典［M］. 上海：上海教育出版社，1998：251.

② 李晓文 . 建构学校文化生态：基于“新基础教育”学生发展工作改革实践的思考［J］. 基础教育，2010（5）：20－24.

让学生享受到与他人合作交往带来的乐趣，调动学生的学习积极性、主动性。这种活动方式不仅促进了学生彼此之间的交流合作，也有助于形成高质量且有效的同伴交往。

最后，学生的交往不仅体现在课堂的教育中，还体现在课后的延伸实践方面，所以，课后还可以组织丰富多彩的实践活动，利用课后实践活动去促进学生交往圈的形成。例如郊游或研究主题调查等等，让学生形成团体的形式，在体验各种真实情境之下，促进学生之间的彼此交流，拓宽学生交往的途径，让学生体验到更多的接纳，提高学生对集体和学校的积极情绪体验。①

2. 构建健康和谐的家庭氛围

家庭作为个体生活的重要场所，健康的家庭氛围是促进个体交往能力发展的不懈动力。家庭中父母之间的交往方式、兄妹之间的人际关系都会潜移默化地影响着个体人际交往的行为方式以及性格的形成。一个民主、平等的家庭，有利于个体人际交往能力的发展，父母以“平等的姿态”与其进行交往和交流，个体在这种家庭氛围之中能够养成独立、自主的性格，同时在这种交往经验中，初中生容易养成与同伴平等交往的交往观念。而如果家庭之中父母的关系以及家人之间相处不融洽，容易导致个体形成自卑、胆怯的性格，有些甚至会出现极端的攻击行为。大量研究表明，初中生同伴交往的择友标准较为理性，关注交往对象的“性格和行为习惯”，良好的性格和行为习惯容易被同伴所接纳；与之相反的是，自卑、退缩的性格以及具有攻击行为的个体常常被同伴拒绝，容易被班级边缘化，甚至出现社交障碍等心理问题。父母作为孩子的第一任老师，对孩子产生的影响是持久且深远的。家长应该清醒地认识到家庭人际关系和家庭氛围在孩

① 张裕灵. 中学生同伴关系、学校归属感与校园欺凌的关系研究［D］. 重庆：西南大学，2020：54－55.

子成长中的重要性，努力构建融洽的家庭关系[①]。

3. 保持学校教育与家庭教育的一致性

家长和教师应该共同创造条件，促进中学生开展积极的同伴交往。从遵从科学交往的理念出发，组织各种符合学生身心发展特点的课外活动。充分发挥社会的作用，开展不定期的社会公益活动和社会调查活动等。从大的群体活动之中，为他们提供同伴交往的可能性和广泛性，有效地促进交往人员的流动和联系；如社会公益活动、文体活动、假日、郊游、社会调查等。为学生提供同伴交往的时间、空间等客观条件，并给予适当的交往指导，让青少年在各种实践活动的体验、学习中拓展同伴交往的深度与广度，提高独立解决人际冲突的能力，最终实现在活动中学会交往[②]。

（三）多渠道消解亚文化消极影响，形成良性同伴关系

1. 榜样示范力量

（1）发挥榜样引领作用

榜样是指值得学习和效仿的好人或好事。榜样引领就是以他人的高尚思想、模范行为和事迹引导和影响学生，促使其形成优秀的品德，养成良好的行为习惯。在培养行为习惯方面，榜样具有无声的力量。学生的可塑性大，模仿能力强，以正面的先进典型人物为他们树立榜样，可以引导他们明确努力方向，把握向善的标准，不断提升自己的认识，修正自身的行为，逐步向榜样靠拢。

学生喜欢和乐于接受的榜样主要有伟人和模范人物、教师、优秀学生等，如民族英雄、革命导师、著名科学家等民族的代表、人类的精英。他们传奇的一生、先进的思想、伟大的业绩、崇高的品德和光辉的形象，容易激起学

---

① 林淑云 . 初中生同伴交往现状及教育引导策略［D］. 南昌 : 江西师范大学 , 2020 : 70 － 71.

② 同 ① 71 － 72.

生的敬仰和爱戴之情，成为学生心目中效仿的偶像[①]。而身边的优秀同伴榜样使同学感到更真实、更亲切，更容易引起心理上的共鸣。教师要在平时多观察、多沟通、多了解，善于发现在群体中有领导力、或品德好、或学习好、或人缘好的学生，找到该生的闪光点。在集体活动中，树立其为班级榜样，让其他同学了解他的优点。通过良好同伴的影响，潜移默化地感染他们，使学生形成正确的交友观、行为规范，学会与同伴友好相处。

（2）发挥班干部的示范作用

建设一个和谐班集体关键在于建立班级核心人物，即班干部的选择。班干部作为班级的核心人物对于初中生班级中的同伴交往有着不可替代的作用。因此班级干部的设置关系重大，教师应该在班干部设置的时候秉持“公平”“公正”的原则，多方面了解候选人的真实情况，采用公开投票的方式，选择班级中最富有威望的学生，而这类学生大多数属于班级同伴群体中的核心人物，对于班级的和谐稳定发展具有重要的影响力。这样不仅有利于团结不同类型同伴群体积极加入班级建设中来，同时有利于加强班级中学生之间的联系。教师同时应该积极发挥班干部的带头作用，严格要求班干部，正确发挥班干部的“示范”作用[②]。

2. 关注不同群体的差异状况

不同的学生群体存在差异性。女生的学校归属感要强于男生，男生的校园欺凌行为则要多于女生。在不同留守类型上，非留守儿童的同伴关系、学校归属感要优于单亲外出留守，优于双亲外出留守。在校园欺凌行为上则正好相反，双亲外出留守儿童要多于单亲外出留守儿童，多于双亲外出留守儿童。受生理差异影响，男生更倾向于形成独立勇敢的性格，面对苦难时会尝试自己解决，而且男生比较容易冲动和暴躁、自我情绪管理能力

① 张香兰．班主任工作艺术［M］．北京：高等教育出版社，2011：109－110.

② 林淑云．初中生同伴交往现状及教育引导策略［D］．南昌：江西师范大学，2020：66－67.

较差，所以既要重视男生的交往，构建良好的友谊关系，又要重视对他们进行校园欺凌干预指导。

家庭作为养育孩子的重要场所，父母应注意对男生的管教方式，面对问题冲突时尽量以平和的方式化解矛盾，少使用暴力或者严厉苛责的方式对孩子进行不适当的教育。学校方面首先要重视对男生的心理健康辅导，自觉树立遵守学校规章制度的意识，开展对被欺凌者的同理心教育。其次，教会男生一些情绪管控方式，让学生在面对人际交往问题时能够自觉控制情绪，降低冲动引发不良行为的概率。最后是要注意引导男生正确交往，明确交往的对象，尤其是具备上进行为的人，一来是发挥男生的性别优势，让男生在集体中主动承担起较为繁杂重任的活，二来是可以让男生在集体中获得积极的情感体验，增强男生对于学校的归属感，降低校园欺凌行为发生的概率。

留守儿童更容易出现交往问题、归属感问题和欺凌问题，这与初中生自身的生存状态和心理发展有关。他们仍处于半幼稚、半成熟的状态，心智发育各方面还不够完善。他们渴望得到家庭、学校、同伴的支持，但因是留守儿童，更容易出现孤独感和自闭的倾向，害怕同伴因为他的特殊身份而排斥他，又因为这种半成熟的心理躲避来自教师和学校的关怀，留守儿童这种缺乏亲子关系的状态预示着他在社会交往中存在诸多的困难。对于家庭而言，首先，父母要以身作则，为孩子起到良好的榜样作用，让孩子习得与他人正确交往的方式，促进孩子形成良好的同伴关系，增强学生的学校归属感和减少欺凌他人的行为，另一方面也可以针对孩子的问题行为，尽早干预，及时开导。

学校方面可以给予留守儿童更多的情感关怀，帮助解决心理上的负担，同时注意培养他们人际交往的方式和方法，让他们摆正心态，以诚恳、宽容、大方的心态接纳他人，提高同伴关系质量，促进他们健康成长，同时要倡导留守儿童要有自我保护意识和能力，面对他人的欺凌行为不要忍气吞声，而要善于向学校和教师寻求帮助，同时也不能因为自己的特殊情况，忽视了学校规章制度，对他人做出骄横跋扈的校园欺凌行为。对于同伴而言，要摆脱对于留守儿童的偏见，尊重他人，主动与其交往，对于他们在学习、生活中的困难提供必要的帮助，让他们更好地融入集体之中[①]。

3. 家长关注孩子的同伴生活

（1）引导孩子选择合适的同伴

并非所有的人都适合成为同伴，选择合适的同伴可以消除绝大多数的隐患。在准备加入一个同伴关系之前，家长可以引导孩子观察以下几个方面：他们玩的游戏是安全的还是危险的？他们之间的关系是合作的吗？地位公平吗？他们能遵守规则吗？存在欺负关系吗？对周围人的态度是平和、友好的吗？

（2）帮助孩子在人际中舒适地生存

首先是读懂社交信号。家长可以和孩子一起看电影，阅读儿童读物，通过分析人物的语言、表情、动作等来体验人物的感受和情绪，领会人物没有表达出来的意思。其次是学会恰当地回应，引导孩子用眼神交流，主动倾听别人的谈话，准确表达自己的感受。这两种训练最好的练习环境就是家庭，家长应提供更多家庭谈话的场景，让孩子在熟悉、安全的关系中发展共情和表达的能力，形成包容、接纳和多元的社交态度。

（3）指导孩子学会与异性交往

异性交往是摆在家长和孩子面前回避不了的话题，学会与异性交往，能为孩子成年后发展良好的亲密关系打下坚实的基础。作为家长，要有一定的思想准备和知识储备，做好孩子异性交往的引路人。孩子与异性交往，家长很容易敏感、紧张，即便故作轻松，孩子也能敏锐察觉，这会在家长和孩子之间筑起一道无形的高墙，使家长错失对孩子进行异性交往指导的契机。家长要做好思想准备，真正理解和相信自己的孩子，与孩子真诚坦

---

① 张裕灵．中学生同伴关系、学校归属感与校园欺凌的关系研究［D］．重庆：西南大学，2020：53－54.

率地讨论异性身上到底有哪些区别于同性的独特之处，吸引我们的究竟是异性身上的品质或性格，还是单纯的性别差异，从而消除孩子的困惑和不安。同时，家长要做有心人，留意孩子言行举止的微妙变化，提前教给孩子与异性交往的技巧和分寸，指导孩子学会拒绝与自我保护。

（4）协助孩子学会处理同伴交往困惑

同伴交往中一定会出现矛盾，遇到矛盾、解决矛盾是孩子成长的契机。家长如何在家庭教育中给予孩子相应的训练和支持呢？温暖和谐的家庭氛围能让孩子获得更多的安全感，很多情商高、懂得语言艺术的孩子都生活在自由、幸福的家庭中。家长要倾听、尊重孩子，用亲身示范让孩子学会有效沟通与自我表达。父母对孩子恰当、正面的评价是孩子建立有效自尊的前提。很多父母只用学业成绩评价孩子，忽视了对孩子人际状况、情绪调控等的关注和支持。多元评价可以提高孩子的自尊水平和自我价值感、效能感，更有利于孩子开放自我，建立友谊。很多家长担心孩子在同伴交往中吃亏、受委屈，对孩子的保护过于严密，以至于孩子或以自我为中心，或敏感脆弱。家长要及时觉察、适度放手，相信孩子可以通过自己的经验和智慧发展出人际交往的能力。

（5）助力孩子预防校园欺凌

同伴间的戏弄和嘲笑很有可能上升为校园欺凌，而受到戏弄的孩子往往选择沉默，因此，家长要关注孩子发出的信号。较为明显的信号是孩子出现焦虑和不安全感，总是抱怨身体不适，对正常事件反应过激，以及在别人被嘲笑时表现出幸灾乐祸。被嘲笑的女孩常常会被同伴孤立；男孩则会被直接攻击，如被推搡、绊倒，个人的东西被乱扔。

一旦确认孩子被嘲笑或戏弄，家长首先要遏制自己直接介入的冲动，大多数家长的介入会让孩子的处境更加艰难。家长可以做的事包括：与孩子讨论受到嘲笑或戏弄的感受，接纳孩子的情绪；指导孩子正面回应：低年级的孩子可以直接告诉对方“你在故意说我的坏话”“你把我的东西丢在了地上”等，这是一种既有力量又不会激怒对方的回应;教会孩子用“难看的脸色”回应对方；教会孩子直接面对窃窃私语，如直接说“你有什么想和我说的吗”，或不允许对方说出没有被证明的事情；指导孩子躲避身体上的攻击，有意识地在可靠成人的附近玩耍，从而避免被嘲笑和戏弄；和孩子约定底线：发生身体暴力或其他严重的情况时一定要告诉家长[①]。

第四节　家校关系：班级德育的支持体系

家庭是社会的细胞和缩影，家庭教育的最大特性是个性化、非正规性。学校是一种社会组织，现代学校教育最主要的特性是正规性，这一特性决定了其具有强制性、主导性等特点。家庭教育和学校教育特点上的差异，决定了两者很难单独适应现代教育的变化，只有家校联合才能应对青少年儿童成长的需要。家庭和学校作为学生成长过程中的两支主要力量，如果形成合力，就能互相支持配合，强化教育的作用，反之，就会互相削弱，学校的教育作用就无法充分发挥。现代教育必须要关注家校关系。本文将梳理家校关系的历史脉络，并对班级家校关系的现状进行分析，在此基础上，构建一种走向民主平等的班级家校关系。

一、家校关系的历史脉络

我国的教育在很长一段时间都是以家庭教育为主体，真正意义上以学校教育为主的，至今只有一百年左右的历程。这段时间里，中国的社会发生着天翻地覆的变化，不同的社会文化造就了不同时期的教育观念，同时也影响着家庭和学校关系的变化。

---

① 肖鹃．教会孩子健康地与同伴交往［J］．江苏教育，2021 (28)：18 － 19.

（一）教师主导（20 世纪 40—50 年代）

1949 年新中国成立，开创了中华民族历史的新纪元，也揭开了中国教育事业发展的新篇章。共和国成立之初，为了尽快改变文化教育十分落后的状况，党和政府高度重视教育事业，把改造旧教育、建设新教育作为教育工作的首要任务，顺利完成了从旧教育向新民主主义和社会主义教育的根本转变，确立了党和国家的教育方针，明确了社会主义教育的方向。

1954 年 9 月，第一届全国人大一次会议通过的《中华人民共和国宪法》规定："中华人民共和国公民有受教育的权利。国家设立并且逐步扩大各种学校和其他文化教育机关，以保证公民享受这种权利。"这是以法律形式第一次确认新中国教育的性质和地位。

在这个时期，受传统思想的影响，老师们的教育观念是"严师出高徒，不打不成器"，当时大多数人的状况是"大字也不认识几个"，家长对读书人是仰视的，大部分家长的想法是"能有老师来教孩子识字、算数，高兴还来不及"。对"不听话"的孩子，家长们往往怀有愧疚的心理，常常麻烦老师帮忙多管教。几乎所有的家长都把老师的话当成"圣旨"。家校关系是正向合作的、积极配合的。

（二）各自为政（20 世纪 60—70 年代）

20 世纪 60 年代初期，我国教育事业有了较大发展，形成了比较完整的国民教育体系，大中小学和成人教育初具规模，全日制教育、业余教育和半工半读教育共同发展，为祖国各行各业输送了数以万计的人才，教育事业成为社会主义建设事业的基础工程。

20 世纪 60 年代后期的教育在极左色彩中，试图探索一条中国特色社会主义教育的发展道路。由此打乱了正常的教学秩序，缩短学制，精简课程，必须贯彻毛泽东提出的教育为无产阶级政治服务，教育与生产劳动相结合的方针，使受教育者成为有社会主义觉悟的有文化的劳动者。20 世纪

60年代后期至70年代初，当时的“文化大革命”还在改革教育的名义下，违反教育教学规律，随心所欲，教育管理者不敢管，教师无法教，教育工作无法正常进行，文化知识教育普遍被忽视。

1976年10月粉碎“四人帮”之后，教育秩序得以拨乱反正。1977年8月4日，邓小平主持召开了有33位来自全国各地的著名科学家、教授以及科学和教育部门负责人参加的科学和教育工作座谈会，使学校教育尽快恢复到正常的教育教学秩序上来。

在当时的社会背景下，教师地位低下。大部分家庭子女多，生活压力大，家长多不关心孩子学习，跟教师没有太多交集。那个时期的上学并不是以上学为主，除不能劳动的幼儿园和小学的孩子，上初中后多是半工半读，上午学习，下午劳动，家长没有工夫和教师说什么教育孩子的事情[①]。家校关系处于各自为政的状态。

（三）学校主导（20世纪80—90年代）

1982年9月，党的十二大第一次把教育提高到现代化建设战略重点之一的地位。80年代初期，随着物质条件的好转，家长们几乎都抱着一种补偿心理：自己的孩子一定要过得比自己好！能够代替自己完成儿时的梦想，考上大学，脱掉“农装”。80年代中期，首现独生子女，孩子的心理问题开始凸显。前两辈人的教育观念开始有明显转变，孩子成为家庭的关注点。无论是物质上，还是精神上，都尽量满足孩子。80年代至90年代，这个时期的家长特别希望教师能更多地关照自己的孩子，甚至有些家长会送教师一些家里种的瓜果蔬菜以示感谢，这种感谢是真诚的，家校关系是纯洁的。社会上尊师重教的风气渐渐流散开来，教师也是非常认真负责，经常会为孩子的问题进行家访。

---

① 中西．从一家四代看家校关系的演变［J］．中国西部，2012 (27)：42 − 47.

（四）家校关系新样态（21 世纪初至今）

2002 年 11 月，江泽民同志在党的十六大报告中提到 2020 年的全面建设小康社会宏伟目标时，把教育和人力资源开发作为四大目标之一，并再次强调："教育是发展科学技术和培养人才的基础，在现代化建设中具有先导性全局性作用，必须摆在优先发展的战略地位。"

在这个信息发达的时代，家长关注孩子的全面发展，希望自己的孩子赢在起跑线上。这一时期的家长们有着繁忙的工作、巨大的生活压力，孩子的教育责任也更多地转移到学校。同时，由于大多数家长有着更高的学历和更宽广的视野，对学校教育有着更高的期待和要求，这在某种程度上加剧了家校之间矛盾。当前高考的激烈竞争以及由此向下延伸的应试教育、愈演愈烈的择校现象，在其背后反映着家庭对读书改变命运、提高社会经济地位、实现向上层流动的寄托。[①]

家庭问题引发的社会问题和教育问题在今天日益凸显出来。例如：离婚家庭或单亲家庭的子女教育问题；农村留守儿童的教育问题；进城务工子女的教育问题等，都给学校教育带来了许多新的研究课题。同时，社会的发展变化对学校教育的影响日益加深。学校类型的多样化、办学体制的多元化，使得学校之间的差距不断加大，学校之间的竞争日趋激烈，学校的功能也发生了变化。来自家庭和学校两方面因素的一系列变化，导致现代家庭与学校的关系出现了许多新情况、新问题。[②]一些教育的负面消息使得很多家长对学校老师持有怀疑的态度，不再信任。

综上所述，家校关系和社会整体氛围是分不开的。家校关系的紧张是多方面因素造成的，既有家长和老师之间因为缺乏沟通而造成的误会、家校双方教育观念的不一致，又有社会整体价值取向等因素。

---

① 刘兴春．家校关系的历史考察［J］．中小学校长，2009 (3)：7 − 9.

② 齐学红，刘辉．现代家庭与学校的关系［J］．教育科学，2005 (6)：10 − 13.

从周围的家庭变化中我们可以看出，在我国家庭内社会资本在下降，主要表现在：1. 家庭结构的变化。核心家庭的增多，传统大家庭减少，家庭规模趋小，独生子女家庭增多。家庭中兄弟姐妹是促进子女学业成就的有利因素，兄弟姐妹的减少或缺失意味着家庭内社会资本的减少。2. 就家庭关系而言，家人相聚时间减少，关系趋向疏离，冲突增多，严重影响了家长与子女的沟通。3. 家庭稳定性降低，家庭纠纷增多，离婚率升高，单亲家庭增多。双亲家庭父母若有紧密的关系，可以给子女一致的支持和奖赏。单亲家庭可以说是家庭社会网络结构上的缺失，就算与双亲同住，如果子女与父母间没有密切的关系，家庭仍缺少了有用的社会资本。此外，家庭外的社会资本严重不足。在城市里家庭之间是孤立的，即使与邻居也较少往来，在我国，单位制的瓦解和人口流动的加快，原有的那种抬头不见低头见的“熟人社会”逐步走向了“陌生”社会。家庭内外社会资本的下降对家校关系的建立将是一个新的挑战①。

家校关系在一定程度上影响着班级德育的运行。良好和谐、紧密联系的家校关系助力班级德育，疏离、冲突的家校关系则滞碍班级德育的发展。德育工作者期待构建一种走向民主平等的新型家校关系，彼此理解、信任、包容，共同促进班级德育的健康发展。

二、班级家校关系的现状分析

（一）家校双方的角色差异

1. 立场的差异

家长与教师都是以青少年儿童的成长为出发点，但是各自的立场仍然

---

① 刘兴春. 家校关系的历史考察［J］. 中小学校长，2009 (3)：7 − 9.

是家庭和学校各一方。家长面对的是自己的孩子，而教师面对的是整个班级群体。教师在班级群体中进行教育，往往会在学生之间进行比较，评价学生的发展状况，家长则缺少这样的参照系统。教师关注的是班集体的发展，对学生的共性发展提出更多的要求，而家长则是从孩子的个性发展方面作多一些的考虑。双方的立场不同，对学生的期待和要求也各不相同，因此，双方存在矛盾与冲突也是难免的。

2. 家校双方缺乏了解

家长与教师的彼此了解程度，某种意义上也可以反映出家校关系的现状。有调查者询问家长："您知道正在教您孩子的老师们是谁吗？"家长的回答结果见表 2–1：

表 2–1 "父母是否了解孩子的老师"结果调查（%）[①]

	不知道	知道班主任	知道班主任和主课老师	几乎都知道	其他
小学	2.0	27.1	51.5	19.2	0.2
初中	2.8	30.3	49.7	16.3	0.8
高中	5.9	53.8	28.5	11.2	0.7

调查表反映出大部分家长对孩子的班主任和主课教师有一定了解。但随着年级的增高，家长对孩子教师的了解越来越少。很多高中学生的家长只了解孩子的班主任，对任课教师了解很少。家长与教师之间缺少相互了解，良好家校关系的形成也就失去了前提。

3. 地位的不平等

家长和教师本应是天然的同盟军，不管是学校还是家庭，都希望得

① 孙云晓，郑新蓉 .21 世纪教师与父母必读［M］. 北京：北京出版社，2006.

到对方的支持和配合，因为他们有共同的教育目标，希望孩子得到更好的发展。但是在实际的教育情境中，家校之间地位并不对等，掌握了更多资源与制度化权力的学校控制了家校关系的动向。“学校与家庭的位置并没有摆正，家长与教师不是处在同样平等的地位。学校往往把家长看成教育的对象，教师则是教育者。较为普遍和值得注意的是，有些教师在与家长沟通时，往往居高临下，盛气凌人，对家长不够尊重，有的甚至把家长看成告状对象，把学生在学校发生问题的责任全部推给家长。”[①] 教师可以随时向家长了解孩子的家庭情况或者家庭如何对孩子进行教育的问题，而家长了解孩子的在校表现或教师教育教学情况的机会和途径却很有限。

不平等的地位导致家校之间沟通不畅，家长“边缘性参与”[②] 状态或者“沉默现象”[③] 等普遍存在，家校关系在合作中出现显性的“数量缺失”、隐性的“质量缺失”和角色的“结构缺失”等现象并存的状况[④]。

（二）家校关系形式单一

1. 以家长会为主

在我国，家长会作为家庭和学校、班级联系的方式由来已久，并且在一定程度上发挥了作用。但由班级召开家长会这种单向联系的方式，缺乏家校的双向交流，没有形成制度，更没有建立一个保障家校联系的组织。学校一般是期中或期末召开一次家长会，主要向家长通报学生的阶段成绩和存在的问题，指出家长在家庭教育里应注意的问题等。整个家长会活动

---

① 越人，蔡建兴，邓节芳．努力构建家校合作的教育机制［J］．江西教育科研，2005 (2)：38 － 42.

② 董梁，王燕红．家校合作中家长边缘性参与研究［J］．教学与管理，2015 (9)：61 － 63.

③ 董梁，王燕红．家校合作中家长沉默现象探析［J］．教学与管理，2015 (5)：6 － 9.

④ 郭中凯，章亚希．“家校合作”中的家长主体缺失及对策［J］．教学与管理，2015 (22)：20 － 21.

中，家长处于被动接受的地位，其与学校、班级之间缺乏真正对话。

家长会的程序也几乎是“报告会”这一模式。首先是校长或者是年级负责人讲话，一般是介绍本阶段或者下阶段要注意的学生常规问题，也会介绍学校或年级的总体情况。接下来是各班班主任讲话，介绍班级总体情况、班级学生的基本学习状况，指点家长注意现阶段孩子的教育问题。最后是各学科任课教师进班，介绍学生本学科的学习情况或者介绍学习方法。家长会的实际目的是让家长了解学校的基本要求和孩子在班级的学习状况。有的家长会甚至开成了“批斗会”，教师不顾及家长的颜面，点名批评一些成绩不好或者常规表现不好的学生。这种家校关系的形式只是教师向家长单向的传递信息，二者之间缺乏双向的信息交流。

2. 以集体活动为主

“家长学校发展趋势研究”课题组在 2004 年 5 月对上海市部分城区的幼儿园、小学、初中、高中的家长及家长学校的管理者进行了问卷调查。调查发现，家长学校的活动形式中集体型活动（专题讲座、经验交流、参观、参与活动）占 86.8%，个别型活动占 27.8%，文字音响型（小报、网站）占 11.7%。从管理者问卷中，得到与家长问卷类似的结果。被调查的管理者认为指导方式单一、呆板是目前家长学校存在的最大问题①。

3. 以学习交流为主

在班级家校关系中，教师和家长的交流主要是集中在学生的学习方面，其他方面较少关注。学习方面的联系主要是如何提高学习成绩，比如家长向教师请教参考书的选择，或者请教师帮忙找学生谈话，纠正学生的学习态度，指点学习方法等。鲜有家长提及孩子的身心发展情况、人格特征、人际关系，一般在觉察孩子明显存在问题时才向教师进行了解。教师召开家长会的目的往往也是让家长督促学生的学习，从而获得家长的教育

---

① 黄河清．上海市家长学校现状的调查研究［J］．中国家庭教育，2006 (1) : 37 − 40.

支持。家长会的内容大部分也是告知学生的阶段性成绩或学习状况。从表 2-2 中可以看出，教师和家长对孩子的身体、审美等方面缺乏关注。

在现在的教师和家长交流中，我们常常可以看到彼此的抱怨。教师对家长参与子女学习的程度不满意，家长则对承担太多辅导孩子学习的任务不满。据了解，目前小学普遍要求家长每天检查孩子作业的完成情况并签字，初中也有很多教师要求家长检查作业、督促背诵等。家长和教师把升学考试作为单一教育目标的行为，只看到了教育的短期效果，而忽视了其对儿童的全面发展、对个体人的培养及社会人的培养。

表 2-2　教师、家长交流内容的概况统计[①]

项目	教师主要输出内容		家长主要输出内容	
	次数	%	次数	%
孩子学习方面	176	43.1	484	74.7
孩子品德方面	138	33.8	112	17.3
孩子身体方面	30	7.4	0	0
孩子审美方面	38	9.3	0	0
孩子劳动方面	26	6.4	52	8.0

在青少年不同的发展阶段，家校关系的表现形式应该是不同的。但是，现在的家校关系表现形式从小学到中学基本相同。由于缺少整体的活动计划，随意性很强，即使在家庭教育方面，家长获得的知识也是零碎的，没有办法从根本上形成一套比较完整的家庭教育观念和方法体系，很难将其迁移到对孩子的日常家庭教育中。

---

① 徐金贵，颜辉荣．中小学家校共育现状的调查与思考［J］．江苏教育学院学报（社会科学版），1999 (1) : 37.

（三）家校沟通障碍

1. 缺乏信任

家长和教师是两个独立但同时又有着千丝万缕联系的群体。它们本该在家校互动中相互协作，为孩子创造好的教育环境，但是不断异化的家校关系，让焦虑中的家长带着怀疑的眼光审视学校、班级管理的各项举措，只要自己孩子有一点风吹草动，就立刻质问学校、班主任，甚至向上一级教育管理部门投诉。种种焦虑和不信任正挑战着教师敏感的神经，催生了家校矛盾，促使问题的不断升级，使得家校关系陷入重重困境。

有的家长对教师教学指手画脚，指导教师该怎样上课，左右教师布置作业；有的对年轻教师百般挑剔和不信任，动辄要求更换教师；有的甚至到教育论坛上发匿名帖“声讨”教师……家长对教师在教育教学上的种种诉求、挑剔和对教师的不信任，让教师工作如履薄冰。当然不排除极少数师德有问题的教师不认真上课，对学生辱骂甚至变相体罚，无法取得家长信任。总之，教师和家长对孩子行为的不同看法、双方间信息沟通的不足、误解等都会导致信任的缺失。

2. 非对称性相倚型的互动

目前，教师和家长之间的关系大多数属于非对称性相倚型的互动。“非对称性相倚是一方以对方的反应作为自己行为的根据，另一方则主要对自己的计划作出反应，这是一种不平等的相倚。一方依自己的计划办事，另一方则看着对方的眼色行事。”[①] 在这种互动关系中，对自己计划作出反应的一方，主动把握着互动方向与速度，而另一方则处于被动、从属的地位。如在日常教学活动中，教师经常要求家长配合教学做些工作，尽管有的家长因工作繁忙而力不从心，但对老师布置的任务却一点不敢马虎。究其实

---

① 邢利娅，王成刚．我国教师与家长的合作现状分析及对策［J］．内蒙古师范大学学报（教育科学版），2004 (10) : 88.

质，除了教师与家长之间感觉上的不平等外，家长们还敏感地意识到，孩子交给了教师，教师掌握了使孩子的学校生活愉快或困难的权利。因为这个原因，许多家长都勉强而谨慎地处理家长—教师之间的关系，他们唯恐因为得罪教师而对孩子未来的发展不利[①]。

3. 距离感

教师和家长的关系缺少一种组织隶属的性质，他们之间的交往关系是松散的，因此双方交往的内容、形式、次数也就带有很大的随意性，这种既不靠行政手段又不能直接通过学生“传情达意”的状况使他们之间缺乏心理交流而产生隔阂。这种距离不仅仅是物理距离，还包括心理距离。每个人都要维护自己的形象，正如格斯特威克所说的：“在老师与家长的关系中，若有一方使用保护自我观念的行为，可能也会引起对方相同的防御行为，而启动了循环。”在许多的家校约见中，教师严厉批评孩子的不认真学习，让家长没有面子。家长潜意识里要捍卫自尊就会为孩子找理由，对于教师的批评给予反驳，即使默不作声，也可能内心存有不满，双方的距离就这样开始拉大。

也有部分教师觉得和家长接触会增加工作量，不愿意和家长多交流。有时教师出于职业需要，不仅要和家长，还要和他们的社会、经济以及社会文化背景保持一定的距离，这就造成教师与来自不同层次的家长之间的隔阂[②]。

随着我国教育事业的发展，人们对高质量教育的呼声越来越高，家长对教育规律的认识也在逐渐加深，家校关系处于不断发展之中。无论是理论界还是实践领域的教育工作者，甚至家长，都应该积极探索家校合作的有效途径，家校合作呈现出多样化的发展态势，家校关系应从对

---

① 邢利娅，王成刚．我国教师与家长的合作现状分析及对策［J］．内蒙古师范大学学报（教育科学版），2004 (10)：88.

② 黄河清．家校合作导论［M］．上海：华东师范大学出版社，2008：207－208.

抗走向共生。

三、家校关系的改善

（一）重建平等，信任的关系

学校和家庭应该建立起平等信任的关系。平等是合作的基础，如果合作的一方总是领导、支配另一方，这种合作在本质上是一种伪合作。家校关系中，要摒弃学校是领导者的观念，真正认识到：家长在其子女的教育过程中与学校具有完全平等的关系。现代学校发展的一个显著特点就是学校管理的开放化、民主化和学校管理主体的多元化，“从封闭的学校自我管理，转向社会、家庭参与学校管理。这就决定了学校与家庭的关系必然要从高高在上转向平等合作”。①

班级管理体制改革下的班家合作②

1. 班家合作的信任危机与主客观需求

如今有这样一个现象，部分家长只站在自己的立场，遇到大事小事，只要自己不满意就去找领导告状，导致教师面临巨大的危机。另外，我们还需要了解家长们的困惑和需求。我们会发现，家长的困惑很多，尤其在这次疫情期间，随着家长对孩子们心理的关注，作业焦虑、分数焦虑、升学焦虑、手机焦虑等等都成为家长们困惑的问题，因此他们需要得到老师这样一个专业群体的支持和帮助。而家长的困惑、焦虑和需求，正是开展班家合作的有效着力点。班家合作是孩子成长的需要，也是家长心安的需要，更是班主任班级管理的需要。接下来我们来了解一下我们究竟要培养怎样的人才呢？从中我们会发现，我们培养的人才都是多维度的。这么多

① 沈晨曦．有一个快乐的地方叫学校［M］．上海：上海教育出版社，2011：175.

② 案例提供者：杨学，南京外国语学校仙林分校燕子矶校区德育主任．

的维度，仅靠班主任或者家庭是很难实现的，一定需要班家合作。

2. 班级教育小组构成的调整及优化

班级教育小组的成立不失为班家合作的一大创新。教育小组组长相当于我们大家说的班主任。可想而知，这里的班主任，他不仅需要管理学生团队，也要管理老师团队及家长团队。我在学校的班级教育小组基础之上进行了一些调整和改革，在重要成员当中加入代表，由原来的1~2人变成了现如今由不同班级家长代表组成17~20人的家委团队。在这个团队当中，班长起到非常重要的作用，他是确保这个家委团队能够很好地运行的一个灵魂人物。面对这样的家委班长，我们当然是希望他具有大爱的精神，要热情以及有一定的时间和管理的能力。

家委团队的成员的职责分工跟学生团队职责分工是相匹配的。学生当中有学习委员、宣传委员、组织委员等等，家委当中也有。除此之外，根据班级的需要，我们还设置了家委编委。家委团队成员自己总结出“大爱、热情、时间、能力”的合作原则。除此之外，相互的信任、奉献的精神、彼此包容合作以及积极进取的学习之心都是家委团队奉行的准则。家委团队还起草了许多相关文件，大家相信在一定的制度保障下，团队才会更有生命力和持久性。

3. 家委团队成员各司其职、各尽其能

每学期开学的时候学校会召集家委团队成员开会，统一思想，制订计划，明确分工。学期末，也会通过开会进行总结反思。孩子们还会亲自绘制感恩卡，送给爸爸妈妈们，这也不失为一个对孩子们进行感恩教育的平台。日常工作当中，家委团队成员各司其职，各尽其能。团队当中有很多成员是各行各业能力突出的代表。借助他们的力量，可以让其余的班委有更高位的发展。

我们相信专业的人做专业的事，比如，家委体育委员引导小体育委员指导学生规范做早操；家委宣传委员带领小宣传委员落实班级各项宣传工作；家委生活委员指导小生活委员开展每月举行的班级生日会；家委组织委员组织全班同学丰富的校内外活动；家委文娱委员邀请专业演员带领孩子排练节目《京剧串串烧》等；家委编委编印班级作文小报、文集、纪念册等等。通过这样的家委团队的合作，我们班级的教师、孩子和家长，收获颇多。不论是老师，孩子还是家长，在思维方式上都发生了很大的改变，这种思维方式的改变不是一朝一夕做到的。思维方式改变之后，就会影响个体行为方式的改变，因此非常感恩家委团队中的这些家长们给我带来的启发。

4. 班家之间的“非常合作”

这里讲的“非常合作”主要是指这次疫情也就是公共卫生危机时期。这个时期，我们的孩子只能居家学习，不能进入学校，因此我们主要通过以下两个方面开展班家合作：云端专题活动以及学伴团互动中进行班家合作。“一分钟演讲”是我校语言类课程教学中非常重要的一个环节。但受疫情的影响，我们没有办法像以往一样正常进行，怎么办呢？举行云端一分钟演讲。我鼓励孩子们多注意身边的事情，多看新闻，多关注国内外疫情的发展趋势，另外也要主动发现疫情中的人和事，然后请爸爸妈妈把他们的演讲录成视频，上传到班级群当中。通过一分钟演讲，我们就会发现有些孩子在疫情中发现了中国的力量，发自内心地为自己的祖国自豪，为自己是一个中国人感到骄傲。在进行课程整合的时候，采访身边的名人、爸爸、妈妈，例如采访阿里巴巴副总裁等等这些名人，这都是目标理想教育。实际上，在疫情期间我们组织一分钟云上演讲，同样是对孩子们进行目标理想教育。

“养成教育”是对小学阶段孩子们进行的一个非常重要的素质教育内容。我们在研学期间，开展系列的“宅宅乐”活动，在劳动中提倡亲子共读，在隔代互学中培养孩子的综合素养，拉近亲子之间的距离，同时传承家风！家校合作共同引领孩子进行时间管理，让他们成为时间的主人。在我看来，主动实践的行动学习往往更能激发出孩子长久的动力。在孩子们宅家研学期间，我们继续开展主题研究学习。放假前的研学周，由各个学科的老师对孩子感兴趣的话题进行指导，形成不同的教育小组。在教育小组中每个老师都有他的牵手学生，每个学生也有他的牵手老师。在整个研学期间，学校的班级管理体制改革充分发挥了它的优势。研究性学习内容上受疫情影响，我们快速调整研究性话题，让孩子们主动探索，自主生成！有的孩子发现一定要养成良好的卫生习惯，因此，他们就开始研究口罩，包括口罩的分类、如何正确佩戴口罩以及口罩的前世今生等等。在老师的指导下，在爸爸妈妈的协助下，孩子们也在研究性学习当中收获颇多。

这样一种班家合作，在班级和家庭之间建立起正式的群体沟通平台。它是一种有效的沟通手段，一种解决班级问题的途径，形成了一个隐形的教育场域，真正促进了孩子综合素养发展。班家合作带来了积极友善的生命成长的生态场，促成生命完善，实现了学生、家长、教师三方共赢。

（二）学校班级发挥主导性

强调学校和家庭的平等关系并不意味着否认学校对家长所发挥的引导作用，同师生关系一样，家校关系中学校处于主导地位。主导不等同于主宰，并不意味着把家长作为支配和指挥的对象。作为实施教育的专门机构，学校应该起到重要的引导作用。那么，如何发挥学校对家长的指导作用？为此，学校应强化在家庭教育指导中的责任意识，构建家庭教育的学校支持系统。例如，学校可提供一定的培训，用以转变家长的观念和认识，唤醒家长参与学校教育的热情，培养家长的主人翁意识。培训方式可以多样化，如开展家长讲堂，帮助家长了解学校的管理模式、教学理念，帮助家长明确自己的权利和义务，引导家长了解该如何配合学校开展工作。围绕一定主题邀请教育专家为家长提供讲座，帮助家长获得有关儿童成长方面的知识，以便更好地教育子女。在对家长进行引导和培训时，积极探索便捷的沟通途径。此外，不可忽视网络资源的作用，可将大量的教育资讯发布在校园网或者通过公众号进行推送[①]。

（三）家长发挥主体性

家长是家庭教育的主体，也应该是家校关系中的主体。家长参与学校教育能够最大限度地使家庭与学校共同承担起教育学生的责任，使学校从教育孩子的最大责任者的位置上解脱出来。建立家校合作的伙伴关系是提高家长教育水平的一条有效途径。家长通过参与学校教育过程，树立和学校一致的正确教育观，掌握科学的教育方法，从而使学校有了一支强大的同盟军。在家校关系中，要形成一种互相信任的伙伴关系，确保家长对事关自己孩子发展的问题有一定的选择权、决策权，并就孩子教育问题向教师提出自己的意见，为学校提供关于孩子更丰富的信息，与教师合作交流、互相配合，促进孩子健康发展。

家长微型课程开发的实践智慧[②]

一、家校联手，推进微型课程开发实施

（一）开设微型课程超市，家长学生双向选择

开设家长微型超市，赋予家长、学生双向选择的权利。每学期学校鼓励家长自主申报微型课程。由家长根据自身资源优势自主选择相应的课程学习模块，自主选择学习，并结合学校办学目标、学生学习需求确定相应的科目、主题。

学校对家长申报的课程科目进行资格审批。对于通过审批的课程，学校与家长作进一步的联系和沟通，统筹协调，安排选课菜单；再让学生按自己的意愿选择课程、选择上课的家长。三年来累计有 3985 人次学

---

① 齐学红．结构与行动：基础教育改革的历史社会学研究［M］．南京：南京师范大学出版社，2020：4.

② 郁琴芳．家校合作 50 例：区域设计与学校智慧［M］．上海：华东师范大学出版社，2018：237－243.

生自主选择家长微型课程，参与了丰富的课程学习，获得了多样的活动体验。

（二）引导家长设计内容，形成系列微型课程

学校引导家长扬自己所长、按学生所需来开发课程，确立合适的科目主题,设计具体的课程内容。学校方面积极做好场地、多媒体设施等的提供，针对每位上课家长配备一名老师负责课程指导和教学组织服务工作，协助家长做好课程的开发和实施。至今已有150多位家长开发出了150多个课程科目，指导学生开展形式多样的课程学习活动。在此基础上，学校组织家长对所开发的课程进行梳理，统整内容，集中优势资源，重点扶持和打造一些精品课程,完成了“嘉定文化”“小学生营养与保健”“法律小知识”“飞向太空”等系列课程的统整，形成系列化、主题化课程。

（三）采用多种授课形式，灵活有效地开展实施

在课程实施上以“走班制”“基地活动制”为主，由家长根据其拥有的资源特点、学生需求和学校校情，灵活选择。从单一的“请进来”发展为“请进来，走出去”双向互动方式。“请进来”是请家长走进校园，走进课堂，走上讲台，面向自主选课的学生，进行跨年级、跨班级授课。“走出去”即让自主选课的学生走向由家长提供的特定课外活动探究基地，开展丰富多彩的课程探究实践活动。

在具体实践中，家长微型课程多采取1课时的微型讲座、培训、实验或3–4小时的课外探究活动等短小精悍的形式，指导学生开展丰富多彩的课程学习活动，灵活而有效。

（四）建立课程评价机制，多主体实施

针对家长微型课程个性化、多样化特点，采用学生、授课家长、学校等多种评价主体，并视过程评价与结果评价并重。对于每次课程活动，学生通过学习单，以摘星形式作出评价。与此同时，建立上课家长自评机制，通过对话、座谈会交流，撰写课程活动后感等形式表达感受，提出建议等。

最后，由学校作出综合反馈评价：对于学生，学校采用学分制评价方式，制定了家长微型课程学分操作方法。以开设的科目为单位，每学期记载一次学分，采用跟踪记载累计积分法。对获得学分多的学生优先推荐参加校“百名小能人”，市、区、校优秀队员等评选。学分卡动态记录学生个性潜能发展的独特领域和生长点，生动形象地反映学生的兴趣爱好和个性成长足迹。对于积极提供课程资源、发挥自身特长、投入家长微型课程开发的家长授予“课程开发好家长”的称号。

（五）采用多种形式，开展课程服务指导

在利用和开发家长课程资源优势的同时，做好对家长的课程开发实施的服务指导，分层次、分形式组织开展灵活多样的课程培训活动。例如，上课家长与协助教师的结对交流，请家长参加学校教学开放日活动，组织观摩家长代表上课等形式，发挥教师对家长微型课程的指导力等。此外，学校组织课题研讨活动，不仅有包括家长在内的课题组成员的各类课题研讨活动，还组织上课家长开展家长微型课程教学专题研讨，召开座谈会，听取建议。同时还聘请专家作讲座，对家长进行基本的课程理念、教学方法指导，促进家校在教育孩子方面达成共识，形成合力，从而提升家长开发实施课程的能力，提升教学效果。

家长微型课程打破了学校课程范畴，赋予家长开发学校课程的自主权，使家长这一潜在的课程资源得以系统开发，从中收获成长。家长微型课程营造出和谐的家校关系，让学生享受课程，享受学习，从中获得智慧成长；让家长在微型课程中展示才华，参与学校课程的开发与管理；让学校在家长微型课程的创生中焕发出新的活力。

（四）家校沟通的畅通

1. 保持双向交流

学校和家庭的关系不是学校对家庭或家庭对学校的单向的影响，而是两者之间双向的影响。从青少年的发展来看，家庭和学校是他们成长中的

"重要他人"，两者的影响同等重要。

在家校关系中，要认识到双向互动的重要性，只有家庭与学校实现实质上的双向互动，双方才可能进一步交流、沟通。

"家长义工制"助力更宽广的教育[①]

我校的家长义工活动几乎是全方位的。在学校管理、德育教育、课程教学、校园安全、校园建设、校园文化活动、师生身心健康等各方面，都能看到家长义工的身影。

学校德育教育中的"家长义工制"。家长义工的介入对落实学生思想品德教育而言，其主要内容有：家庭教育经验分享，名师讲坛活动，优秀班集体建设，志愿者服务，仪式教育，德育课程建设，"研学行走"课程。

学校课程教学中的"家长义工制"。家长义工助力课程建设，优化作业设计，其主要内容有：优化课程规划，参与有效作业与减负。

学校管理教育中的"家长义工制"。家长义工参与学校教育管理，尤其是参与学校发展顶层设计，为学校规划的科学性、思想性和可操作性出谋划策。目前家长义工主要参与了学校核心理念的讨论，以及学校发展目标与实现途径、学生培养目标、德育建设、课程教学、资源环境等关乎学校发展和学生发展的重大问题的讨论。

"家长义工制"的运行机制包括组织管理机构、义工委员会章程、组织运行流程、激励机制、服务机制等。

"家长义工制"的组织管理

"家长义工制"的组织管理机构有学校"家长义工委员会"、年级委员会、组织顾问委员会（包括已经毕业的学生家长）；部门有义工德育部、义工学习部、义工宣传部、义工安全保障部、义工健康部等。学校"家长义工委员会"是家长义工组织的领导机构，主任由家长委员会主任兼任，每届

① 郁琴芳．家校合作50例：区域设计与学校智慧［M］．上海：华东师范大学出版社，2018：357－361.

任期两年。委员会设主任一名，部长五名，他们分别与学校各职能部门主管对接，也和学校各条块工作对应，这样就可以有序地运作学校的义工工作。

表 2-3　家长义工委员会与学校职能部门对接表

对接部门	义工委员会	德育部部长	学校部部长	宣传部部长	安全保障部部长	健康部部长
	校长	书记	副校长	德育主任	总务主任	健康中心
职责	全面负责家长义工委员会工作	负责义工参与学校德育工作	负责义工参与学校教学工作	宣传优秀师生事迹；报道义工的各项活动	负责学校安全管理，保障校园安全	负责义工与师生的身心健康工作

“家长义工制”的运作

“家长义工制”的组织管理规章内容包括家长义工制宗旨、义工对象、义工要求、义工工作内容、义工服务时间、义工工作条件、义工组织与管理、义工表彰奖励等。

“家长义工制”充分调动了家长参与学校教育的积极性、主动性与创造性，有效地促进了家庭教育与学校教育的和谐发展，提高了学生全面发展与综合素质，提升了教师教育观念的更新与教育能力，促进了学校的教育改革与特色发展。

“家长义工制”是家校合作的双向活动，是家长和教师互相了解、配合、支持的过程，并非学校对家庭或家庭对学校的单向线性影响。一方面，家长的行为同样对学校产生一定的影响，家长往往依据学校的要求来调整自己的行为；另一方面，家长的行为同样对学校产生一定的影响，构成学校与家庭影响的双向交互性。

2. 家校资源共享

“资源共享的家校合作方式在一定程度上与伊里奇的‘非学校化’思

想对未来网络式学习机构的设想是暗含一致的，伊里奇的网络式学习构想的实质便是全体学习者对社会教育资源的无条件共享，它包含了原先的学校教育资源、社区教育资源和学习者自身这一教育资源。”①

在家校教育资源共享中，社区教育资源包括社区图书馆、博物馆、体育场馆等，也是不可忽视的方面。资源共享也与学校自身的发展有关，现代学校的开放性为资源共享的家校关系创造了条件。

3. 家校关系的发展创新

家校关系的发展创新首先是对传统的在家校合作中行之有效的家校合作方式进行完善，如家长会、家访、家长学校、家长委员会等。在新的家校关系理念指导下，这些传统方式仍然可以发挥积极作用。

家校“学习共同体”——班级家委团队的构建②

中国学者郑也夫认为，“信任是一种态度，一种主观愿望，表示愿意相信包围他的环境、周围的世界和他合作的人和行为。”日本著名教育家佐藤学提出，“学校应成为‘学习共同体’在教室中实现‘活动的、合作的、反思的学习’。”为了建立起家长与老师彼此信任、生命成长的“学习共同体”，笔者根据班级家长的特点，吸纳家长中各类人才加入班级管理，并组建了班级家委团队。此时的家委不仅是参事议事的班级管理的重要一员，更是以身示范，带领学生共同学习与成长的自觉学习者。

为了充分发挥家长在“学习共同体”中领导与示范作用，近5年来，笔者在两个不同班级分别组建了20人和17人的家委团队参与到班级管理中来，加强家校合作，并通过“阳光牵手”的方式让家委团队成员与全班同学家长牵起手来，让所有家长都能在第一时间了解班级的重大决策与工作动态，家庭教育中遇到的困惑也能在第一时间得到解决。正是这样一种

---

① 历爱民．“非学校化”教育思潮对我国家校合作的启示［J］．中国家庭教育，2003(4)：62－65．

② 案例提供者：杨学，南京外国语学校仙林分校燕子矶校区德育主任．

全透明的班级管理，让家长们更愿意齐心协力，按照约定积极投身到班集体建设及促进生命成长的“学习共同体”中来，家长们寻求自己成长的同时也影响着自己孩子的成长。家长众多的诉求也会在顺畅的沟通中得到妥善解决。

家委团队的组建有如下特征：在家委团队的分工中，家委团队成员的职务基本与学生的中队委员职务一一对应，如有家委班长、生活委员、体育委员、宣传委员、学习委员、组织委员、文娱委员等。家委团队成员在“家委工作章程”的指导下对班级各项管理工作进行分工合作。家委们在开展各项工作中充分发挥主动性与创造性，如：体育家委每天带着小体育委员记录班级早操日记，并通过互联网指导做操不到位的同学做早操；宣传家委除了每学期为学生制作班级作文小报和文集，还在班级教室布置上开设“我型我秀”栏目，为每个同学提供舞台；生活家委为每个学生准备带有班级 logo（标志）的生日纪念品，每月为学生举行一次简朴而又有意义的生日会；文娱家委带领学生排练京剧“反串”表演，为达到最佳效果，专程去录音棚进行专业录音，正式表演时在全校引起轰动；组织家委组织有专长的家长在校内给孩子们做“做个懂法守法的小公民”“做个小小理财家”等讲座，还组织全班学生进行校外拓展活动、举行成长礼，教会学生感恩等。

通过在班级组建家委团队，主动吸纳家长中积极因素有效地参与到班级管理中来，从根本上打破了原来班级成员间的种种猜忌、彼此之间的对立局面，打造出一个充满正能量、团结友善、凝聚力强的班集体。而家委班长、家委学习委、教育小组的老师们也通过班级微信群给家长们营造出自觉学习、主动提升的终身学习的氛围。家长们的爱学习自然也带动着学生学习的积极性。每一个家委在落实分内工作时表现出的专注、执着、不惧困难以及特有的思维方式等，都成了孩子们争相模仿的榜样，而家委们手把手传授给学生小班委的工作管理方法，也让小班委提升了工作能力，更好地为全班同学服务，让他们受益终身。

以上案例中，正是在积极面对并处理家长们众多诉求中推进了班级管理的深入改革。通过对班级管理结构和参与人员的合理调整，让身处团队合作中的任课教师、学生、家长都成了直接受益者。

其次，利用现代信息资源，开发新的家校沟通平台。比如：家校热线、家校联系网页、网络等。随着互联网的发展，家校联系的方式将迎来新的变革。

第三章
班级德育目标与内容研究

德育目标作为学校德育工作的出发点，对德育内容的确定起着重要影响。“德育目标是从德育预期结果，也就是从受教育者所要形成的品德的角度，来说明德育的作用和认识德育活动的价值的。所以我们可以明确地说：德育目标，就是对德育活动结果的具体要求，对德育工作产品的质与量的规定。”①

德育目标既是对培养何种德性的规定，同时也是对最终塑造出什么样的人的说明，前者的表述方式是“培养……的品质”，后者的表述方式是“培养具有……道德品质的人，如建设者、接班人、公民等”②。

德育内容是指德育活动所要传授的具体道德价值、道德规范及其体系。它是德育目标的具体体现，是学校对学生施加的各种德育影响的综合，是影响学生道德品质形成和发展的基本教育信息。德育内容体现的是用什么样的社会政治观、世界观以及用什么样的道德准则去培养青年一代的问题。教育目的为培养人确定了方向，德育任务指明了教育对象在思想品德方面的要求，但要保证教育目的和德育任务的实现，有赖于教育内容的选择。

---

① 鲁洁，王逢贤．德育新论［M］．南京：江苏教育出版社，1994：130－131.

② 班华．德育目标应有的要求：民族精神与世界精神的统一［J］．教育研究，2013（2）：54.

因此，班级德育内容关系到未来一代的思想政治面貌和道德面貌。

班级德育作为学校德育工作的重要组成部分，核心即“培养什么人”的问题。“培养什么人”“怎样培养人”具体体现在班级常规德育工作中，并渗透在班级生活的方方面面。班级德育更多的是作为一种潜在课程，对学生产生着潜移默化的影响。

本章从班级德育目标和班级德育内容两个方面，梳理了新中国成立七十多年来班级德育目标和内容的历史演变过程，通过对班级德育的历史演变进行反思与检视，借鉴国内外班级德育经验，探索走向未来的班级德育目标与内容的设计与实施。

第一节 班级德育目标研究

在梳理班级德育内容的历史演进之前，首先要介绍班级德育目标的发展演变，因为对德育目标的认知影响着德育内容的选择与最终确定。德育目标直接决定了培养学生什么样的品德。德育目标“对德育过程起着指向、激励和规范的作用，制约着德育的内容、途径、方法”[①]。德育的本质、德育的价值与功能、德育的现代性等都反映在德育的目标和内容中。德育内容是德育目标的体现，是按德育目标要求，为实现德育目标而用以教育学生的思想、政治、道德方面的知识、理论思想、观点、准则、规范等。德育内容最直接地体现了德育目标，为实现德育目标服务[②]。这一节主要讨论班级德育目标发展的内容。在梳理班级德育内容的历史演进之前，通过纵观班级德育目标的发展演变历程，探讨历史发展视域下的班级德育目标的

① 吴红伟．论学校德育目标的偏失与回归［J］．西华大学学报（哲学社会科学版），2005(12)：251－252.

② 班华．现代德育论［M］．合肥：安徽人民出版社，2001：129.

价值旨归。

一、班级德育目标的历史演变

班级德育目标是指“在德育方面要实现什么样的状态，如遵守学校规章制度、热爱班集体、同学之间互帮互助等”[①]。制定正确的班级德育目标是增强班级凝聚力，引导学生树立正确的思想、信念，养成良好行为习惯的重要手段。中小学生由于心智尚不健全，对人生的安排和自我的发展缺乏明确的自主意识。班级德育目标不仅可以为其明确学校学习和生活的要求，而且可以让学生在宽松和谐的班级文化生活中受到潜移默化的熏陶，过有道德的生活。班级教育目标定位在促进学生主体发展上，着眼于学生主体素质的发展、学习知识、遵循规范、参加班级各种教育活动等。班级教育目标不同于班级工作目标，它是直接作用于学生主体，直接指向主体素质发展的[②]。班级德育目标相较于国家和学校层面的德育目标而言更加具有针对性。在班级中，班级德育目标的制定离不开国家和学校德育目标的指导，为此，首先需要梳理新中国成立以来国家和学校层面德育目标在不同历史时期的发展变化。

（一）培养又红又专的社会主义新人（1949—1966 年）

新中国成立以来到“文革”前的这段时期，学校德育目标主要是培养又红又专的社会主义新人。“又红又专”[③]的人才培养要求是这一时期学校德育目标的集中体现。毛泽东认为，我国人民的政治意识、技术能力与业务本领都要摸底、弄清楚，“十年内必须精通工业、农业各种技术业务，

① 齐学红．班级管理［M］．武汉：武汉大学出版社，2011：85.

② 班华．发展性班级教育系统［M］．南京：南京师范大学出版社，2000：78.

③ 毛泽东文集：第 7 卷［M］．北京：人民出版社，1999：351.

将自己和许多人都变得‘又红又专’，基本上完成建立无产阶级知识分子队伍的伟大任务。对此，各级均要有计划。‘十年树人’极为必要，非此不能建立社会主义。”[①] 教育部在1952年3月颁发试行的《小学暂行规程（草案）》和《中学暂行规程（草案）》中就对中小学的德育目标作了明确的规定。其中小学的德育目标是：使儿童具有爱国思想、国民公德和诚实、勇敢、团结、互助、遵守纪律等优良品质。中学德育目标是：发展学生为祖国效忠、为人民服务的思想，养成其爱祖国、爱人民、爱劳动、爱科学、爱护公物的国民公德和刚毅、勇敢、自觉遵守纪律的优良品质。1954年4月，《中央人民政府政务院关于改进和发展中学教育的指示》强调，要继续培养学生“五爱”国民公德，“注意培养集体主义精神，自觉的纪律，及坚韧、谦逊、诚实、节俭、朴素等品质”[②]。

随着社会主义改造的基本完成，我党领导全国各族人民开始转入全面的大规模的社会主义建设。在十年社会主义建设时期，我国先后出现了社会主义教育运动、“大跃进”、人民公社化运动以及“四清”运动等，这一时期的教育也必然摆脱不了这些运动的深刻影响，教育必须为无产阶级政治服务。1959年9月，我国颁布的第一个中学政治课教学大纲《中等学校政治课教学大纲（试行草案）》规定：课程要“提高学生的思想政治觉悟，清除资产阶级思想的影响，发展独立思考、明辨是非的能力，并为进一步学习马克思、列宁主义打下初步基础”[③]。1963年3月颁发的《全日制中学暂行工作条例（草案）》明确指出：“要对学生进行社会主义建设总路线、‘大跃进’、人民公社三面红旗的教育”；强调中学思想政治教育的根本任务就

---

① 中共中央文献研究室.建国以来重要文献选编：第10册［M］.北京：中央文献出版社，1994：593.

② 中央人民政府政务院关于改进和发展中学教育的指示［J］.人民教育，1954(7)：16－17.

③ 吴履平.20世纪中国中小学课程标准·教学大纲汇编：思想政治卷［M］.北京：人民教育出版社，1999：205.

是培养学生具有爱国主义和国际主义精神，教育学生拥护共产党、拥护社会主义，愿意为社会主义事业服务、为人民服务；逐步对学生进行工人阶级的阶级观点、劳动观点、群众观点和辩证唯物主义观点的教育；培养学生的共产主义道德品质和革命意志；反对现代修正主义，反对资产阶级思想和其他反动思想的侵蚀，逐步树立工人阶级的世界观[①]。

（二）培养富有政治意义的社会主义接班人（1966—1978 年）

"文革"期间，学校一切德育工作均被无条件地纳入当时既定的政治运作框架，以培养富有政治意义的社会主义社会接班人为目标，强调无论是小学还是中学都必须严格按照《中共中央关于无产阶级文化大革命的决定》进行斗、批、改；要求中小学生认真学习毛泽东著作以及"文革"相关文件；提醒工农兵大学生要"坚持以阶级斗争为主课，始终把坚定正确的政治方向放在第一位"[②]。当时许多学生对毛泽东思想的理解十分肤浅，多停留在对毛泽东语录与名篇的背诵上以及对"无限忠于毛主席"等政治口号的空喊上。此外，红卫兵和红小兵"小将"还热衷于各种现场批斗会，要"狠批私字一闪念"，一切与私、欲、情、爱有关的思想均遭到无情扫荡。毫无疑问，这一号称"大民主"的"文革"德育实质是专制主义封建德育的死灰复燃，与"穷天理，灭人欲"的宋明理学教育并无异义[③]。

十年动乱期间，学校德育"左"的思想发展到了极限。德育不再是灵魂的教育而是全心全意为政治斗争服务的工具，德育的目标也随着自身性质的改变而发生变化。这一时期，德育的目标是培养反修防修的共产主义

---

① 瞿葆奎，雷尧珠，等．教育学文集 · 中国教育改革［M］．北京：人民教育出版社，1991：409－410.

② 同 ① 539.

③ 黄书光．变革与反思：共和国德育的历史走向［J］．华东师范大学学报（教育科学版），2006（1）：94.

接班人。为了确保无产阶级江山万年红，为了确保中国第三、第四代乃至世世代代都不发生和平演变，学校教育应坚持把“反修防修”作为重要任务放在首位[①]。

（三）政治化阶段（1978—1985年）

1978年教育部相继颁布了新修订的《全日制小学暂行工作条例（试行草案》和《全日制中学暂行工作条例（试行草案）》。《全日制小学暂行工作条例（试行草案）》指出，小学教育的任务表现在思想政治方面，要教育学生继承伟大领袖和导师毛主席的遗志，好好学习，天天向上，使学生具有爱祖国、爱人民、爱劳动、爱科学、爱护公共财物等品德，拥护社会主义，拥护共产党。《全日制中学暂行工作条例（试行草案）》指出，学校应该把坚定正确的政治方向放在第一位，必须对学生进行共产主义思想教育，培养学生具有爱国主义和国际主义精神，教育学生拥护中国共产党，拥护社会主义，立志为社会主义事业服务，为人民服务；逐步对学生进行工人阶级的阶级观点、劳动观点、群众观点和辩证唯物主义观点的教育，培养学生的共产主义道德品质和革命理想，继承和发扬党的革命传统和优良作风，反对修正主义，反对资产阶级思想和其他反动思想的侵蚀，逐步树立工人阶级的世界观。随后，1980年教育部在《改进和加强中学政治课的意见》中再次强调：培养学生的共产主义道德品质，教育学生坚持又红又专的方向，逐步树立无产阶级世界观和人生观，立志为人民服务，为实现祖国的社会主义现代化而献身。1981年，《全日制六年制重点中学教学计划（试行草案）》提出，中学教育要“培养有社会主义觉悟的有文化的劳动者，使学生具有爱国主义精神，培养共产主义道德品质，逐步树立无产阶级世界观和人生观，立志为人民服务，为实现祖国的社会主义现代化

① 孙少平．新中国德育五十年［M］．福州：福建教育出版社，2002：122.

服务”。1982 年教育部颁发的《全日制五年制小学思想品德课教学大纲（试行草案）》对德育课程目标的规定是：使小学生初步具有共产主义道德品质和良好的行为习惯，立志做有理想、有道德、有文化、守纪律的劳动者，为把他们培养成为共产主义事业的接班人打下思想基础。在这一时期，德育目标主要表现出政治化的倾向。

（四）科学化阶段（1985—2000 年）

1985 年，《中共中央关于教育体制改革的决定》颁布，这次改革使教育体制发生了重大变化，教育除了要培养具有坚定政治信念的人，还要培养社会经济建设所亟需的各类人才。1985 年 8 月，《中共中央关于改革学校思想品德和政治理论课程教学的通知》对德育任务作出明确规定，德育目标不再是笼统的社会主义觉悟或共产主义道德，而是包括以“五讲四美”和“五爱”为中心的目标体系；既坚持德育的社会主义性质，又包括个人内在修养、法律修养和社会公德教育。1986 年颁发的《全日制小学生思想品德课教学大纲》中，将德育课程目标规定为：通过以“五爱”和“五讲四美”为中心的社会公德教育和社会常识教育（包括必要的生活常识、浅显的政治常识以及同小学生生活有关的法律常识），从小培育学生社会主义国家公民应有的良好的思想品德和行为习惯，为使他们成为有理想、有道德、有文化、有纪律的社会主义建设各类人才打下初步的思想基础。1988 年，《中共中央关于改革和加强中小学德育工作的通知》进一步提出，“中小学德育工作的基本任务是，把全体学生培养成为爱国的具有社会公德、文明行为习惯的遵纪守法的好公民”。1990 年 4 月，国家教委颁布了《关于进一步加强中小学德育工作的几点意见》，指出：“必须进一步端正办学指导思想，切实把德育放在学校教育工作首要地位”，“我国中小学校的根本任务是为培养有理想、有道德、有文化、有纪律的建设社会主义事业的接班人”。

国家教育委员会在 1993 年 3 月出台的《小学德育纲要》和 1995 年 2

月出台的《中学德育大纲》中，德育目标结合了学生的年龄特征和认知规律，进一步使德育目标的设定变得科学、合理。《小学德育纲要》规定的小学德育目标是："培养学生初步具有爱祖国、爱人民、爱劳动、爱科学、爱社会主义的思想感情和良好品德；遵守社会公德的意识和文明行为习惯；良好的意志、品格和活泼开朗的性格；自己管理自己、帮助别人、为集体服务和辨别是非的能力，为使他们成为德、智、体全面发展的社会主义事业的建设者和接班人，打下初步的良好的思想品德基础。"《中学德育大纲》对 1988 年的《中学德育大纲（试行稿）》做了微调，规定中学德育的总目标是："把全体学生培养成为热爱社会主义祖国的具有社会公德、文明行为习惯的遵纪守法的公民。在这个基础上，引导他们逐步树立科学的人生观、世界观，并不断提高社会主义思想觉悟，使他们中的优秀分子将来能够成长为共产主义者。"接着，1998 年 6 月颁布的《中小学德育工作规程》第五条中规定要"培养学生成为热爱社会主义祖国、具有社会公德、文明行为习惯、遵纪守法的公民"。

（五）人本化阶段（2000—2012 年）

2000 年，《中共中央办公厅国务院办公厅关于适应新形势进一步加强和改进中小学德育工作的意见》进一步提出，必须从实际出发，深入研究当前学生思想品德特点，修订小学思想品德课和中学思想政治课课程标准，从而使德育目标的科学设定有了新的依据。20 世纪八九十年代，我国德育目标发生了很大的变化，这种变化本质上是社会本位取向的变化。无论是最初的政治取向，还是之后的经济建设取向，多是从社会需要出发对德育目标进行规定，往往忽视了人自身发展对道德的需要，以及个体日常生活的道德要求[①]。2001 年 5 月颁发的《国务院关于基础教育改革与发展的决定》

---

① 冯建军. 中国教育改革 40 年 · 学校德育［M］. 北京：科学出版社，2019：39.

特别指出，要“切实增强德育工作的针对性、实效性和主动性”，明确了小学、初中和高中三个不同学段的德育目标，强调使学生“具有社会主义民主法制意识，遵守国家法律和社会公德”。同年 6 月，教育部制定并颁布了《基础教育课程改革纲要（试行）》，第八次课程改革（新课程改革）拉开了序幕。新课程改革的实施实现了从学科本位、知识本位向关注每个学生发展的学生本位的历史性转变。课程改革的目标是使学生具有爱国主义、集体主义精神，热爱社会主义，继承和发扬中华民族的优秀传统和革命传统；具有社会主义民主法制意识，遵守国家法律和社会公德；逐步形成正确的世界观、人生观、价值观；具有社会责任感，努力为人民服务；具有初步的创新精神、实践能力、科学和人文素养以及环境意识；具有适应终身学习的基础知识、基本技能和方法；具有健壮的体魄和良好的心理素质，养成健康的审美情趣和生活方式，成为有理想、有道德、有文化、有纪律的一代新人。

2002 年，教育部颁布《义务教育品德与生活课程标准》（实验稿）与《义务教育品德与社会课程标准》（实验稿），课程名称的改变已清晰地表达着新的德育目标的生活取向和社会取向。课程标准规定的德育目标是“培养具有良好品德和行为习惯、乐于探究、热爱生活的儿童”，规定小学低年级学生的品德与生活课程“以儿童的生活为基础，以培养品德良好、乐于探究、热爱生活的儿童”为目标，小学中高年级学生“以儿童社会生活为基础，促进学生良好品德形成和社会性发展”为目标。课程标准体现了对学生生活、社会发展的重视。2006 年 6 月 29 日，中华人民共和国第十届全国人民代表大会常务委员会第二十二次会议修订的《中华人民共和国义务教育法》提到：“义务教育必须贯彻国家的教育方针，实施素质教育，提高教育质量，使适龄儿童、少年在品德、智力、体质等方面全面发展，为培养有理想、有道德、有文化、有纪律的社会主义建设者和接班人奠定基础”。与新课程改革相适应，德育目标的研究进入深化期，这一时期的研究更加凸显科学化、人本化和生活化。在德育目标的科学化方面，注重研究德育目标的分类问题、层次性问题和序列化问题；在德育目标的人本化方面，更加突出以人为本的思想，注重培养主体性道德人格；在德育生活化方面，主张道德教育回归生活，在日常生活中进行道德教育，使学生体验生活、感悟生活，进而自主建构道德品质①。

二、当代班级德育的目标与任务

以党的十八大为起点，中国社会已经进入一个新时代。2012 年，党的十八大报告指出，“全面贯彻党的教育方针，坚持教育为社会主义现代化建设服务、为人民服务，把立德树人作为教育的根本任务，培养德智体美全面发展的社会主义建设者和接班人”，提出将“立德树人”确立为教育的根本任务。2017 年，党的十九大报告再次肯定和强调，“落实立德树人根本任务，发展素质教育”。2018 年，习近平在全国教育大会上强调在党的坚强领导下，坚持中国特色社会主义教育发展道路，培养德智体美劳全面发展的社会主义建设者和接班人。至此，教育实现了“以人为本”，同时兼顾社会和个人②。

新时代德育工作必须要着眼全局，将培育和践行社会主义核心价值观放在核心位置，将立德树人作为中小学一切工作的核心目标，培育青少年的“四个自信”，培养他们的良好思想品德和健全人格，为中国特色社会主义事业造就合格建设者和可靠的接班人。

（一）学校德育目标与任务：围绕核心价值观，全面落实立德树人

党的十八大明确把“立德树人”写进教育方针，将此作为教育的根本任务，始终强调践行社会主义核心价值观，并将其作为一切工作的指导

① 张忠华．改革开放 30 年来德育目标的研究与反思［J］．教育学术月刊，2011 (1)：21.
② 冯建军．中国教育改革 40 年·学校德育［M］．北京：科学出版社，2019：39 – 40.

思想。

2017 年 9 月颁布的《中小学德育工作指南》，明确规定中小学的德育总体目标为“培养学生爱党爱国爱人民，增强国家意识和社会责任意识，教育学生理解、认同和拥护国家政治制度，了解中华优秀传统文化和革命文化、社会主义先进文化，增强中国特色社会主义道路自信、理论自信、制度自信、文化自信，引导学生准确理解和把握社会主义核心价值观的深刻内涵和实践要求，养成良好政治素质、道德品质、法治意识和行为习惯，形成积极健康的人格和良好心理品质，促进学生核心素养提升和全面发展，为学生一生成长奠定坚实的思想基础”。

为此，学校、班级应全面实施素质教育，提高教育质量，促进学生的全面发展。全面发展包括养成良好的政治素质、道德品质、法治意识和行为习惯，形成积极健康的人格和良好的心理品质，促进学生身心、道德、学业、人格的和谐发展。

（二）班级德育目标与任务

班级是学校根据教育和管理的需要而组织起来的基层单位，是学生置身其间学习和生活的具体环境。开展班级德育的基本任务是实现班级群体由松散群体向班集体的跨越，使班级成为每个学生愉快生活、健康发展的园地。

为了实现这一目标，班主任及全体教师应从集体教育、个体教育、指导学习、组织活动等方面开展德育活动，使得班级中的每个成员都能在集体中成长、进步且都能发挥自己的长处，为集体做贡献，营造一个温馨、快乐、和谐、向上的优秀班集体，进而达到以下班级德育目标：

1. 凝聚的集体主义精神

进行集体主义思想教育，培养学生的集体意识和集体荣誉感。让每一个学生都懂得什么是集体，懂得个人与集体的关系，正确认识自己在集体中的位置和作用，认清自己对集体的责任和义务，从而自觉地关心集体、爱护集体，并把自己的言行与集体荣誉联系起来，把自己融合于集体之中，最终使集体目标内化为个体目标。

2. 和谐的人际关系

教会学生学会关心，使他们心中有他人、有集体。培养学生的爱心、热心、善心、责任心，形成一种相互了解、相互信任、相互尊重、相互关心的和谐人际关系和集体氛围。

3. 科学的班级管理

“不以规矩，不成方圆”，引导学生学习和遵守中小学生守则和行为规范，并能根据班级实际情况，在全体成员的参与下，制订合理而且可行的具体条例与规定，如班级公约、课堂常规、学习纪律、卫生公约等，引导和规范集体成员的日常道德和学习行为习惯。

三、班级德育目标的反思与展望

通过上述分析和论述，我们对新中国成立 70 多年来我国班级德育目标的发展脉络有了较为清晰的了解。社会历史发展推动教育变革，同时也推动了德育目标的发展和变化。不断发展中的班级德育内容体现了对德育目标的自觉把握，德育内容是否准确、是否恰当是班级德育实践的重要前提。未来班级德育目标需要真正实现从“实然”走向“应然”，在不断丰富与融合中从工具化向人本化合理建构。

（一）从分化走向整合：构建中国特色社会主义学校德育目标体系

新中国成立以来，班级德育目标的发展经历了政治化、科学化、人本化的不同历史发展阶段，我国学校德育呈现出强烈的时代特征，表现出三次主要的转型，即从新中国成立初期的以“为社会主义经济建设和政治服务”转向“为社会主义精神文明建设服务”再转向围绕社会主义核心价值观贯彻落实“立德树人”根本任务[①]。从党的十六届三中全会到十九大,“以人为本”的德育目标逐渐清晰;从党的十八大到十九大所确立的社会主义核心价值观则在内容上不断突出“以人为本”的德育要求。德育目标从工具化向人本化的转变,一是体现了社会本位与个人本位的统一,比以往更关注个体责任感及道德观念。二是体现了德育目标的稳定性,在继承以往德育目标的基础上反映了我国新时代中国特色社会主义现代化建设和未来学校德育的新要求。

针对当前新时代班级德育目标的分析,我们可以得到如下启示:德育目标体现了为新时期我国社会主义现代化建设服务,具有较强的时代性,突出了社会主义学校德育的方向性、全面性、科学性。目前,我国初步形成了具有中国特色的社会主义德育目标体系。

(二)从共性走向个性:班级德育目标的分层递进

研究发现,经历了七十多年的历史演变,班级德育目标的分层性、阶段性不断凸显并从分化向整合发展且逐步趋于完善。新时期青少年学生的思想呈现出道德取向多元化,思想观点存在兼容性,政治方向带有模糊性等特点,青少年学生的这些特点对当前学校德育工作提出了新的挑战。同时也对德育目标的设定提出了更高、更全面的要求。2005 年,教育部颁布的《关于整体规划大中小学德育体系的意见》明确规定了大中小学各阶段的德育目标。2007 年,教育部发布的《中小学德育工作指南》中,德育目标下设学段目标,分别为小学低年级、小学中高年级、初中学段、高中学段四个学段目标。许多学校将每个学段目标又细化为不同年级的班级德育目标。班华认为,应然德育目标转化为实然德育目标过程中,包含着把概括性的德育目标逐步分解,具体化为可操作、可检测的教育行为目标,为

---

① 李泽林,伊娟.新中国成立70年学校德育价值取向的三次转型[J].中国教育科学(中英文),2020 (2):85.

此需要将总的目标化为分年级实施的目标，进而分解为某项德育活动或单元德育课程的目标①，而目前我国中小学班级德育目标已经逐步实现个性化、具体化。许多中小学已经制定了不同年龄阶段的、具有班级特色的班级德育目标并贯彻实施。

（三）从应然走向实然：班级德育目标的贯彻实施

德育目标作为对未来人思想道德面貌的期望，是一种教育设想，教育理想②。对于德育目标来说，“培养什么样的人”固然是第一位的问题，但实效问题同样是德育目标的重要问题。简单地说，班级德育活动实现德育目标的程度，反映的是德育在多大程度引起学生品德发生变化，最终实现预期的目标③。班级德育目标的实现不仅受德育内容的影响，也受德育实施、德育途径、德育方法等多因素影响。“社会因素不是影响教育目标的唯一因素。个人——学习者（现有的和潜在的学习者）、教师、家长——有意无意地影响着人们去决定或改变教育的最终目的。”④班级德育目标的贯彻实施中受诸多因素影响，是一个德育目标再创造的过程，也就是从应然走向实然的过程。德育目标表达是一种价值的期待，德育目标需要满足价值性、方向性、时代性、适切性、层次性内容，这些内容共同构成了德育目标的属性和特征，在德育目标的认知和贯彻实施过程中，经历了一个漫长的过程⑤。

---

① 班华．现代德育论［M］．合肥：安徽人民出版社，2001：150.

② 同①149.

③ 冯建军．中国教育改革40年·学校德育［M］．北京：科学出版社，2019：3－40.

④ 联合国教科文组织国际教育发展委员会．学会生存：教育世界的今天和明天［M］．上海：上海译文出版社，1979：200.

⑤ 同③51.

第二节　班级德育内容研究

班级德育内容是影响学生道德品质形成和发展的基本教育信息[①]。新中国成立以来，在德育目标变化的影响下，班级德育内容在不同历史时期也经历了一系列发展与变革，并逐步走向丰富与融合，尤其是党的十八大以来，习近平总书记强调将立德树人作为教育的根本任务。因此，新时代德育工作必须要着眼全局，将培育和践行社会主义核心价值观放在核心位置，将立德树人作为中小学一切工作的核心目标和出发点，帮助青少年树立“四个自信”，培养他们的良好思想品德和健全人格，为中国特色社会主义事业培育合格建设者和可靠的接班人。班级德育内容需将德育融入日常班级生活的全过程。本节主要从班级德育课程和班级日常生活德育培养内容两方面呈现班级德育的内容。

一、班级德育课程研究

德育内容体现的是用什么样的社会政治观、世界观以及道德准则去培养青年一代的问题。因此，班级德育内容关系到未来一代的思想政治面貌和道德面貌。其中，班级日常德育课程的发展演变是我们了解班级德育内容发展的重要组成部分。

（一）学科德育课程

在德育目标动态变化的影响下，学科德育的课程名称以及课程内容也

① 檀传宝．德育原理［M］．北京：北京师范大学出版社，2006：146.

会相应地做出调整，不同历史阶段的课程名称反映出国家对学科德育的不同要求。从政治课到思想品德课，再到新世纪以来的品德与生活、品德与社会等，我们可以从学科德育课程名称的历史演变中发现其中所蕴含的内在逻辑。

1. 课程名称的演变

新中国成立以来到党的十八大召开，学科德育课程名称的变化与国家政治和社会环境等方面是紧密相关的，换言之，国家政治和经济的变化会通过德育目标的影响，在学科德育课程名称的变化中体现出来。

（1）政治课（1949—1966 年）

在新中国成立十七年的这一历史阶段中，中小学的学科德育课程名称主要以政治课为主。这一时期对学生的品德教育主要通过政治课和其他各科教学零散进行。当时，政治课有着极其重要的地位，同时担负着对学生进行思想政治教育和品德教育的任务。1950 年 8 月 1 日教育部在颁发的第一个《中学暂行教学计划（草案）》中明确规定：中学各年级均开设政治课，并列于各学科之首位。该计划明确指出了政治课的重要地位。1951 年 6 月 23 日，教育部颁发的《关于改定中学政治课名称和教学时数及教材的通知》中提出：为了有系统地通过各科教学进行爱国主义教育和政治思想教育，从 1951 年秋季起对政治课原计划所列政治课名称，应即取消，并决定：初中一、二年级停开政治课，初中三年级开设“中国革命常识”，高中一、二年级开设“社会科学基本知识讲座”，高中三年级开设“共同纲领”。1953 年 7 月 22 日，教育部颁发的《中学教学计划》（修订草案）中，政治课的教学内容又有了新的细微变化，即初中二年级开设“中国革命常识”，每周两课时。1954 年 7 月 5 日，教育部发出的《关于中学部分学科的设置，授课时数的变更及政治课教材的通知》中又规定：初中二年级的“中国革命常识”暂不开设，补授“卫生常识”课。

在这个时期，政治课有着为期一年的短暂停授。1956 年 8 月 17 日，教育部通知全国，初三的政治常识课和高一、高二的社会常识课没有课本，决定暂时停授。时隔一年之后，教育部于 1957 年 6 月 6 日发出《关于中学、师范学校设置政治课的通知》，全面恢复了政治课，其中规定初中一、二年级讲授“青年修养”，初中三年级讲授“政治常识”，高中一、二年级讲授“社会科学常识”，高中三年级讲授“社会主义建设”的内容。同年 8 月，教育部、共青团中央在《关于对中学和师范学校学生进行社会主义思想教育的通知》中，将下半年度的政治课内容改为进行以反右派斗争为中心的社会主义思想教育，旨在使学生受到实际的阶级教育以提高社会主义思想觉悟。政治课程也相应改变为“社会主义教育”或“共产主义教育”，内容主旨是突出阶级斗争意识，因为“如果我们不加强对青少年的阶级、阶级斗争的教育，听任资产阶级思想侵蚀，即使生长在社会主义社会的青少年也有变坏的危险”[①]。当时社会中阶级矛盾成为国家的主要矛盾，相应的，班级德育内容就要突出政治教育的倾向以适合国家教育需求。

1959 年 7 月，教育部颁发的《中等学校政治课教学大纲》（试行草案）明确了政治课的重要地位：中等学校政治课是思想政治教育和道德品质教育的重要课程；是以共产主义道德和社会发展常识、政治常识、经济常识、辩证唯物主义常识、党的方针政策等内容教育学生，培养学生共产主义道德品质、工人阶级的阶段观点、群众观点和集体观点、劳动的观点，提高学生思想政治觉悟，发展独立思考、明辨是非的能力，并为进一步学习马克思、列宁主义打下初步基础。该文件还规定中学政治课课程设置如下：初中设“政治常识”课，内容包括共产主义道德、社会发展简史、社会主义革命和社会主义建设、思想方法等方面的常识。高中设“政治常识”“经济常识”“辩证唯物主义常识”课。教育部于 1963 年 7 月 31 日颁布的《关于实行全日制中小学新教学计划（草案）的通知》指出，中小学教育的根本目的在于培养坚强的革命后代，必须改进和加强政治课的教学工作。小

---

① 上海教育出版社．加强对青少年的阶级教育［M］．上海：上海教育出版社，1963：3.

学各年级仍然设置周会，进行道德品质教育和时事政策教育。中学的政治课，按年级分别设置道德品质教育、社会发展简史、中国革命和建设、政治常识、经济常识和辩证唯物主义常识。

（2）课程中断期（1966—1978 年）

社会主义改造完成后不久，1958 年到 1960 年国家开始了“大跃进”和人民公社化运动。1966 年，长达十年的“文化大革命”开始。1966 年 5 月至 1976 年 10 月的“文化大革命”，使党、国家和人民遭到建国以来最严重的挫折和损失。在这动荡的历史时期，过去的政治课被迫中断，德育内容出现了较为严重的泛政治化倾向，形成了绝对一元化的政治文化结构，毛泽东思想与理论成为政治文化学习的唯一来源。当时认为，旧教育使得教育与生活社会脱离，理论与实践脱离，学生学到的是“九分无用一分被歪曲了的东西”，应该加以改革，破除知识的系统性和连续性，以政治和实践需要决定课程内容的选择。1966 年 6 月 13 日，中共中央国务院批转教育部党组《关于 1966~1967 学年度中学政治、语文、历史教材处理意见的请示报告》，认为原有政治、语文、历史教材没有突出无产阶级政治，违背毛主席关于阶级斗争的学说，要求中小学停开历史课，合并政治与语文课，以毛主席著作为基本教材。1967 年 2 月，中共中央发出《关于小学无产阶级文化大革命的通知（草案）》，对小学 1~4 年级学生只要求学习毛主席语录、兼学识字，学唱革命歌曲，学习一些算术和科学常识。5~6 年级学习毛主席语录、“老三篇”（即毛泽东著的《为人民服务》《纪念白求恩》《愚公移山》三篇文章）、三大纪律八项注意、学习十六条、学唱革命歌曲。中学上课学习毛主席著作，批判旧教材和旧教学制度，以必要的时间复习数、理、化、外语和各种必要的常识。学生要分批进行军事训练，农忙期间，师生要下乡劳动[①]。

① 孙少平 . 新中国德育五十年［M］. 福州：福建教育出版社，2002：112.

“文革”末期，国家重新开始重视科学文化教育。1975 年，教育行业开始整顿工作，1977 年进入全面整顿阶段。粉碎“四人帮”后，1977 年 9 月，教育部重新确定中学政治课课程设置为：初中一年级开设“社会发展简史”；初中二、三年级开设“科学社会主义常识”；高中一年级开设“政治经济学常识”；高中二年级开设“辩证唯物主义常识”。政治课开始恢复重建。

（3）政治课（1978—1981 年）

伴随着前两年国家教育事业的整顿工作，1978 年 1 月，教育部颁布的《全日制十年制中小学教学计划试行草案》规定政治课的教学任务是对学生进行共产主义教育和政治常识教育。在小学四、五年级开设政治课，进行初步的共产主义思想教育和必要的政治常识教育。从教学内容来看，政治课更着重对政治思想的教育。

1978 年 12 月召开的党的十一届三中全会是新中国成立以来我党历史上具有深远意义的伟大转折。从此，党拨乱反正，有步骤地解决了新中国成立以来的许多历史遗留问题和实际生活中出现的新问题，中小学政治课的重建工作也更加规范化起来。1980 年 9 月发布的《教育部关于改进和加强中学政治课的意见》中确定中学政治课课程设置为：初中一年级设“青少年修养”，初中二年级设“政治常识”（后改为“法律常识”），初中三年级设“社会发展简史”、高中一年级设“政治经济学常识”，高中二年级设“辩证唯物主义常识”。

（4）思想品德课、思想政治课（1981—2001 年）

这一时期，中小学学科德育的课程名称都有所变化。1981 年，小学的课程名称由政治课变更为思想品德课。1985 年，中学的课程名称由政治课变为思想政治课。小学政治课开设两年多之后，教育部在 1981 年 3 月颁发了《教育部关于小学开设思想品德课的通知》，提出将小学的政治课改为思想品德课。小学思想品德课的设立是课程改革历史上一个不容忽视的转折点。从内容层面看，思想品德课的内容组织不再像之前的政治课那样紧紧围绕着国家政治思想而展开，在很大程度上改变了小学德育有名无实的状况，德育课不再仅仅是政治运动的折射，而是逐步展现道德教育的课程性质和理念[①]。思想品德教育要遵循党的四项基本原则和党的教育方针，教育学生树立远大的共产主义革命理想，热爱党，热爱社会主义祖国，热爱人民，热爱劳动，热爱集体，遵纪守法。1981 年秋季开学起，各地小学普遍开设了思想品德课。同年 11 月，教育部召开了小学思想品德课教学大纲、教材座谈会，在座谈会上明确了小学思想品德课的内容应该以社会主义的原则，社会主义精神文明的要求为依据。社会主义精神是属于思想方面的，即共产主义思想、精神、理想、道德、风尚等方面。简单说，就是要以共产主义的思想、精神、道德，来确定小学思想品德课的内容。1982 年 5 月，教育部颁发《全日制五年制小学思想品德课教学大纲（试行草案）》。思想品德课教学大纲的颁布体现了小学德育课程开始以规范的学科体系来组织教学，小学德育内容和课程改革进入一个规范化的新阶段。该文件规定思想品德课以“五爱”（爱祖国、爱人民、爱劳动、爱科学、爱社会主义）为基本内容，结合贯彻《小学生守则》，向小学生进行社会主义国家公民应有的道德品质和行为规范的教育，着重在小学生中培养爱国主义、集体主义精神和主人翁精神。该教学大纲内容虽然逐渐摆脱了革命化和政治化的指导思想，但是有些内容对小学生来讲依然过于抽象和笼统。因此，经过三年多的实践，教育部又于 1986 年 5 月修订了该教学大纲。这次修订除了内容上的适当变化之外，还“根据小学生的知识水平和接受能力，适当删减了原《大纲》教学要点中要求过高的一些内容……更加符合小学生的年龄特点”[②]。相比 1982 年的第一个教学大纲，修订之后的思想品德教学大纲从八个方面对小学思想品德课的教学内容和基本要求作了规定，要求对学生进行以下教育：爱国主义教育和共产主义理想的启蒙教育，集体主

---

① 冯建军. 中国教育改革 40 年·学校德育［M］. 北京：科学出版社，2019：54.

② 吴履平. 20 世纪中国中小学课程标准·教学大纲汇编：思想政治卷［M］. 北京：人民教育出版社，1999：56.

义教育，文明礼貌的教育，努力学习、热爱科学的教育，热爱劳动、艰苦奋斗的教育，社会主义民主和法制观念的启蒙教育，良好的意志、品格的教育，以及在辩证唯物主义观点的指导下，引导学生正确地看待周围的事物，逐步培养他们判断是非和辨别真假、善恶、美丑的初步能力。针对上述八方面的教学内容，大纲以低、中、高三个年级段为依据拟定了教学要点。低年级以生活常识和日常行为规范的教育为主，中年级主要进行社会生活常识和社会公德教育，而高年级主要进行浅显的政治、法律常识教育和社会公德教育。随着年级段的升高，教学内容也不断深化。虽然教学内容依然存在着一些高要求，但以低、中、高年级段为依据划分道德教育的层次，充分考虑了儿童的年龄特征，体现了教育的灵活性。

1985 年 8 月颁布的《中共中央关于改革学校思想品德和政治理论课教学的通知》明确提出小学教育内容“以‘五讲四美’和‘五爱’为中心的社会常识（包括法律常识）和社会公德教育”，初中则进行“道德、民主和法制、纪律教育”“社会生活和社会发展规律以及社会主义建设常识的教育”，高中进行“初步的经济学和其他社会科学教育”。从通知的内容中我们可以看到中小学德育的内容涵盖很宽泛，经济学和社会学科教育也被纳入中小学德育内容中。在 1988 年 8 月试行，后于 1993 年 3 月 26 日正式颁布的《小学德育纲要》在坚持“五爱”教育的前提下去掉了“五讲四美”教育，明确指出小学德育工作的主要内容是“热爱祖国”“热爱中国共产党”“热爱人民”“热爱集体”“热爱劳动、艰苦奋斗”“努力学习、热爱科学”“文明礼貌、遵守纪律”“民主与法制观念的启蒙”“良好的意志、品格”和“辩证唯物主义观点的启蒙”。此外还增加了“浅显的政治常识”教育内容。在 1988 年 8 月试行，后于 1995 年 2 月 27 日正式颁布的《中学德育大纲》明确规定了初中和高中阶段德育工作的主要内容，二者均将“爱国主义教育”“集体主义教育”“社会主义教育”“理想教育”“道德教育”“劳动教育”“社会主义民主和遵纪守法教育”和“良好的个性心理品质教育”作为德育工作的主要内容。《中学德育大纲》的颁布明确提出要“把全体学生培养成为热爱社会主义祖国的具有社会公德、文明行为习惯的遵纪守法的公民”。同时,《中学德育大纲》也将社会主义民主和遵纪守法教育列为德育内容的重要组成部分。

以邓小平南方谈话和党的十四大为标志，中国的改革开放和现代化建设进入了新阶段，新的形势对学校德育发展也提出了更高的要求。

1992 年，国家教育委员会颁布了《九年义务教育全日制小学思想品德教学大纲（草案）》，提出了以下九方面的教学内容：热爱祖国的教育，热爱中国共产党的教育，热爱人民的教育，热爱集体的教育，文明礼貌、遵纪守法教育，努力学习、热爱科学的教育，热爱劳动、艰苦奋斗的教育，良好品格的教育，辩证唯物主义观点的启蒙教育。该文件延续之前“五爱”教育的中小学德育内容，此外还增加了社会公德、政治常识和哲学观点等内容，着重提高学生的道德认识，培养他们的道德情感，指导道德行为。从大纲对中小学德育内容的规定我们可以看出德育内容的设立既考虑到学生的实际生活和需要，又与学生的实际学习能力和认知水平相联系。《九年义务教育全日制初级中学思想政治课教学大纲（试用）》重新界定了中学思想政治课的性质和任务，指出该课程“是对学生进行马列主义、毛泽东思想基本常识和社会主义政治、思想、道德教育的课程。它对帮助学生确立正确的政治方向，培养学生社会主义的思想品德起着奠基作用”，教学以“逐步培养学生的阶级观点、群众观点、劳动观点、辩证唯物主义观点和社会主义的国家观念、民主法制观念、道德观念”为目标[①]。在新大纲中，初中思想政治课不再细分具体的课程名称，而是将之前三个年级的公民、社会发展简史和中国社会主义建设常识统称为思想政治课，然后根据不同年级细化教学内容。初一年级主要进行社会主义公民教育，重点培养学生的国家观念、道德观念和法制观念。其中，国家观念被置于“特别重要的

① 吴履平 .20 世纪中国中小学课程标准·教学大纲汇编：思想政治卷［M］. 北京：人民教育出版社，1999：300.

位置”，分别通过“祖国的利益高于一切”和“热爱社会主义祖国”两部分内容来体现。初二年级主要进行社会发展的常识和历史趋势的教育，重在培养学生树立远大的共产主义理想。具体内容包括八个方面，其中重点阐述了资本主义制度的腐朽性，以及只有社会主义才能救中国的观念。初三年级主要进行基本国情、社会主义初级阶段路线和建设有中国特色的社会主义的教育，其中还包括了法制观念教育、公民权利和义务的教育、做社会主义建设者和接班人的共产主义理想教育。

虽然初中思想政治课纳入义务教育课程体系，但中学思想政治课的改革同样要涉及高中阶段的课程。1993 年颁布的《全日制高级中学思想政治课教学大纲（试用）》对思想政治课的课程性质和任务的解说与初中阶段并无二致。教学内容根据高中三个年级作了细化：高一年级主要进行马克思主义经济学的常识教育，认识资本主义经济制度和社会主义经济制度的特征，认识前者必然灭亡的历史趋势以及后者的优越性所在；高二年级进行马克思主义哲学常识和科学人生观教育，了解辩证唯物主义和历史唯物主义的基本观点；高三年级主要进行马列主义、毛泽东思想关于阶级、国家、政党、民族、宗教等政治常识方面的教育，培养学生为社会主义祖国奋斗的政治责任感。

为加强和改进中学思想政治课教学，国家教委于 1995 年 12 月发布了《关于进一步加强和改进中学思想政治课教学工作的意见》。该意见指出初中思想政治课要在小学思想品德课教学的基础上，对学生进行良好的道德品质教育、健康心理素质教育、法律意识教育、社会发展常识和国情教育。高中思想政治课要在初中教育的基础上，对学生进行马克思主义政治、经济、哲学的基本观点教育。《全日制普通高级中学思想政治课课程标准》（试行）和《九年义务教育小学思想品德课和初中思想政治课课程标准》（试行）分别于 1996 年 6 月及 1997 年 4 月颁布实施。在新的课程标准中，初中思想政治课正式划归义务教育课程体系。初中思想政治课课程标准规定初一对学生进行良好心理品质、高尚道德情操和正确思想方法的教育，培养健全人格，适应现代社会生活的需要；初二进行法律常识教育，懂得公民的权利与义务，了解法律与公民生活的密切关系；初三进行社会发展常识和基本国情的教育，从而树立崇高的社会理想。高中思想政治课课程标准，同样强调了中学思想政治课的基本性质。高一主要进行经济常识教育，高二进行哲学常识教育，高三进行政治常识教育。与1993年实施的教学大纲中的内容相比，高中思想政治课淡化了政治功能，突出了德育功能。

经过几年的实践之后，国家教委于1997年印发了《九年义务教育小学思想品德课和初中思想政治课课程标准（试行）》。该课程标准首次将小学与中学的教学内容进行了衔接，使得学校德育既形成了一个九年一贯的完整教学体系，又对小学的品德教学提出了新的要求：小学一、二年级对学生进行日常行为规范教育，三至五年级进行道德品质教育，六年级进行道德规范教育。小学阶段的教学内容跟教学大纲中的要求相比，发生了重大变化，尤其是六年级的道德规范教育，从个人生活、家庭生活、学校生活、公共生活和国家民族生活五方面规定了学生应该遵守的道德规范，突出对学生生活实际的关注。纵观思想品德课诞生以来教学大纲的几次修订，从教学内容的演变来看，工具性色彩有了一定程度的减弱，对学生道德品质和行为习惯的养成教育进一步凸显。①

（5）品德与生活、品德与社会（小学）；思想品德课、思想政治课（中学）（2001—2012年）

2001年，小学学科德育的课程名称不再是思想品德课，小学低年级改为品德与生活，小学高年级改为品德与社会。2003年，初中和高中的学科德育分立，初中开设思想品德课，高中开设思想政治课。

2001年6月，教育部颁布《基础教育课程改革纲要（试行）》，提出小

① 冯建军．中国教育改革40年·学校德育［M］．北京：科学出版社，2019：56.

学低年级开设品德与生活课程，小学中高年级开设品德与社会课程，明确提出了设置品德与生活、品德与社会课程的基本理念。同年 10 月，教育部印发了《九年义务教育小学思想品德课和初中思想政治课课程标准（修订）》，对 1997 年颁布的试行课程标准作出了修订。该课程标准说明部分指出，在七年级的教学内容中，把心理品质教育、道德教育与健康人格教育结合起来，以加强学生的品格修养。同时，删去部分纯心理学概念的教学内容，以及对这些概念的识记或理解要求，以淡化学科体系，减轻学生负担。八年级的教学内容强调对学生进行富有成效的法制教育，增加《预防未成年人犯罪法》及自我保护的教学内容和要求，增强维护国家安全的教育。九年级加强国情、国策教育，课程结构作了较大调整，将资本主义以前的简史部分合为一个单元，新增“社会主义是中国人民的历史选择”和“建设有中国特色社会主义”两个单元。同时，八、九年级的教学内容删去了一些离学生生活较远的法律条文和一些史实，以及概念化、学生难于理解的教学内容，进一步适应了学生的道德发展需求。

2002 年 5 月，教育部下发了《关于印发义务教育小学品德与生活、品德与社会课程标准（实验稿）的通知》，要求同年秋季在全国基础教育课程改革实验区小学的 1~2 年级开设品德与生活课，3~6 年级开设品德与社会课。自此，品德与生活、品德与社会取代了开设 20 年的思想品德课，开启了小学德育课程发展的新篇章。品德综合课程的设置将品德教育建立在儿童的生活、经验及相关的实践活动基础之上。随着品德与生活、品德与社会课程的设立，以及新课程改革的推进，2002 年教育部正式颁布了《全日制义务教育品德与生活课程标准（实验稿）》与《全日制义务教育品德与社会课程标准（实验稿）》。在教育部制定的《全日制义务教育品德与生活课程标准（实验稿）》中，明确指出课程设置的基本理念有四条：（一）道德存在于儿童的生活中。道德寓于儿童生活的方方面面，没有能与生活分离的“纯道德的生活”。（二）引导儿童热爱生活、学习做人是课程的核心。（三）珍视童年生活的价值，尊重儿童的权利。（四）在与儿童生活世界的联系中建构课程的意义。在《全日制义务教育品德与社会课程标准（实验稿）》中，指出该课程的基本理念是：（一）帮助学生参与社会、学习做人是课程的核心。（二）儿童的生活是课程的基础。（三）教育的基础性和有效性是课程的追求。从课程标准的整体设置看，课程的主体内容是关注学生的生活，重视课程与儿童真实生活世界的联系，通过对儿童课程的生活化，希望能够帮助儿童构建自身的道德品质和生活能力。[①]“课程标准中将品德教学内容与儿童的生活密切地结合在了一起，是从儿童真实生活出发设定的与其成长密切相关的道德常识与规范，让儿童知道在自己的生活和与他人、世界的交往中，一个人必须承担一定的道德责任。”[②]

教育部于 2003 年 5 月印发了《全日制义务教育思想品德课程标准（实验稿）》，在这个新的课程标准中，初中思想政治课更名为思想品德课，开启了初中德育改革的新篇章。

新课程标准从情感、态度、价值观，能力和知识三个方面分别阐述了思想品德课的具体目标，并在这些目标统摄下规定了详细的内容标准及活动建议。思想品德课程内容由三大部分组成：“成长中的我”“我与他人的关系”“我与集体、国家和社会的关系”。其中，“成长中的我”包含三方面内容：认识自我、自尊自强、学法用法。“我与他人的关系”也包含三方面内容：交往与沟通、交往的品德、权利与义务。“我与集体、国家和社会的关系”包含四方面内容：积极适应社会的发展和进步，承担社会责任，法律与社会秩序，认识国情、爱我中华。在初中品德课发展的同时，高中德育课程改革也在同步推进。

2004 年 3 月，教育部印发《普通高中思想政治课程标准（实验）》改革高中德育课程。课程标准指出高中思想政治课对学生进行马克思列

---

① 易连云，等．变革与发展：中小学德育专题研究［M］．重庆：重庆大学出版社，2014：82.

② 翟楠，薛晓阳．小学思想品德课程 60 年：1949–2009［M］．镇江：江苏大学出版社，2011：203.

宁主义、毛泽东思想、邓小平理论和“三个代表”重要思想的基本观点教育，以社会主义物质文明、政治文明、精神文明建设常识为基本内容，引导学生紧密结合与自己息息相关的经济、政治、文化生活，提高参与现代社会生活的能力，逐步形成正确的世界观、人生观、价值观，为终身发展奠定思想政治素质的基础①。在基础教育课程改革的背景下，中小学学科德育的课程标准为适应时代发展要求不断修订，体现了教育观念的更新。

2011 年，为贯彻《国家中长期教育改革和发展规划纲要（2010—2020 年）》，适应新时期全面实施素质教育的要求，深化基础教育课程改革，教育部组织专家对义务教育各学科课程标准进行了修订和完善，《义务教育思想品德课程标准（2011 年版）》就此诞生。与 2003 年的课程标准相比，2011 年版在基本结构和理念上没有太大变化，但在部分内容的表述上发生了变化，体现了新的教育理念和要求。例如，在课程性质的界定中指出该课程是以初中生生活为基础、以促进初中生思想品德健康发展为目的的综合课程，进一步突出了思想品德课程的生活性以及学生品德培养的重要性；课程理念突出强调了课程的核心是“帮助学生过积极健康的生活，做负责任的公民”；课程设计的思路更加具体，也更加强调了学生的身心特点和生活基础。

2. 课程名称演变的内在逻辑

纵观新中国成立以来到党的十八大之前这段时间学科德育课程名称的演变，可以发现学校德育强调遵循学生生活的逻辑愈发明显。特别是 21 世纪以来，这种倾向表现得更为突出。伴随着小学品德与生活、品德与社会课程标准以及一系列政策文件的颁布，德育课程的改革在价值取向上实现了“道德观从知识道德向生活道德转变，课程观从唯知识论走向生活经验论，

---

① 冯刚，沈壮海．中华人民共和国学校德育编年史［M］．北京：中国人民大学出版社，2010：945.

学习观从单向传输转向交互作用”[①]。课程名称的演变呈现出如下内在逻辑：

（1）从政治化走向生活化

在以往的中小学德育大纲等文件中都曾强调在整个学校德育工作中课堂教学的主渠道作用，但是在课程设计和教材编写等方面都在一定程度上脱离了儿童的生活世界，忽视了学生的道德经验，过多地强调了学科德育课程的政治教育作用。在从儿童生活实际出发的新课程中，课程具有了与儿童其他方面生活的“同质性”，取得了走向儿童方方面面生活的“通行证”，它具有了发挥主渠道作用的可能[②]。2003 年颁布的《全日制义务教育思想品德课程标准（实验稿）》是顺应基础教育课程改革的重大举措，教学内容紧密结合学生的年龄特征和生活实际，旨在培养学生的健全人格和良好的个性品质。至此，初中思想品德教育彻底摆脱了过度政治化和成人化的色彩，使得学生的品德养成真正回归了自身的教育逻辑[③]。

（2）从知识价值走向生活意义

新世纪以来德育改革一个明显的基本理念就是不再过多强调德育课程的知识传授价值，而是要让德育回归学生的生活世界，以学生生活的逻辑来重新设计、组织德育课程的内容、结构及其呈现方式。如小学的“品德与社会”课强调以儿童的社会生活为基础，从家庭、学校、家乡（社区）和祖国四个方面由近及远地介绍了与儿童生活密切相关的各种关系、活动和社会环境。这对于克服学校德育长期以来与生活相脱节、忽视学生道德经验的教育意义具有十分重要的作用[④]。小学德育课程不是从成人世界或现

① 鲁洁．德育课程的生活论转向：小学德育课程在观念上的变革［J］．华东师范大学学报（教育科学版），2005 (3)：14.

② 鲁洁．再论“品德与生活”“品德与社会”向生活世界的回归［J］．教育研究与实验，2004 (4)：2.

③ 冯建军．中国教育改革 40 年・学校德育［M］．北京：科学出版社，2019：70.

④ 班建武，檀传宝．改革开放 30 年中小学德育课程的变迁与发展［J］．思想理论教育，2008 (24)：18.

成的学科知识的视角出发，而是从儿童的现实生活以及可能面对的问题出发，创设、设计与儿童生活教科书内容密切相关的一个个具体的生活情境，把现实生活引入课堂教学，体现了以儿童为中心的教育理念[①]。在生活化理念指导下，以鲁洁为代表的德育学人积极参与研制体现生活化理念的《品德与生活》《品德与社会》《思想品德》等德育课程标准，使得生活化理念得以深化为课程的本质。

（3）从分科课程走向综合课程

学科德育课程改革的一个重要变化就是实现了德育课程的分科化向综合化的转变。如小学《品德与生活课程标准》明确指出："品德与生活课程是以儿童生活为基础，以培养品德良好、乐于探究、热爱生活的儿童为目标的活动型综合课程。""品德与社会"则是一门"在小学高年级开设的以儿童社会生活为基础，促进学生良好品德形成和社会性发展的综合课程"。学校德育课程由分科课程向综合课程的转变，将有利于整合不同学科的知识内容，打破学科壁垒，能够最大程度地促进学生思想道德素质的全面发展[②]。

3. 课程实施路径的演变

在德育课程中，教师根据教学计划和教学大纲，在规定的时间内进行教学，引导学生系统地掌握有关思想政治和道德的知识，培养他们的世界观、人生观和道德品质，其着眼点在于通过道德知识的传授提高学生道德判断和明辨是非的能力，使受教育者逐步掌握真正的道德原则，不断向较高的道德发展阶段前进，培养青少年的道德自律能力。由此可见，作为中小学德育的主要载体，德育课程是班级德育的主要途径。自新中国成立以

---

① 齐学红．结构与行动：基础教育改革的历史社会学研究［M］．南京：南京师范大学出版社，2020：34.

② 班建武，檀传宝．改革开放 30 年中小学德育课程的变迁与发展［J］．思想理论教育，2008（24）：18.

来到党的十八大，我国德育课程的发展历史主要分为以下几个阶段，德育课程的实施路径也有不同的表现形态。

（1）萌芽与探索：以回应政治导向为中心的德育课程（1949—1978 年）

中华人民共和国成立之初，为除旧布新、安邦定国，我国取缔了具有国民党反动性质的课程，“开设革命的政治课程和其他新课程”[①]。这个阶段的德育课程高度强调思想政治教育。虽然没有系统的课程，但强制性政策工具使用比例最大，原因在于新政权诞生后急需一个稳定的社会环境。所以，新中国成立后第一次提出德育的主要功能就是为政治服务，培养人的集体意识与团结意识。具体来看，如 1949 年《中国人民政治协商会议共同纲领》（第四十二条）规定“提倡爱祖国、爱人民、爱劳动、爱护公共财物，为中华人民共和国全体国民的公德”。同年 12 月的第一次全国教育工作会议上，提出了新解放区要有计划、有步骤地在教师和青年学生中进行政治与思想教育，建立革命的人生观[②]。1951 至 1957 年虽然取消了德育课程的设置，但是德育工作开展效果良好，加上 1955 年颁布实施的第一个《小学生守则》，推动小学生优良品质的获得和健康习惯的养成。1957 至 1976 年是教育史上问题最多的时期。1957 年至“文革”前，德育课程变化频繁，具有浓重的意识形态色彩，课程目标随着国家的重大决策而变化，主要局限于革命传统教育的范畴。1966 至 1976 年十年“文革”期间，整个德育课程的政治化导向尤为明显，学校德育更是沦为了政治的工具，强化了政治取向。具体表现为人与规则的主次位置颠倒并且强调人对规则的绝对服从，一定程度上可以说是德育工具化倾向的顶峰时期。

在这一时期的中小学德育课程建设中，虽然存在机械套用苏联德育课

---

① 《中国教育年鉴》编辑部．中国教育年鉴 (2000)［M］．北京：人民教育出版社，2000：915.

② 中共中央文献研究室编．建国以来重要文献选编：第一册［M］．北京：中央文献出版社，2011：34.

程体系、教条气息浓厚、课程自主开发经验不足、对本国国情把握不够精准等问题；但总体来看，在短时间内彻底废除了旧社会学校的德育课程，建立了全新的德育课程体系，保证了德育课程的社会主义方向，筑牢了学生的社会主义政治信仰。虽然中小学德育课程体系建立不久就惨遭摧毁，但在德育课程建设过程中也积累了不少经验教训，为后续德育课程恢复重建奠定了坚实的基础①。

（2）整顿与恢复：以培养学生知能为核心的德育课程（1978—1992 年）

1978 年，党的十一届三中全会作出改革开放的战略决策。国家的主要任务由以阶级斗争为纲转变为以经济建设为中心，全力推进现代化建设。面对学校教学秩序亟待恢复、学生文化基础薄弱的状况，课程与教学目标的研究主要集中在促进学生知识学习、技能掌握和能力提升三大方面②。通过自我反思与检视，中小学德育课程也将“知能培养”作为建设的核心。

在新形势下，国家通过更多以强制性工具为主的政策工具调试过浓的政治色彩，德育课程经过重建后逐渐制度化。如 1980 年 9 月颁布的《教育部关于印发改进和加强中学政治课的意见》以及 1990 年 4 月颁布的《关于进一步加强中小学德育工作的几点意见》，明确要求中小学必须把德育工作放到首位。

1980 年，中学德育课程设置进行相应的调整，删除中学课程中的“科学社会主义常识”，替换为“青少年修养”和“法律常识”。这一调整充分表明，青少年基本的道德品质教育得到关注，被纳入德育课程体系。1981 年，教育部印发《关于小学开设思想品德课的通知》，全面规定小学德育课程的性质、意义、教学内容与教学方法，各地开始自编课程并进行初步教学。

① 冯永刚．中小学德育课程建设的回顾与前瞻［J］．教育研究，2021 (12)：33.

② 王本陆，王水红，等．中国教育改革开放 40 年：课程与教学卷［M］．北京：北京师范大学出版社，2019：60、57、61.

1982 年，教育部制定中华人民共和国成立以来第一个小学思想品德课教学指导纲要——《全日制五年制小学思想品德课教学大纲（试行草案）》，使各地中小学校思想品德课程的开设与教学活动“有纲可依”。教学大纲从“无”到“有”，标志着小学德育课程建设实现了从“无序”到“有序”的转变。1985 年 8 月颁布的《中共中央关于改革学校思想品德和政治理论课程教学的通知》，提出培养“有理想、有道德、有文化、有纪律的建设人才”。之后，国家教委颁发的《全日制小学思想品德课教学大纲》提出“‘四有’共产主义事业接班人”，《中学思想政治课改革实验教学大纲（初稿）》提出“四有”的建设人才，《小学德育纲要（试行）》和《中学德育大纲（试行）》提出“四有”社会主义公民。从“接班人”到“建设人才”到“公民”表明了德育课程政治倾向的不断调整，增加了民主、法治色彩，但其根本原则仍以社会为中心，具有成人化的特点。

1988 年，教育部召开了改革开放后第一次全国中小学德育工作会议。在此次会议中，中小学德育课程内容被确定为政治、思想、道德、个性心理品质四个方面，心理品质教育被纳入德育课程。1988 年 12 月，中共中央颁布的《关于改革和加强中小学德育工作的通知》指出“中小学德育工作的基本任务是把全体学生培养成为爱国的具有社会公德、文明行为习惯的遵纪守法的好公民”。在这个基础上引导他们逐步确立科学的人生观、世界观，并不断提高社会主义思想觉悟，使他们中的优秀分子将来能够成长为坚定的共产主义者。同年，对中小学德育工作基本任务的表述实现了由“社会主义建设者和接班人”向“有理想、有道德、有文化、有纪律”的“四有”社会主义公民的转变[①]。这一转变，标志着中小学德育课程建设开始关注学生德性的内在价值。1992 年，国家规定中学各年级将过去专设的课程名称统称为“思想政治课”。虽然课程名称的变化并未真正触动分

① 中共中央关于社会主义精神文明建设指导方针的决议[N].人民日报，1986－09－29.

科课程的建设根基，但相关部门已经有意识要删除“繁难偏旧”的内容，重视选取与学生生活经验相关的课程内容[①]。

总之，这一时期整个中小学德育课程领域都非常强调学生在“知”和“能”方面的发展[②]。以快速培养大量能服务国家政治、经济建设的人才为中心任务，以有着严格标准与精密设计的原则为抓手，以帮助学生掌握完整而逻辑严谨的德育课程知识为直接目标进行德育课程建设，在短时间内结束了“文化大革命”时期德育课程混乱无序的状态，重新建立德育工作秩序。这不仅是德育课程重返正规的转折点，也为后续规范并深化中小学德育课程体系建设奠定了牢固的根基。

（3）发展与完善：以适应市场经济为核心的德育课程（1993—2000 年）

1993 年 2 月，《中国教育改革与发展纲要》提出建立适应社会主义市场经济体制和政治、科技体制改革需要的教育体制，明确要求教育要由适应社会主义计划经济的旧教育体制向适应社会主义市场经济的新体制转变，这对中小学德育课程而言具有重要的指向作用。这一阶段国家明确表示，中小学要“由‘应试教育’转向全面提高国民素质的轨道”，德育课程强调政治的社会化功能和群体性地位。1994 年 8 月，《中共中央关于进一步加强和改进学校德育工作的若干意见》指出“在科学技术迅速发展，社会主义市场经济体制逐步建立的情况下，如何指导学生在观念、知识、能力、心理素质方面尽快适应新的要求”，“要教育学生明确，建立社会主义市场经济体制，仍需要倡导集体主义，正确处理个人、集体、国家之间的利益关系，发扬对国家和人民的奉献精神”。这实际上就是使学校德育适应市场经济的大环境，培育符合市场经济需要的现代人才。1995 年 12

---

① 高玉旭．改革开放 40 年来我国基础教育课程改革回顾与展望［J］．上海教育科研，2018（9）：16.

② 王本陆，王水红，等．中国教育改革开放 40 年：课程与教学卷［M］．北京：北京师范大学出版社，2019：60、57、61.

月颁布的《中学德育大纲》明确提出初中阶段的德育目标为“热爱祖国，具有民族自尊心、自信心、自豪感，立志为祖国的社会主义现代化努力学习”[①]。1998 年 3 月颁布的《中小学德育工作规程》中强调：“中小学德育工作必须坚持以马列主义、毛泽东思想和邓小平理论为指导，把坚定正确的政治方向放在第一位。”[②]2000 年 12 月，中共中央办公厅、国务院办公厅共同发布《关于适应新形势进一步加强和改进中小学德育工作的意见》，更是从党中央的高度强调“将‘思想政治素质是最重要的素质’的要求落实到教育工作中的各个环节”。这一阶段德育课程依然存在显著的政治倾向，因为西方资本主义国家一直对我们进行所谓的“和平演变”，而且在 20 世纪末苏联的解体，使得作为少数几个社会主义国家之一的中国时刻保持着高度警惕。故此，让学生坚定社会主义信念是这一时期的主题，德育的政治化倾向也随之加强[③]。

（4）繁荣与深化：以促进立德树人为根本任务的德育课程（2000—2012 年）

进入 21 世纪，我国社会环境发生了显著的变化，和谐社会构建与可持续发展逐渐成为社会发展的主导语。2001 年，我国开启了新一轮基础教育课程改革，德育课程改革由此进入新的历史阶段。2002 年教育部颁布了《全日制义务教育品德与生活 / 社会课程标准（实验稿）》，从课程的命名中可见小学德育课程的核心是促使学生学会生活、认识社会。为贯彻落实《国家中长期教育改革和发展规划纲要（2010—2020 年）》，2012 年秋季开始执行《义务教育品德与生活课程标准（2011 年版）》。课程标准对低年级德育课程特征的表述为：生活性、活动性、综合性、开放性；

---

① 中学德育大纲［J］. 人民教育，1995 (4)：9.

② 教育部. 中小学德育工作规程［J］. 人民教育，1998 (6)：9 － 11.

③ 袁梅，原子茜. 新中国中小学德育课程变迁：历程、特点与趋势：基于政策工具的视角［J］. 教育学术月刊，2020 (2)：99 － 105.

对小学中高年级德育课程特征的表述为：综合性、实践性、开放性。虽然描述略有差异，但是课程定位更加清晰明确——以良好品德和健全人格为育人根基，以社会公民的培养为核心，培养学生的创新精神和实践能力。

在此期间，德育课程的实施由重知识向重活动转变。2001 年 5 月颁布的《国务院关于基础教育改革与发展的决定》指出，通过活泼的校外活动来开展小学德育工作，注重以学生的生活为基础开展学校德育工作。2002 年 4 月颁布的《调整高中思想政治课有关教学内容的方案》对教学科目内容的调整表明，学生道德生活成为课程建构的基础，注重道德学习，强调教学内容的有机整合。2005 年 4 月颁布的《关于整体规划大中小学德育体系的意见》中的德育课程设置表明文明礼貌的良好行为都来源于生活，存在于生活，应用于生活。学生要实现德育目标也是在实际生活中从养成习惯做起，一步步地积累。

（二）班级日常生活德育内容

如果说作为法定课程里的学科德育更具有规范性、系统性、权威性，而班级日常生活中的德育因为日常性、及时性、情境化，对青少年的社会化和品德养成具有潜移默化的影响作用。班级日常生活中的德育内容主要包括两个方面：一是中小学生守则，新中国成立以来到党的十八大之前，中小学生守则几经修改，内容不断发展变化；二是，班级日常生活中的德育内容，也是在不断发展变化的。

1. 中小学生守则的发展演变

（1）1955、1963 年中学生守则、小学生守则（1949—1966 年）

中华人民共和国成立以后，各地中小学根据不同情况自行开展德育活动对青少年进行思想品德教育。教育部于 1955 年 2 月和 5 月分别颁发了《小学生守则》和《中学生守则》，基本围绕学生的日常生活和学习提出各项行为准则和道德要求。其中，纪律教育是中小学生守则中的主要内容。

1963年，教育部又重新修订了中小学生守则，内容精简很多，具体规定也有所修改。《小学生守则》（草案）的内容共8条：（1）“好好学习，天天向上”，准备为社会主义事业服务。（2）热爱祖国，热爱人民，热爱共产党。（3）上课专心听讲，勤学好问，认真完成作业。（4）爱好劳动，生活俭朴，自己能做的事自己做。（5）按时作息，爱整洁，讲卫生，注意锻炼身体。（6）遵守学校纪律，遵守公共秩序，爱护公共财物，热心为集体做事。（7）听从老师的教导，尊敬长辈，对人有礼貌，和同学、兄弟姐妹团结友爱、互相帮助。（8）说话诚实，有错就改。《中学生守则》（草案）的内容有：（1）努力做个好学生，做到思想品德好、学习好、身体好，准备为社会主义事业服务。（2）热爱祖国，热爱劳动人民，热爱共产党，拥护社会主义，努力学习政治，继承革命传统。（3）刻苦学习，专心听讲，独立思考，按时完成作业。（4）积极参加体力劳动，养成俭朴的习惯。（5）经常锻炼身体，注意清洁卫生，养成良好的生活习惯。（6）尊敬师长，团结同学，对人有礼貌。（7）遵守学校纪律，遵守国家法令和公共秩序，爱护公共财物，维护集体利益。（8）谦虚诚实，言行一致，有错就改，勇于批评和自我批评。

（2）政治教育（1966—1979年）

“文化大革命”使国家的经济、政治、文化、社会等层面都处于停摆或者倒退阶段，日常生活德育内容也不例外。“文革”前期，为了彻底改革旧的教育制度，国家组织学生参加各种政治性活动，各中小学学校也组织开展了批判传统旧文化的运动。一方面以孔子为代表的儒家思想受到了猛烈的抨击和批判；另一方面资产阶级思想和生活方式也是批判的主要对象之一。“文革”末期，激进的批判势头逐步减弱，开始对“文革”进行整改，教育也开始得到恢复与再次发展。

（3）1979、1981年中学生守则、小学生守则（1979—2004年）

1979年8月，教育部颁发了《中学生守则》（试行草案）和《小学生守则》（试行草案），经补充和修改于1981年8月26日正式颁布。《小学生守则》（试行草案）规定：（1）热爱祖国，热爱人民。好好学习，天天向上。（2）按时上学，不随便缺课。（3）专心听讲，认真完成作业。（4）坚持锻炼身体，积极参加文娱活动。（5）讲究卫生，服装整洁，不随地吐痰。（6）热爱劳动，自己能做的事自己做。（7）遵守学校纪律，遵守公共秩序。（8）尊敬师长，团结同学，对人有礼貌，不骂人，不打架。（9）关心集体，爱护公物，拾到东西要交公。（10）不说谎话，有错就改。《中学生守则》（试行草案）规定：（1）热爱祖国，热爱人民，拥护中国共产党，努力学习，准备为社会主义现代化贡献力量。（2）按时到校，不迟到，不早退，不旷课。（3）专心听讲，勤于思考，认真完成作业。（4）坚持锻炼身体，积极参加文娱活动。（5）讲究卫生，不吸烟，不喝酒，不随地吐痰。（6）积极参加劳动，生活简朴。（7）遵守学校秩序，遵守公共秩序，遵守国家法令。（8）尊敬师长，团结同学，对人有礼貌，不骂人，不打架。（9）热爱集体，爱护公物，不做对集体和别人有害的事。（10）谦虚诚实，有错就改。

1981 年，教育部又对以上守则进行修订。《小学生守则》增加了“热爱中国共产党”“生活俭朴，爱惜粮食，不挑吃穿，不乱花钱”“诚实勇敢”等内容。部分内容的表述方式也有所修改，改“文娱活动”为“课外活动”并将 1979 年版本中第二条和第三条的内容合并为一条内容。《中学生守则》第五条改为“积极参加劳动，爱惜劳动成果”，第六条改为“生活俭朴，讲究卫生，不吸烟，不喝酒，不随地吐痰”，第九条中“不做对集体和别人有害的事”改为“不做对人民有害的事”。守则的内容是每个学生应该遵守的行为准则和道德规范，对于养成良好的文明素养，提高社会的精神文明建设程度具有重要的作用。

（4）2004 年中小学生守则（2004—2012 年）

2004 年教育部颁发了新的《中小学生守则》，内容包括十项内容，增加了对中小学生保护环境的要求，具体内容为：（1）热爱祖国，热爱人民，热爱中国共产党。（2）遵守法律法规，增强法律意识。遵守校规校纪，遵守社会公德。（3）热爱科学，努力学习，勤思好问，乐于探究，积极参加社会实践和有益的活动。（4）珍爱生命，注意安全，锻炼身体，讲究卫生。（5）自尊自爱，自信自强，生活习惯文明健康。（6）积极参加劳动，勤俭朴素，自己能做的事自己做。（7）孝敬父母，尊敬师长，礼貌待人。（8）热爱集体，团结同学，互相帮助，关心他人。（9）诚实守信，言行一致，知错就改，有责任心。（10）热爱大自然，爱护生活环境。

新的《中小学生守则》除对部分内容进行修改和调整外，根据社会发展对人才培养提出的新要求，增加了符合时代特征的内容，如诚实守信、加强实践、合作意识、创新意识、网络文明、安全自护、远离毒品和环境保护等，并要求学校与教师根据学生的学习、生活实际及思想状况的变化，帮助学生增强国家观念、道德观念、法制观念，提高学生分辨是非、区分善恶的能力和道德选择与行为评价的能力[①]。

2. 日常生活德育内容的发展演变

通过上述对日常生活德育内容的梳理，可以发现以下特点：

（1）以民主纪律教育、劳动教育和榜样教育为主的日常生活德育内容（1949—1966 年）

新中国成立以后，我国社会性质较快地实现了从新民主主义社会向社会主义社会的重大转变。民主、纪律教育在这一阶段中占据着重要地位，新中国成立后中小学教育在吸取老解放区中小学教育工作经验的基础上，倡导民主管理的方式以帮助学生树立正确的民主观念。国家接连颁布多项有关民主、纪律教育的政策文件，对中小学生的纪律教育、文明礼貌和日常行为规范等方面进行规定，推动中小学生养成优良的习惯和品质，为未来的人生发展打下坚实的基础。1952 年 3 月，教育部颁布《小学暂行规程（草案）》中将遵守纪律列为小学德育工作的主要内容之一。1953 年 11 月，中央人民政府政务院颁布《关于整顿和改进小学教育的指示》，强调

① 周彬，高星原．学校德育变革 30 年：困境与突破［J］．教育科学研究，2009 (3)：31.

要处理好民主与纪律的关系，应该加强纪律教育，使学生养成自觉遵守纪律的习惯。随着社会发展，日常生活德育逐步加上了劳动教育的内容，体现出这一阶段对我国中小学生尊重劳动、尊重劳动人民的精神品质和精神面貌，表达出人们对美好社会的理想追求与期望。1957 年 3 月召开的第三次全国教育行政会议提出："思想政治教育是学校教育的灵魂。"[①] 指出为了"使学生成为社会主义社会全面发展的人才，着重培养学生艰苦奋斗的精神，加强劳动教育和纪律教育"[②]，劳动教育开始成为中小学班级德育的重要内容，这在一定程度上反映出新中国班级德育在意识形态上的进步和发展。1958 年 9 月，中共中央、国务院发布的《关于教育工作的指示》指出，在一切学校中，必须进行马克思列宁主义的政治教育和思想教育，必须把生产劳动列为正式课程。

20 世纪 60 年代后，榜样教育广泛开展，影响最大的是学雷锋活动。1963 年 3 月，《中国青年》发表毛泽东"向雷锋同志学习"的题词后，全国中小学普遍开展学习雷锋精神的活动，"结合学校工作特点，从青少年儿童的实际出发，要求学生认真学习雷锋爱憎分明的阶级立场；刻苦学习、力争上游的革命精神；关心集体、克己助人的共产主义风格；艰苦朴素、勤俭节约的优良作风；自觉服从祖国需要，全心全意为人民服务的崇高品质，等等。"[③] 经过全国性的学习浪潮发展，雷锋精神深入人心，扎根于那个时代的每一位学生，甚至每个人的心中，"全心全意为人民服务"的精神为广大中小学生所追求。雷锋精神不仅丰富了当时的班级德育内容，也满足了国家政治教育的需求，对于培养当时社会所需要的人才起到了不可

① 冯刚，沈壮海．中华人民共和国学校德育编年史［M］．北京：中国人民大学出版社，2010：116.

② 中央教育科学研究所．中华人民共和国教育大事记（1949—1982）［M］．北京：教育科学出版社，1984：193.

③ 孙少平．新中国德育 50 年［M］．福州：福建教育出版社，2002：90.

替代的作用。同年，中共中央颁发《全日制小学暂行工作条例（草案）》，提出要加强对小学生的文明礼貌和日常行为规范方面的教育，要教育学生学习劳动人民的勤劳、勇敢、诚实、俭朴等优良品质，要热爱科学、爱护公共财物、爱护集体、遵守纪律、尊敬师长，对同学、兄弟姐妹要相互友爱，对人要有礼貌。

（2）以政治教育为主的日常生活德育内容（1966—1978 年）

“文化大革命”期间，学校的思想政治教育为读语录、大批判所代替，被引入“左”倾的歧途。十年“文革”前期，中小学学生的主要任务是学习毛泽东语录以及《在中国共产党全国宣传工作会议上的讲话》。彼时的中小学生人手一本毛泽东语录，每天进行阅读和学习。德育内容发生重大变化，中华民族优秀传统文化，如道德知识和道德观念遭到摒弃，德育内容以忠于革命、忠于领袖为中心。

（3）以社会为中心的日常生活德育内容（1978—2000 年）

1978 年 12 月 18 日至 22 日，党的十一届三中全会在北京举行，揭开了社会主义改革开放的序幕。随着改革开放的顺利推进，社会经济与政治也在逐步恢复，德育内容也在发生着变化，不断调适过强的政治色彩。不同于“文化大革命”期间单一的思想政治教育，自 1978 年改革开放以来至 2000 年，德育内容不断向外延伸，形成了包括品德教育、法制教育、心理教育等在内的大德育体系①。为了全面贯彻执行党的教育方针，改进和加强学校的思想政治教育，1979 年 4 月底到 5 月初，教育部召开了中小学思想政治工作座谈会，明确提出在普通中小学教育工作中必须认真贯彻党的教育方针，力求做到：一要面向全体学生；二要使每个学生在德、智、体三方面都得到全面发展。为了贯彻党中央的上述指示精神，教育部于 1981 年 8 月召开了全国学校思想政治工作会议，会议提出要加强学生思想政治，

---

① 洪婕．新中国 70 年德育政策的历史变迁研究：基于历史制度主义的分析视角［J］．中国德育，2019 (18) : 21.

在学校中开展“五讲四美三热爱”和遵纪守法的活动，首先从遵守大、中、小学的《学生守则》做起，表扬学雷锋、树新风的先进集体和“三好”学生[①]。1983 年 3 月 11 日，中央“五讲四美三热爱”委员会正式成立，掀起了“五讲四美三热爱”的活动热潮。该活动对于提高全民文明素养，尤其是中小学生的文明素养，起到了很好的推动作用[②]。

1985 年 7 月，国家教委与司法部联合召开了全国小学法制教育座谈会，并下发了《关于加强小学法制教育的意见》《小学法制教育基本要求》，指出共产主义道德教育和社会主义法制教育都是小学思想品德教育的组成部分。1988 年 12 月，《中共中央关于改革和加强中小学德育工作的通知》规定中小学德育在坚持“五爱”教育内容的基础上，特别提出了加强中小学生的“集体主义”教育和“良好心理品质”教育的内容。1998 年，教育部颁发了《中小学德育工作规程》，明确指出，德育即对学生进行政治、思想、道德和心理品质教育，是中小学素质教育的重要组成部分。同年 12 月 24 日颁布的《面向 21 世纪教育振兴行动计划》指出，要“加强和改进学校的德育工作。继续加强爱国主义、集体主义、社会主义理想教育，遵纪守法和社会公德教育，进行中华民族优秀传统和革命传统教育，实施劳动技能教育以及心理健康教育，培养学生具有良好的道德、健康的心理和高尚的情操”。

综上所述，以社会为中心的日常生活德育内容，紧紧围绕社会政治、经济、文化发展的需要，体现了学校德育与社会发展需要的高度一致性。

（4）以人为本的日常德育内容（2000—2012 年）

21 世纪以来我国中小学德育政策在德育内容的制定上，不仅充分考虑到社会层面的要求，同时也逐渐开始强调以人为本，重视学生自身成长发

---

① 《中国教育年鉴》编辑部 . 中国教育年鉴 (1949 — 1981 年)［M］. 北京 : 中国大百科全书出版社 , 1984 : 85.

② 冯建军 . 中国教育改革 40 年 · 学校德育［M］. 北京 : 科学出版社 , 2019 : 7.

展的需要，突出了“人”的主体地位和作用。皮亚杰的道德认知发展阶段理论认为，学生的道德认知发展要经历前道德、他律、初步自律和自律四个不同阶段。21 世纪以来我国中小学德育内容的确立正是遵循由浅入深、循序渐进的原则来确定不同学段的教育内容和要求①，充分反映了德育内容确立的科学性。2001 年 5 月国务院颁发的《关于基础教育改革与发展的决定》特别指出，要“切实增强德育工作的针对性、实效性和主动性。加强爱国主义、集体主义和社会主义教育，加强中华民族优良传统、革命传统教育和国防教育，加强思想品质和道德教育并贯穿于教育的全过程。”同年 9 月，中共中央印发了《公民道德建设实施纲要》指出，社会主义道德建设要坚持以为人民服务为核心，以集体主义为原则，以爱祖国、爱人民、爱劳动、爱科学、爱社会主义为基本要求，以社会公德、职业道德、家庭美德为行为准则。

随着互联网时代的到来，青少年的网络文明建设也被提上了议事日程，为此，2001 年 11 月，共青团中央、教育部、文化部、国务院新闻办公室等联合发布《全国青少年网络文明公约》，强调网络文明建设，增强青少年网络安全防范意识和网络道德意识。该文件对中小学生提出如下要求：要善于网上学习，不浏览不良信息；要诚实友好交流，不侮辱欺诈他人；要增强自护意识，不随意约会网友；要维护网络安全，不破坏网络秩序；要有益身心健康，不沉溺虚拟时空。2002 年，教育部印发了《中小学心理健康教育指导纲要》（简称《纲要》），对中小学心理健康教育的主要内容进行指导和规范。心理健康教育的主要内容包括：普及心理健康基本知识，树立心理健康意识，了解简单的心理调节方法，认识心理异常现象，以及初步掌握心理保健常识，其重点是学会学习、人际交往、升学择业以及生活和社会适应等方面的常识。

---

① 林丹，王静，白秋晶．改革开放以来我国中小学德育政策分析：内容、特点与走向[J]．教育科学研究，2021 (2)：54.

2003 年 3 月，教育部办公厅印发了《中小学预防艾滋病专题教育大纲》《中小学生毒品预防专题教育大纲》《中小学生环境教育专题教育大纲》，决定从 2003 年春季开学起，在中小学开设预防艾滋病、毒品预防和环境教育专题教育课，并对各项教育内容作了具体说明。2004 年 3 月，《教育部办公厅关于进一步加强中小学诚信教育的通知》中要求“将诚信教育渗透到学科教学中”。同年 4 月，中共中央宣传部、教育部在《中小学开展弘扬和培育民族精神教育实施纲要》的通知中提出了要加强校园文化建设、弘扬中华民族精神的要求。2007 年 7 月，中宣部、教育部、司法部和全国普法办联合制定和印发了《中小学法制教育指导纲要》。该文件对中小学法制教育的内容作了新的规定。2010 年 12 月 30 日印发的《中小学文明礼仪教育指导纲要》，根据学生年龄特点和认知水平确定了文明礼仪教育的内容体系，主要内容包括基本的谈吐、举止、服饰等个人礼仪，以及在家庭、校园、公共场所等社会生活领域的交往礼仪。具体规定了小学 1~3 年级、小学 4~6 年级、初中和高中的进阶性文明礼仪教育的主要内容。这种根据学生年龄特点和认知水平确定教育内容的政策设计思路，体现了皮亚杰的道德认知发展阶段理论。

二、当代班级德育课程与生活德育内容

当代班级日常生活德育内容包括班级日常德育课程和班级日常生活德育培养两方面。班级日常德育课程主要从德育课程实施、学科德育渗透和校本德育课程开发三个方面展开论述；班级日常生活德育培养主要包括五大内容，分别是：理想信念教育、社会主义核心价值观教育、中华优秀传统文化教育、生态文明教育和心理健康教育。

（一）班级日常德育课程

新时代德育将立德树人作为教育的根本任务，培养德智体美全面发展

的社会主义建设者和接班人。学校德育要融进全科全程全方位育人的理念，各学科课堂教学要遵循教育原则，把知识教学与思想品德教育结合起来，发挥各门学科的教育作用，将德育融入课堂教学全过程。习近平总书记在全国高校思想政治会议讲话中强调，要用好课堂教学这个主渠道。思想政治理论课要坚持在改进中加强，提升思想政治教育亲和力和针对性，满足学生成长发展需求和期待，其他各门课都要守好一段渠、种好责任田，使各类课程与思想政治理论课同向同行，形成协同效应。

1. 德育课程实施：《道德与法治》统编教材的推行

我国小学德育课程从政治课到思想品德课，从品德与生活、品德与社会，到道德与法治的演变过程，体现了从道德养成到法律规范的遵循。2016 年 4 月，为贯彻落实党的十八届四中全会关于在中小学设立法治知识课程的要求，教育部办公厅发布了《关于 2016 年中小学教学用书有关事项的通知》，将义务教育小学和初中起始年级“品德与生活”“思想品德”教材名称统一更名为“道德与法治”。教育部办公厅《关于 2017 年义务教育道德与法治、语文（二、八年级）有关教学用书事项的补充通知》指出，2016 年使用义务教育道德与法治、语文统编教材的地区，2017 年全部使用审定通过的二、八年级统编教材，全国所有地区义务教育六・三学制道德与法治八年级下全部使用统编法治专册教材。经过 6 年逐步过渡，截至 2021 年义务教育小学和初中已全面推行《道德与法治》统编教材。

2016 年，虽然课程名称更名为“道德与法治”，由于未推行新的课程标准，统编版教材的编写除了依照 2011 版的课程标准之外，还依照了《关于培育和践行社会主义核心价值观的意见》（2013 年）、《完善中华优秀传统文化教育指导纲要》（2014 年）、《青少年法治教育大纲》（2016 年）等政策性文件。在课程性质方面，既延续了学科品性，又逐渐显现了课程性质的双重属性——制度性质与学科性质[①]。从制度性质来说，小学德育课程承载了政治教育和思想教育的重要任务，目的是满足我国社会主义国家制度巩固与发展的内在诉求，以马克思主义思想为指导，塑造学生正确的政治方向，具有鲜明的阶级性和教育性。德育课程学科性质包括了品德教育和文化知识教育。在以道德发展为核心的基本文明素质的培养过程中，不断弱化文化知识教育的学科性质，以文化知识作为道德情感生发和道德行为促进的载体。在此期间，德育课程的某些特征得以延续，而另一些特征则发生了细微的变化。

第一，德育课程的目标在爱国主义、服务社会的基础上增加了关注个人发展的成分。如在 2001 年教育部印发《基础教育课程改革纲要（试行）》的背景下，我国德育课程改革的目标为“要使学生具有爱国主义、集体主义精神，热爱社会主义，继承和发扬中华民族的优秀传统和革命传统；具有社会主义民主法制意识，遵守国家法律和社会公德；逐步形成正确的世界观、人生观、价值观；具有社会责任感，努力为人民服务；具有初步的创新精神、实践能力、科学和人文素养以及环境意识；具有适应终身学习的基础知识、基本技能和方法；具有健壮的体魄和良好的心理素质，养成健康的审美情趣和生活方式，成为有理想、有道德、有文化、有纪律的一代新人。”2004 年 3 月，中共中央、国务院颁布的《关于进一步加强和改进未成年人思想道德建设的若干意见》明确指出，未成年人思想道德建设要紧密结合全面建设小康社会的实际，针对未成年人身心成长的特点。

第二，德育课程的实施由重知识向重活动转变。2001 年 5 月国务院颁布的《关于基础教育改革与发展的决定》，指出要通过活泼的校外活动来开展小学德育工作，注重以学生的生活为基础开展学校德育工作。2002 年 4 月颁布的《调整高中思想政治课有关教学内容的方案》中学生道德生活

---

① 何光群，谭斌，田维亮．中小学思想政治（品德）课程与教学论［M］．昆明：云南大学出版社，2017：3－7.

成为课程建构的基础，注重道德学习，强调教学内容的有机整合。2005 年 4 月颁布的《关于整体规划大中小学德育体系的意见》关于小学德育体系的规划表明，文明礼貌的良好行为都来源于生活，存在于生活，应用于生活。学生要实现德育目标也是在实际生活中从养成习惯做起，一步步地积累。

第三，德育课程的目标层次逐步提高，突出强调了情感态度、价值观目标，具备了分类化特征。2017 年 9 月颁布的《中小学德育工作指南》，明确规定中小学的德育总体目标为“培养学生爱党爱国爱人民，增强国家意识和社会责任意识，教育学生理解、认同和拥护国家政治制度，了解中华优秀传统文化和革命文化、社会主义先进文化，增强中国特色社会主义道路自信、理论自信、制度自信、文化自信，引导学生准确理解和把握社会主义核心价值观的深刻内涵和实践要求，养成良好政治素质、道德品质、法治意识和行为习惯，形成积极健康的人格和良好心理品质，促进学生核心素养提升和全面发展，为学生一生成长奠定坚实的思想基础”。

第四，德育课程的目标逐渐呈现出系列化的特征。德育课程的内容涵盖了心理健康教育、爱国主义教育、国防教育、法律教育等，每一内容的目标都形成了系列化。以心理健康教育为例，《中小学心理健康教育指导纲要》提出，心理健康教育总目标是提高全体学生的心理素质，充分开发他们的潜能，培养学生乐观、向上的心理品质，促进学生人格的健全发展。心理健康教育的具体目标是使学生不断正确认识自我，增强调控自我、承受挫折、适应环境的能力；培养学生健全的人格和良好的个性心理品质；对少数有心理困扰或心理障碍的学生给予科学有效的心理咨询和辅导，使他们尽快摆脱障碍，调节自我，提高心理健康水平，增强自我教育能力。而且对小学低、中、高年级，初中、高中均作了详细的要求，心理健康教育也形成了系列化的目标体系。

2. 学科德育渗透

2001 年，教育部印发的《义务教育课程设置实施方案》提出，“各门课程均应结合本学科特点，有机地进行思想道德教育。环境、健康、国防、安全等教育应渗透在相应课程中进行。”2014 年 3 月 30 日，教育部印发《关于全面深化课程改革落实立德树人根本任务的意见》，该文件指出：要改进学科教学的育人功能。全面落实以学生为本的教育理念。各地要组织开展育人思想和方法研讨活动，将教育教学的行为统一到育人目标上来。在发挥各学科独特育人功能的基础上，充分发挥学科间综合育人功能，开展跨学科主题教育教学活动，将相关学科的教育内容有机整合，提高学生综合分析问题、解决问题能力。各学科要充分挖掘渗透于各门学科课程中的德育资源，必须落实学科课程在立德树人和促进儿童全面发展成长中的主体地位。接下来，将结合具体案例，呈现学科融合中的德育渗透。

（1）人文类课程中的德育

中小学开设的人文类课程主要有语文、历史、英语等，通过挖掘人文学科中的人文关怀、社会伦理内涵，可以潜移默化地激发学生的社会责任感和社会公德意识。

（2）科学类课程中的德育

科学类课程包括数学、物理、化学、生物、科学等。各科充分重视对学生进行辩证唯物主义世界观、方法论的教育，进行科学精神、科学方法和科学态度的教育。

（3）体艺类课程中的德育

中小学开设的体艺类课程有体育、音乐、美术等，中共中央办公厅、国务院办公厅 2000 年颁布的《关于适应新形势进一步加强和改进中小学德育工作的意见》指出：体育、音乐、美术等学科也要结合学科特点，陶冶学生情操，激发爱国主义情感，培养团结协作和坚韧不拔的精神。体艺类课程的德育重点是培养学生健康体魄、意志品质和审美情趣。

（4）实践活动类课程中的德育

2001 年，教育部颁布的《基础教育课程改革纲要（试行）》提出，“从小学至高中设置综合实践活动并作为必修课程，主要包括：信息技术教育、研究性学习、社区服务与社会实践以及劳动与技术教育。强调学生通过实践，增强探究和创新意识，学习科学研究的方法，发展综合运用知识的能力。增进学校与社会的密切联系，培养学生的社会责任感。”

【工作案例】

通过综合实践活动课《欢乐“种”动员》让学生体会劳动才能创造美，生命的伟大[①]。

镇江市孔家巷小学利用环境资源，走进实践基地，通过学习、体验、实践、探究，感受、认识和理解一年四季的变化与植物生长的关系，体会劳动的艰辛，懂得通过劳动才能创造美好生活。首先，制定和论证方案。教师指导学生通过调查访问、上网查找、实地考察、实践探究等多种途径，了解了与植物相关的各种知识；通过问卷，知道了伙伴们在实践活动中最想探究的问题，大家一起发现问题，提出问题，讨论解决问题的途径和方法。其次，策划和编印手册。为了有序地开展活动，也为了更好地形成和展示活动过程、活动成果，在老师的指导下，学生集体策划并编印了活动手册。再次，活动阶段。春分过后，种子博览会。收集种子。学生与爸爸妈妈合作，通过各种途径，搜集不同的种子，认识种子、了解种子、制作种子“身份证”并在全校进行交流展览。清明前夕，花盆创意DIY。大家搜集材料、设计图纸，与同学交流改进，动手制作种植盆。谷雨时节，快乐播种记。大家来到世业洲地区赵亚夫农科所实践基地了解植物的品种，懂得种植的环节，掌握简单的种植方法。在校园院墙外的“小小农耕园”种植基地，大家一起种下适合春播的种子，培育小苗，定期观察养护，记录生长，坚持做好生长笔记。最后，在老师的指导下，学生将体验、实践和探究的过程形成植物生长的研究报告。

在综合实践活动课中，学生们了解了种子特点及种植方式，掌握了观察方法，学会了记录自然现象，锻炼了实践能力，培养了创新精神。在对

---

① 江苏省镇江市孔家巷小学综合实践活动课程《欢乐“种”动员》活动总结，2021：5.

话劳动的过程中，知晓了植物的生长，认识了生物的多姿，领会了自然的美好，体悟了生命的伟大。

3. 校本德育课程开发

教育部 2001 年印发的《基础教育课程改革纲要（试行）》指出，改变课程管理过于集中的状况，实行国家、地方、学校三级课程管理，增强课程对地方、学校及学生的适应性。根据学生特点和本地实际，挖掘乡土人文资源，开发、设计地方校本德育课程，是对学生进行道德教育的新的课程实践路径。

《基础教育课程改革纲要（试行）》也要求“学校在执行国家课程和地方课程的同时，应视当地社会、经济发展的具体情况，结合本校的传统和优势、学生的兴趣和需要，开发或选用适合本校的课程”。校本德育课程开发需要学校领导、专家、教师、学生、家长和社区代表共同参与，把“家乡味”引进校本德育课程，让师生了解家乡，提升家乡文化品位。

与国家课程相比，地方德育课程的内容是具有开放性和灵活性的。当地教育行政部门在设计、开发和实施地方德育课程时，可以结合当地文物古迹、历史名人、民间文化、革命遗址、传统文化、自然资源等。在课时安排上，地方校本课程可以与德育课程、学科课程的相关内容结合起来进行德育专题教育。

（二）班级日常生活德育内容

新中国成立到党的十八大之前，日常生活德育内容在发展中不断变化。日常生活德育内容从起源于政治的需要，到逐渐关注人的发展，不断充实、拓展与涵盖人的德性和社会性发展的各个方面。2014 年，教育部出台《关于培育和践行社会主义核心价值观进一步加强中小学德育工作的意见》，提出加强中小学德育的几个薄弱环节，包括传统文化教育、公民意识教育、生态文明教育、心理健康教育、网络德育。2017 年《中小学德育工作指南》强调新时期德育的新内容，包括理想信念教育、社会主义核心价值观教育、中华优秀传统文化教育、生态文明教育和心理健康教育。至此，班级德育走出了单一的政治教育，开始关注“培养社会主义建设者和接班人”所需的全面的教育。

1. 理想信念教育

2016 年 10 月，习近平总书记在纪念红军长征胜利 80 周年大会上的讲话中指出了理想信念的价值所在，认为坚定理想信念“要坚持学而信、学而思、学而行，把学习成果转化为不可撼动的理想信念，转化为正确的世界观、人生观、价值观，用理想之光照亮奋斗之路，用信仰之力开创美好未来”。习近平总书记反复强调:“理想信念坚定，骨头就硬，没有理想信念，或理想信念不坚定，精神上就会‘缺钙’，就会得‘软骨病’。”①

新时代理想信念教育的任务就是要开展马列主义、毛泽东思想学习教育，加强中国特色社会主义理论体系学习教育，引导学生深入学习习近平总书记系列重要讲话精神，领会党中央治国理政新理念新思想新战略。加强中国历史特别是近现代史教育、革命文化教育、中国特色社会主义宣传教育、中国梦主题宣传教育、时事政策教育，引导学生深入了解中国革命史、中国共产党史、改革开放史和社会主义发展史，继承革命传统，传承红色基因，深刻领会实现中华民族伟大复兴是中华民族近代以来最伟大的梦想，培养学生对党的政治认同、情感认同、价值认同，不断树立为共产主义远大理想和中国特色社会主义共同理想而奋斗的信念和信心②。

2. 社会主义核心价值观教育

2012 年，在社会主义核心价值体系的基本框架下，党的十八大提出了“富强、民主、文明、和谐，自由、平等、公正、法治，爱国、敬业、诚信、

---

① 中共中央宣传部．习近平总书记系列重要讲话读本［M］．北京：学习出版社，2016：106－107.

② 教育部基础教育司．中小学德育工作指南实施手册［M］．北京：教育科学出版社，2017：26－28.

友善”的 24 字社会主义核心价值观。2013 年，中共中央办公厅印发的《关于培育和践行社会主义核心价值观的意见》指出，“社会主义核心价值观是社会主义核心价值体系的内核，体现社会主义核心价值体系的根本性质和基本特征，反映社会主义核心价值体系的丰富内涵和实践要求，是社会主义核心价值体系的高度凝练和集中表达”。2014 年，教育部《关于培育和践行社会主义核心价值观进一步加强中小学德育工作的意见》明确指出："社会主义核心价值观是中国特色社会主义的本质体现。培育和践行社会主义核心价值观、加强中小学德育是推进中国特色社会主义事业的必然要求，是深化教育领域综合改革、促进学生健康成长的现实选择。”

社会主义核心价值观，是与社会主义基本制度和根本性质联系在一起的。它集中体现了中国特色社会主义的经济、政治、文化和社会发展的内在规定、要求和目标取向[①]。2017 年，习近平总书记在党的十九大报告中指出，社会主义核心价值观是当代中国精神的集中体现，凝结着全体人民共同的价值追求。要以培养担当民族复兴大任的时代新人为着眼点，强化教育引导、实践养成、制度保障，发挥社会主义核心价值观对国民教育、精神文明创建、精神文化产品创作生产传播的引领作用，把社会主义核心价值观融入社会发展各方面，转化为人们的情感认同和行为习惯。

“富强、民主、文明、和谐”，是我国社会主义现代化国家的建设目标，也是从价值目标层面对社会主义核心价值观基本理念的凝练，在社会主义核心价值观中居于最高层次，对其他层次的价值理念具有统领作用。

“自由、平等、公正、法治”，是对美好社会的生动表述，也是从社会层面对社会主义核心价值观基本理念的凝练。它反映了中国特色社会主义的基本属性，是我们党矢志不渝、长期实践的核心价值理念。

“爱国、敬业、诚信、友善”，是公民基本道德规范，是从个人行为层

---

① 吴向东 . 论价值观的形成与选择［J］. 哲学研究，2008 (5)：22 － 28.

面对社会主义核心价值观基本理念的凝练。它覆盖社会道德生活的各个领域，是公民必须恪守的基本道德准则，也是评价公民道德行为选择的基本价值标准[①]。

3. 中华优秀传统文化教育

党的十八大以来，以习近平同志为核心的党中央就文化自信和文化复兴作出了一系列的战略部署，为重建中国人的文化自信、推进"中华优秀传统文化"课程重新进入国民教育体系，奠定了坚实的政治基础[②]。

2014 年 3 月 26 日，经国家教育体制改革领导小组批准，教育部印发了《完善中华优秀传统文化教育指导纲要》，就如何开展中华优秀传统文化教育作出了具体安排，鼓励各地各学校充分挖掘和利用本地优秀传统文化教育资源。2017 年，中共中央办公厅、国务院办公厅印发了《关于实施中华优秀传统文化传承发展工程的意见》，要求"围绕立德树人根本任务，遵循学生认知规律和教育教学规律，按照一体化、分学段、有序推进的原则，把中华优秀传统文化全方位融入思想道德教育、文化知识教育、艺术体育教育、社会实践教育各环节"。

2017 年颁布的《中小学德育工作指南》中分别从国家、社会、个人三个层面提出了青少年在中华优秀传统文化教育需要达到的要求。在国家层面，中华优秀传统文化提倡树立天下兴亡、匹夫有责的家国情怀，引导学生增强国家认同，形成爱国情感，树立民族自信；形成实现中华民族伟大复兴的中国梦而不懈努力的共同理想追求；积极争做有自信、懂自尊、能自强的中国人[③]。在社会层面，中华优秀传统文化启示我们要形成仁爱共济、立己达人的社会关爱意识，引导学生正确处理个人与他人、个人与社会、个人与自然的关系；形成乐于奉献、热心公益慈善的良好风尚；积极争做

① 冯建军 . 中国教育改革 40 年・学校德育［M］. 北京：科学出版社，2019：243.

② 张志勇，赵福庆 . 中小学德育一体化原理［M］. 济南：山东教育出版社，2019：136.

③ 同①245.

高素养、讲文明、有爱心的中国人。在个人层面，中华优秀传统文化要求我们养成正心笃志、崇德弘毅的人格修养和追求，引导学生明辨是非、遵纪守法、坚忍豁达、奋发向上;积极争做知荣辱、守信用、敢创新的中国人。

4. 生态文明教育

习近平总书记在两会期间参加内蒙古代表团审议时强调，党的十八大以来，我们党关于生态文明建设的思想不断丰富和完善，在“五位一体”总体布局中生态文明建设是其中一位，在新时代坚持和发展中国特色社会主义基本方略中坚持人与自然和谐共生是其中一条基本方略，在新发展理念中绿色是其中一大理念，在三大攻坚战中污染防治是其中一大攻坚战[①]。

新时代的班级德育内容必须比以往任何时候都更加强调生态文明的重要性，必须将“人与自然和谐共生”的德育理念融入德育教学之中。在德育熏陶的过程中，教育学生节约资源，保护环境，形成可持续发展理念。习近平总书记在党的十九大报告中指出，“建设生态文明是中华民族永续发展的千年大计。必须树立和践行绿水青山就是金山银山的理念，坚持节约资源和保护环境的基本国策”。

2017 年颁布实施的《中小学德育工作指南实施手册》中指出 :“生态文明教育要引导学生了解祖国的大好河山和地理地貌，认识大自然，学会与大自然和谐相处 ; 树立尊重自然、顺应自然、保护自然的发展理念，按照自然规律办事，增强保护环境的自觉性 ; 知道人与自然应该构建和谐共生、良性循环、持续发展的自然伦理形态，树立可持续性发展观念，养成勤俭节约、低碳环保、自觉劳动的生活习惯，形成健康文明的生活方式。”[②]

5. 心理健康教育

2012 年，为深入贯彻党的十八大精神，落实《中共中央国务院关于进

---

① 钟焦平 . 把生态文明教育融入育人全过程［N］. 中国教育报 , 2019 − 03 − 09.

② 教育部基础教育司 . 中小学德育工作指南实施手册［M］. 北京 : 教育科学出版社 , 2017 : 34.

一步加强和改进未成年人思想道德建设的若干意见》和《国家中长期教育改革和发展规划纲要（2010—2020 年）》要求，教育部出台了《中小学心理健康教育指导纲要》。该文件指出：要提高全体学生的心理素质，培养他们积极乐观、健康向上的心理品质，充分开发他们的心理潜能，促进学生身心和谐可持续发展，为他们健康成长和幸福生活奠定基础。

2017 年《关于加强心理健康服务的指导意见》和 2018 年教育部等 10 个部委《全国社会心理服务体系建设试点工作方案》的出台，将心理健康教育推向了一个新的高度，也为心理健康教育继续向前发展注入了新的动力和活力。

《中小学德育工作指南实施手册》中指出：心理健康教育要引导学生正确认识自我，了解每个生命的独特性，尊重生命，学会学习与生活，提高自我教育能力，增强应对挫折、适应环境的能力，形成健全的人格和良好的个性心理品质，培养身心健康、具有社会责任感、创新精神的社会主义建设者和接班人[①]。

三、班级德育内容的反思与展望

学校德育是一个系统性的整体，班级作为一个社会群体、一种社会体系、一种社会组织，具有社会化、个性化、组织和教育的功能[②]。单一化的班级德育模式已逐步走向多元化，这既给班级德育实践带来了丰富的实践经验，又引起我们对班级德育内容的重视与反思。在我国教育进入深化综合改革、加强内涵建设、优质均衡发展的新时代，有必要理性审视班级德育内容及实施过程的科学性、合理性。通过对班级德育内容及实施过程的现实反思，借鉴

---

① 教育部基础教育司．中小学德育工作指南实施手册［M］．北京：教育科学出版社，2017：36.

② 齐学红．班级管理［M］．武汉：武汉大学出版社，2017：17－20.

国内外班级德育经验，探索走向未来的班级德育内容。

（一）丰富与融合：班级德育内容的反思

社会历史发展推动教育变革，同时也推动了德育内容的发展和变化。不断发展中的班级德育内容体现了对德育目标的自觉把握，德育内容的准确、恰当是班级德育实践的重要前提。

1. 学科德育内容：从课程化向学科化的“跃迁”

我国的基础性德育课程从设置至今，经历了从政治课→思想品德课、思想政治课→品德与生活、品德与社会（小学）；思想品德课、思想政治课（中学）→道德与法治的漫长历程。在不断的探索与实践中，德育课程愈来愈多样，逐步演变为丰富的、科学的德育学科体系。德育课程与其他课程相比具有其独特性，具体体现在教学目标的设定、对学习主体的尊重、教育内容的计划和安排、教育活动方式，尤其是学习活动的方式。我国学者将德育课程划分为学科性德育课程（认识性德育课程）、活动性德育课程（实践性德育课程）和隐性德育课程[①]。作为我国主流文化价值观内蕴的外观和我国道德价值观直接导向的学校德育课程，其内容体系是国民教育体系中政治性最强、民族特色最鲜明、对社会文化心理影响最大。德育课程的设置模式和具体内容的选择，很大程度上决定了学校德育的性质，在一定程度上奠定了学生个体的潜在道德价值观的构建基础和构建特点[②]。在德育课程学科化的发展中，德育课程内容能否实现应有的德育目标，德育课程内容的实施是关键。德育内容及其实施存在着如下现实问题与困境。

（1）德育课程内容实施中存在的问题

一是德育目标中的学生缺位。德育目标主要是以国家政治需要和社会

---

① 李晓蕾．我国德育课程研究综述［D］．武汉：华中师范大学，2006：6－17.

② 易连云，邓达，冉亚辉，等．变革与发展：中小学德育专题研究［M］．重庆：重庆大学出版社，2014：79－80.

需要为主，虽然重视学生的主体性，但受应试教育的影响，很多教师依然保持“分数至上”的理念，德育课程目标的制订和实施存在脱节现象。

二是德育内容实施与生活联系不够密切。一般学校德育课程主要以国家规定的德育课程为主，地方和校本课程内容较少，德育内容生活化程度不高。与时代进步和社会发展带来的教育环境、教育技术等层面的迅速变化相比，德育课程生活化依然处于滞后状态。

三是德育课程实施方法多以讲授为主，效果不佳。尽管班级德育课程的实施呈现出多样性的特点，例如榜样感染法、情境创设法、故事启迪法、直观演示法、道德辨析法、行为训练法、讲述谈话法、对照比较法、讨论交流法等。但大多数教师依然采用“灌输式”的讲授法，比较枯燥乏味，影响了德育课程的实效性。多数教师选择“灌输式”讲授的主要原因一是专业德育教师的缺乏，二是班主任兼任德育课程，工作压力大，教学时间紧张，教学任务繁重。尽管多媒体技术已成为中小学教师传授德育课程内容的有效手段，但在课程实施过程中利用率不高，并且存在师生互动不足、教学目标不够明确、学生思考和讨论时间不足等问题。因此，班级德育课程内容在实施中仍存在理想与现实不符的问题。

（2）学科德育内容渗透的现实困境

目前，学科德育渗透和德育元素的挖掘成为当下班级德育内容实施的教育自觉，但在具体实施中存在以下现实困境：

一是学科中的德育内容不易挖掘。学科德育内容既有显性的，又有隐性的。隐性的德育内容的丰富性完全取决于学科教师的德育理论素养，使得学科德育中的德育目标、德育内容并不固定，所产生的德育效果也是不可预期的。

二是学科德育渗透仍存在一些误区。学科德育内容蕴含在学科之中，这是学科本身具有的，学科之中蕴含的丰富德育元素可以在教学中间接地传授给学生，促进学生道德品质的发展。学科德育内容的实施强调的是对于德育内容的“渗透”，即将德育内容渗透在整个学科教学过程中。在目前教育教学实践中，存在着“贴标签式地说德育”“模式化技巧为德育”的现象。这种离开学科知识载体进行单独的说教、贴标签或者是生硬的德育内容渗透会影响班级德育内容实施效果。

2. 班级日常德育内容：从单向度到多向度的发展走向

班级日常德育内容经历了从突出政治化到逐步生活化的转变。生活化的班级日常德育内容更加遵循学生成长发展规律，尊重学生个性特点。党的十八大以来，习近平关于青少年学生德育内容的一系列重要论述，内涵丰富，思想深刻，为实现中华民族伟大复兴的中国梦提供了坚实支撑。爱国主义和民族精神教育、理想信念和社会主义核心价值观教育、中华优秀传统文化教育、道德修身和品质培养以及心理素质教育等德育内容，突出了青少年学生德育内容的民族性、时代性和针对性，为落实立德树人的根本任务提供了有效载体。

围绕新时代德育内容的五个核心内容，班级德育内容有了进一步的拓展和延伸，从单向度向多向度方向发展。日常德育内容逐步走向多向度、多元化的同时，也增加了德育内容实施的难度，日常班级德育内容繁冗、实施过程无秩序感、难以区分主次等现象普遍存在。

（二）传承与创新：班级德育内容的未来走向

德育是随着社会历史的发展变化而发展变化的，社会发展对德育内容提出一定的要求，要求德育内容不断做出调整，突显德育内容的现实性、时代性与针对性。张忠华认为，德育内容的制定在德育目标的指导下，要遵循以下几点原则：普世伦理与中华民族道德文化传统相结合；社会需要与个体精神需要相结合；继承、借鉴与创新相结合[①]。综观七十多年班级德育内容的发展历程，不难发现，学校德育内容始终在继承、借鉴与创新中

① 张忠华. 论德育内容选择的依据和制订的原则［J］. 新德育·思想理论教育：综合版，2006 (3) : 19.

找寻方向和答案。国外班级德育内容的历史发展和思想资料也给我们提供了一些有价值的、可借鉴的经验。如日本提出塑造个性与共性并存的人格为德育目标，确立学生与他人、社会、自然环境相联系的德育课程内容[①]；新加坡以做一个好公民为主调，从低层次上打好基础，编制《好公民》教材；美国学校十分重视把德育目标渗透到各学科的教学中，使传授科学知识与道德培养结合起来……中国班级德育内容最大的优势是基于中国优秀传统文化中的道德思想，也是最具有中国特色的中国智慧。在传承中创新，在创新中传承。接下来，主要从学科德育和日常班级德育两个方面来谈谈班级德育内容的未来走向。

1. 回归与超越：学科德育内容的应有之义

学科德育内容实施过程是以“学科”为媒介，通过教师的指导，借助学生自身的学习活动的展开而实现的教学过程。这个过程是一种能动地认知发展过程。对学科德育的探讨必须建立在以人为中心的核心理念上，必须强调学生的主体性[②]。因此，回归学生主体性作为学科德育内容的应有之义，要求学科德育不论从内容上，还是实施过程中都要充分发挥学生的自主性和创造性，激发学生的积极性和能动性。

（1）德育课程内容的开发与实施

德育课程是具有育德性质和功能因而对受教育者思想品德发展有影响作用的教育因素，是整个教育课程的有机组成部分，德育课程的根本特征在于育德性[③]。康德曾说过，道德是人为自身立法。也就是说，道德是个体内在的自觉需要，而非外在的强制。学生的这种道德需要来源于其生活本

① 文部科学省. 小学校学习指导要领平成29年告示解说（专题：道德）［Z］. 2017：22－23.

② 钟国良，张万山. 试论学科德育的基本内容与功能［J］. 天津师范大学学报（基础教育版），2005 (3)：53－57.

③ 班华. 现代德育论［M］. 合肥：安徽人民出版社，2001：157.

身，其品德的提高与发展也只有通过学生自己的生活[①]。德育内容的选择应遵循青少年自身发展的内在逻辑。这样，德育才不会被受教育者视为一种“异己”的力量，才能真正成为一种解放的力量和创造的力量。针对班级德育课程内容的实施，提出几点建议。

首先，适时把握原则，注重班级德育内容实施。一是道德认知与道德实践并重。遵循知行统一的原则。二是严格要求与尊重信任。严格要求是指严格按照教育方针和德育任务，对学生进行教育；尊重信任是指在民主平等的基础上关心学生的成长，尊重学生的人格，信任学生能在教师的指导下自主发展。三是统一要求与个性发展相结合。保证学生发展同社会发展的总方向相一致，又要针对学生的个别差异，有的放矢地进行教育。四是集体教育与个别教育并举。通过集体来教育个人，又要通过个别教育来加强和影响学生集体。五是学校教育和社会影响相统一。既要重视学校教育在青少年品德形成过程中的主导作用，又要重视社会各方面的影响，相互配合，协调一致。

其次，突出特色亮点，实现活动课程内容特色化。《中小学德育工作指南》（2017 年）指出，学校要精心设计、组织开展主题明确、内容丰富、形式多样、吸引力强的教育活动，以鲜明正确的价值导向引领学生，促进学生养成良好的思想品德和行为习惯。结合地方文化特色和学校文化特色，充分利用学校、家庭及社区的教育资源，开发出一系列德育活动课程，其中包含主题教育课程和社团活动课程。表 3–1 为山东实验小学的“五色”特色课程内容。

---

① 张忠华．论德育内容选择的依据和制订的原则［J］．新德育·思想理论教育：综合版，2006 (5) : 21.

工作德育课程特色化——山东实验小学“五色”课程内容①

山东实验小学以“润泽生命，教育无痕”为核心办学理念，以主题实践活动为主、开展以“五大德育实践课程”为代表的“润养体验式”德育课程（见表3-1），即培育家国情怀的红色课程“红领巾系列寻访”，滋养浓浓乡情的蓝色课程“我家住在济南府”，树立环保意识的绿色课程“小手拉大手，共筑碧水蓝天”，鼓励创新探究的橙色课程“环球自然日”和增强法治观的金色课程“法治在线”。“五色”课程丰富了学校德育课程实施体系，避免了单纯活动化德育工作存在的碎片化、低效性等问题，形成了实践育人的长效机制。

表3-1　山东实验小学“润养体验式”德育课程

课程名称	德育目的	德育内容	特色
红领巾系列寻访	培育家国情怀，学习迎难而上、刻苦钻研的精神，树立远大理想	结合少先队活动，开展“红领巾寻访身边榜样”及“红领巾寻访传统文化”主题课程	培育家国情怀的红色课程
我家住在济南府	滋养浓浓乡情，体会风土人情，使学生受到最美的熏陶和乡土文化的滋养	跟随文史专家走近不同年代济南风貌的老照片，倾听蕴藏多年的典故；走进一代大家老舍故居，品味先生作品的丰富内涵，感受老舍先生的伟大精神；府学文庙里，学圣贤文化。让学生通过观察和体验，走进大街小巷，体会风土人情	滋养浓浓乡情的蓝色课程

① 苗建，等．生命教育下学校“润养体验式”德育课程的实施——以山东省实验小学为例［J］．现代教育，2019（10）：29－31.

续表

课程名称	德育目的	德育内容	特色
小手拉大手，共筑碧水蓝天	了解环保知识，养成环境意识、参与环境保护	通过亲子活动、团队活动、社区服务与社会实践活动，树立环境意识。结合节日和纪念日，开展植树护绿等环保活动	树立环保意识的绿色课程
环球自然日	了解自然知识，养成环境意识，鼓励创新探究	通过“环球自然日——青少年自然科学知识挑战活动”，激发中小学阶段师生对自然科学的兴趣。围绕主题寻找同伴，确立课题	鼓励创新探究的橙色课程
法治在线	弘扬社会主义法治精神，增强学生遵纪守法意识和自我保护意识	充分利用学校已有的法治教育资源，如校园中采用剪纸和漫画形式制作的普法宣传、老师们制作的法治教育微课程，开展“学宪法、讲宪法”系列活动	增强法治观念的金色课程

再次，挖掘文化资源，开发校本班级德育课程内容。德育课程资源无处不在，学校可以组织一部分有相关专业背景的教师专门从事德育课程的教学和研究，开发适合本校的校本教材。中国传统文化博大精深，历经五千年风雨考验，具有充实伦理道德、倡导和谐统一、富于生命力和凝聚力等特征。学校要善于利用好文化资源，开发校本班级德育课程内容。下面将结合具体案例，呈现学校以核心素养为主题的校本德育内容。

【工作案例】

江苏省镇江第一中学“书信 +”德育课程①

“书信 +”德育课程把高中三年共六个学期作为课程实施的六个阶段，

① 江苏省教育厅 . 关注学生的精神成长：“书信 +”德育课程的开发与实施［A］//江苏省教育厅 . 2020 年江苏省普通高中校长暑期学习培训班交流文集［C］. 南京：江苏省教育学会，2020：52 – 54.

分段实施课程内容。课程内容主要包括六大模块，即六大德育序列化主题和36个德育重要实施点（见表3-2），其中六大主题主要是“学海适应”“人际真情”“青春恋歌”“宁静致远”“生涯愿景”“运筹决胜”，其重要实施点主要有爱校、自律、感恩、成长、铭记、理想等36个方面，大多与学生发展的核心素养有关。课程经过多元规划，结合社团活动、校本课程开设、校园文化建设、德育课题研究等协同开展，按序实施。

表3-2　江苏省镇江第一中学“书信+”德育课程

德育课程结构	德育具体内容实施点
学海适应	爱校、适应、伙伴、实践、潜能、自律
人际真情	目标、感恩、聆听、提升、潜力、态度
青春恋歌	成长、实验、学习、方案、心态、规划
宁静致远	规划、迎考、心理、铭记、展望、实践
生涯愿景	目标、经验、方法、规范、自信、实践
运筹决胜	细节、理想、成人、磨炼、拼搏、感恩

（2）学科德育内容实施中的现实思考

学科德育作为一种结合知识传播、智能培养，有目的、有计划地在思想教育、品德教育、心理教育和能力培养等方面，对学生施加影响的德育途径，具有教育内容丰富、方法手段隐蔽间接、认知方式和行为方式协同统一、实施稳定而有保障等特点[①]。近代德国教育家赫尔巴特首先提出了“教育性教学”的著名命题。他不承认没有教育的教学，也不承认没有教学的教育。他认为“教学如果没有进行道德教育，只是一种没有目的的手段”。对德育来说，德育与教学的相互渗透是有重要意义的。学科德育渗透需要

① 纪海龙，程亚男．略论学科德育的内涵、内容与实施［J］．中国德育，2019(4)：19.

注意以下几点：

一是紧扣教材，注意渗透的自然性。德育渗透要从教材的实际出发，附着于知识的讲授或训练之中，使科学性与思想性水乳交融，遵循因材施教、有的放矢、知行统一的原则，使学科中的德育渗透达到“随风潜入夜，润物细无声”的效果。

二是把握学科特点，注意渗透的生动性。深刻理解教学大纲，把握本学科的性质和特点。在渗透德育时，充分发挥本学科优势，增强生动性，例如在历史、地理、语文学科教学中渗透爱国主义教育。历史课可以通过对历史人物、历史事件的讲述和分析进行教育，通过讲詹天佑等爱国知识分子的故事，讲述人民反抗帝国主义侵略的史实，提高学生对爱国主义的认识，激起学生振兴中华的志气和热忱。地理课则可以通过对地理材料、数据阐述分析来开展爱国主义教育。讲工农业发展时，将新中国成立后工农业发展所取得的成就与解放前的工农业状况进行对比，用这些无可辩驳的事实，教育学生更加热爱社会主义、热爱祖国。而语文课多为潜隐型，富于形象性和感染性，注重披文入情，以言感人，以情动人。例如，讲授《雨中登泰山》《黄山游记》等课文时，在学习和欣赏作者的传神描写、精美语言运用的过程中，激发学生对祖国河山的热爱之情。

三是寻求最佳结合点，增强针对性。渗透德育不仅要与知识传授、能力培养结合，而且要选准德育要求与学生精神需求的最佳结合点，这样才能增强德育的针对性，收到较好的效果。增强学科中的德育渗透，一般有以下几种方法：①不同学科专题归类法，即各门学科围绕同一个教育专题，例如小学六年级语文课《十里长街送总理》，教师在相关联的思想品德课中讲好《周总理一心为人民》，音乐课唱好《怀念周总理》，少先队活动举办“我知道的周总理”故事会等。②一门学科综合教育法，如语文课所学的《卖火柴的小女孩》《凡卡》等课文，在深入理解课文后，达到揭露资本主义、封建主义和旧社会黑暗与罪恶，认识到社会主义优越性的目标。③学科德育练习法，如道德与法治、历史、地理、自然常识课联系语文课涉及的山水、人物、事件、发明、创造等，进行爱国主义教育、革命传统教育。④学科教育渗透法，如在数学应用题中，工农业改革成就的数据计算、新科技应用的成效对比等，谓之无言的思想教育。⑤美育结合法。在学科教学中，各科教学均有美育人物，加强审美教育，建立美的人际关系，抵制陈腐的习惯，塑造青少年美的心灵是各门学科的共同责任。⑥课外延伸法，如语文课中学了《南湖》，可课外阅读中国共产党党史，进行一些建党百年来的社会调查，课后观看歌颂党的电影、电视剧等。

2. 继承与创新：班级日常生活德育内容的再思考

班级作为日常德育实施的主阵地，班级德育应构建具有时代性、科学性、现实性、针对性的德育内容体系，班级德育内容在《中小学德育纲要》所规定的理想信念教育、社会主义核心价值观教育、中华传统文化教育、生态文明教育、心理健康教育五个因素内容体系的指导下，不断拓宽班级德育内容，贴近我国未来发展趋势和学生成长规律，确立合乎时代的未来班级德育内容。

（1）结合学生特点，制订“贴近实际”的日常班级德育内容

德育内容要考虑教育对象思想品德发展的顺序性，循序渐进地促进学生发展。学生的思想发展是一个由低级到高级，由量变到质变的过程。近些年，中小学对体验化、生活化的班级德育内容有了更进一步的思考和创新，“贴近实际、贴近生活”成为班级德育内容的风向标。事实上，班主任确定班级德育内容除了遵循学校总体德育目标的指导，还要结合学生特点，从低层次到高层次，不必过于要求“高大上”，以基础性班级德育内容为主。在班级德育内容确定前，可以提前做好班上学生思想状况、家庭状况、行为习惯、个性特征等方面的调研工作。低年级德育内容的制订可以参考家长的意见，高年级学生则可以共同参与制订，从而做到“因材施教，因人而异”，提高学生德育活动的参与度和德育实效性。

【工作案例】

“小蜜蜂”成长记①

2023年春学期如约而至，新的征程，将启航。小蜜蜂们相聚在魅力东小，采蜜园的孩子们心怀美好，追逐梦想，争做“微光”少年！

一、指导思想

以学校德育教育的思路为指导，结合低年级学生个性特点，以人为本，面向全体学生，全面贯彻教育方针，全面实施素质教育。努力提高教育质量，培养德、智、体、美、劳全面发展，具有创新精神的一代新人。

二、主题教育——善行微光

学校、家庭和社会就是一座“藏善园”，教育就是要挖掘“善源”，激发“善心”，引导“善行”。让每一位孩子都能成为照亮世界的一缕“微光”。

1. 学习“至善”榜样：学习课本里的共产党员——白求恩，了解家乡的“至善”榜样——华罗庚，记住他们的事迹，善源就在我们的身边。

2. 争做“微光”少年：思考并践行，我们可以给身边的人带来哪些温暖？让每一只“蜜蜂”绽放“微光”。

3. 结合“元宵节”“清明节”“端午节”等开展传统节日主题教育，爱祖国、敬长辈的特质在节日文化的熏陶中落地生根。

三、常规教育

由于一年级的学生年龄小，对学校的很多规章制度、纪律还处于朦胧状态，加上他们天生好动、好奇、贪玩。作为班主任要时刻想着学生，从孩子的视角去理解他们的行为，引导他们认识学校、热爱学校；从他们违纪行为去分析、走进孩子的内心世界，注重培养他们自觉遵守班级、学校的各项规章制度的行为习惯。

---

① 江苏省常州市金坛区东城实验小学一(1)班．“小蜜蜂”成长记．

四、具体工作措施

有人说：一个好班主任就是一个好班集体。如果说每个孩子都是一颗小星星，我愿用真诚，热情为他们撑起一片挚爱的晴空，让他们各自闪烁出最灿烂，最动人的光辉！为了让班级充满活力与创新，为了能更好地塑造孩子们的心灵，让他们得到全面的发展，也为了使新学期班级上能有更新的气息，特制订如下班主任计划：

（一）常规教育方面

1. 在日常学习的过程中让学生知道什么行为是对的，什么是不对的，使学生养成良好的学习和生活习惯。对表现不够好的学生，及时进行点拨，指导，加强教育。

2. 合理利用升旗仪式、重大节日，加强学生的德育教育，使学生懂得做人的道理，培养其爱国主义情感。同时，让学生在各种活动和劳动中学会合作，学会生活。

3. 充分发挥各项活动中的教育阵地的作用，增强学生的荣誉感，使学生心中有他人，有集体。

（二）班级纪律方面

1. 课堂纪律。首先师生共同制定班规班纪，并制订相应的奖惩办法。这样学生既感到有趣，又有动力，而且可以在不知不觉中遵守纪律。

2. 课间纪律。课间是学生放松休息的时间，良好的课间纪律将会给整个校园带来活跃而轻松的气氛。同时，丰富多彩的课间活动，也是解决课间纪律乱的法宝，它可以使学生既健体又受教育，还能增进师生之间的感情，扩大交流的空间。同时，随时提醒学生要注意的危险活动和场地，寓教于乐。

（三）卫生方面

1. 个人卫生：要求衣着整洁，桌箱勤清，物品勤摆。

2. 班级卫生：每天早派值日生清扫，设立卫生监督岗，进行检查与监督。同时利用花草美化环境，并进行爱护环境和花草的教育。

二月：

1. 搜集与元宵节有关的古诗、童谣，开展晨读。

2. 开展“巧手做花灯，创意乐无限”元宵花灯亲子利废制作行动，培养学生动手动脑的能力和节能环保的习惯。

3. 开展“赏花灯，猜灯谜”活动，感受节日的喜庆。

4. 鼓励学生和父母一起做元宵，一起吃元宵，感悟团圆的幸福。

三月：

1. 搜集革命先烈的传说、故事，利用班会时间讲给同学听。

2. 背背有关清明节或革命烈士的古诗。

3. 你好，亲爱的妈妈——三八妇女节主题活动（我给妈妈做道菜）。

4. 开展绿色种植活动。

四月：

1. 认识我国传统节气夏至，了解夏至习俗、民间谚语、故事经典等。

2. 和家人一起包馄饨，知道吃馄饨的意义。

3. 学生之间互相赠送精心设计的节气知识卡片，增长学生的节气知识，增进学生之间的友谊。

五月：

1. 了解端午节由来和相关习俗，利用晨会课讲讲有关端午节的故事。

2. 开展“粽叶飘香”端午节品粽会，学生介绍自己带来的粽子，了解粽子的种类。

3. 搜集有关端午节的诗歌、童谣，开展端午节诗歌朗诵比赛。

六月：

1.“迎六一”班级讲故事比赛。

2. 丰收采摘，展示劳动成果。

3. 礼仪篇——团结友爱共奋进。

班级日常德育内容越具体，越贴合实际生活，在实施过程中就越能取得好的效果。结合不同年龄学生的身心发展规律能够提高班级德育内容的针对性和实效性。班主任作为班级德育内容实施者和传授者，起到了关键作用。

（2）注重内容变革，制订“立意新奇”的班级活动内容

随着时代发展变化，德育内容要根据学生发展规律和实际情况不断更新和变革。德育自觉是德育内容实施的理想状态，提出新颖的、学生喜闻乐见的班级德育活动内容能够促进学生自觉参与和自觉实践。以下是江苏省镇江市孔家巷小学 3 月 5 日“争做新时代雷锋少年”系列活动的特色德育内容，见表 3－3。

表 3－3 江苏省镇江市孔家巷小学“争做时代雷锋少年”系列德育活动

德育活动主题	德育目标	德育内容
爬山虎有担当，文明校园我做主	树立“三爱三节”的意识。“三爱”指的是爱学习、爱劳动、爱祖国，“三节”即是“节水、节电、节粮”	设计有关“三爱三节”的标语，制作主题海报，制作创意书签，志愿者服务
爬山虎有传承，雷锋日记我续写	传承红色基因，培养责任担当精神	学习雷锋日记，续写雷锋日记
爬山虎有温度，美好心愿我实现	培养新时代小学生关爱他人，热爱生活的精神	“我想成为一名光荣的少先队员”“我想帮助流浪的小猫小狗建一个遮风挡雨的小家”“我想给忙碌的警察妈妈过一个有意义的生日”

【工作案例】新时代学习雷锋精神的班级德育活动内容

我是小小爬山虎 每天向上攀一步[①]

——江苏省镇江市孔家巷小学争做“新时代雷锋少年”系列活动

向上，向上，再向上！在春风和煦的日子里，爬山虎探出它细幼的新

① 江苏省镇江市孔家巷小学“争做新时代雷锋少年”系列德育活动 . 2022 . 3.

枝条，努力地向上攀登再攀登，充满了生机与活力，犹如孔家巷小学校园里的志愿服务者们，校园中随处可见他们元气满满的身影……

（3）融合传统文化，制订“体系完整”的校内外实践活动内容

2013 年 3 月，习近平总书记在中央党校讲话中指出 ：“中国传统文化博大精深，学习和掌握其中的各种思想精华，对树立正确的世界观、人生观、价值观很有益处”。中华传统文化具有鲜明的民族特色，融合中华传统文化，推进德育活动开展能够帮助中小学生认识到中华传统文化的魅力与重要性。在复杂的市场经济环境影响下，不少中小学生的思想、心理及行为品质等受到外来文化和市场经济负面效应的冲击和影响，出现了一些不良表现，如拜金主义、盲目攀比、自私自利、享乐主义、诚信缺失、集体意识淡薄等。以中国传统文化引领的班级德育活动，对青少年进行教育和影响，不仅有利于提升中小学生道德水平，规范其日常行为，还能够增强其文化自觉意识。而完整地融合传统文化的班级德育内容体系，能够发挥育人的长效作用。以下是江西省南昌市南昌三中开展以传统节日为主题的德育实践活动，见表 3 –4。

【工作案例】以传统节日为主题的德育实践活动

表 3 –4　江西省南昌三中（艾溪湖校区）开展以节日为主题的德育实践活动[①]

节日	内容	形式（不限）
学雷锋日	大力弘扬“奉献、友爱、互助、进步”志愿服务精神，促进学生良好行为习惯的形成。从身边的一件小事做起，学会关心他人、关心集体，在实践中传播文明	1. 主题班会教育（来历、风俗）； 2. 手抄报、黑板报 ； 3. 线上习作 ； 4. 线下社区学雷锋实践活动

① 江西省南昌三中（艾溪湖校区)2022 年第一学期校内班级德育内容 . 2022 . 3.

续表

节日	内容	形式（不限）
植树节	了解植树节的时间、来历及意义，增强环保意识,生态意识。为班级、学校、社会增添绿色，净化美化环境。弘扬生态文明，共创绿色校园	1. 主题班会教育（来历、认识校园植物）； 2. 手抄报、黑板报； 3. 线下户外植树活动
清明节	祭奠先烈、先人、先贤，缅怀先辈，进行“中国梦”教育，增强爱国热情、强化革命传统教育，认识传统、尊重传统，发扬和继承中华民族优秀文化和传统美德	1. 主题班会教育（来历、风俗）； 2. 节日小报、黑板报； 3. 线上寄语、习作； 4. 线下烈士纪念馆实践活动
劳动节	了解劳动节的来历，明确一切的劳动成果都是来之不易的，培养热爱劳动的意识，养成爱劳动的好习惯，发扬勤劳精神，在劳动中接受锻炼，成为生活的小能手	1. 主题班会教育（来历）； 2. 线上手抄报、习作； 3. 线下家庭 / 开心农场社区实践活动
母亲节	加强思想道德教育，弘扬中华民族孝敬父母的传统美德，培养感恩的心。学会关爱他人，尊敬师长，与他人和谐共处。激发学习热情，提升道德素质、动手实践能力和综合运用能力	1. 主题班会教育（感恩教育）； 2. 线上感恩贺卡、传唱歌曲； 3. 线下帮母亲做一件力所能及的事
儿童节	“六一”是儿童自己的节日。学生自主参与活动，在活动中陶冶情操、获取知识，培养自主性独立性与综合能力，全面推进素质教育	1. 主题班会教育（来历）； 2. 手抄报、黑板报； 3. 线下班级 / 家庭庆祝活动
端午节	了解屈原的故事、了解端午节的由来和习俗。感知端午、走近端午、品味端午，体会传统节日的渊源与魅力，体会中华传统文化的精髓，增强爱国情感和民族自豪感	1. 主题班会教育（来历、风俗）； 2. 节日小报、黑板报； 3. 线上习作； 4. 线下包粽子比赛活动

续表

节日	内容	形式（不限）
世界环境日	增强爱护校园，保护环境的紧迫感和责任感，树立“爱护校园，生生有责”的意识，认识到保护环境的重要性。养成爱护学校、保护环境的良好行为习惯	1. 主题班会教育（环境保护教育）； 2. 线上讲节能小故事 / 小窍门； 3. 线下社区 / 校园环保实践活动

以上从德育课程内容、学科德育内容和日常生活班级德育内容三个方面提出了几点发展性思考与借鉴。班级德育内容的有效实施，依赖于教师的创造性劳动。教师的劳动是一种有着特殊素质要求的劳动，一堂课、一门学科、一次活动的德育功能的实现，有赖于教师的师德、师才、人格，甚至于责任心和敬业态度[①]。因此，教师在自己的学科教学、班级管理和组织活动中，都在有意无意地对学生产生着影响，包括德育方面的影响，这种影响不仅是近期的，甚至还是终生的。

---

① 钟国良，张万山．试论学科德育的基本内容与功能［J］．天津师范大学学报（基础教育版），2005 (3) : 53 − 57.

第四章 班级德育路径与方法研究

班级德育实施路径是指为了达到班级德育目的、实现班级德育内容、完成班级德育任务的活动渠道，是在班级德育实践中采取的比较稳定的组织形式。只有依靠恰当的班级德育实施路径，才能切实发挥班级德育的育人效果。新中国成立以来，我国中小学班级德育主要包含班级组织、班级活动、班级管理和班级文化四大实施路径。

班级组织建设是班级德育实施的有效保障。在以班级为单位的学校教育体制下，班级德育是以班级为范围和载体，以学生为教育对象，以建设班集体、最终发展学生为目标，通过丰富多彩的教育内容的设计和实施，使学生在班级这个“大家庭”中得到培养和锻炼，同时让教育工作者的能力得到同步提升的一种教育活动。班级德育的实施有其具体路径以及可遵循的方式、方法，它凭借一定的平台和载体，运用合适的策略，在教育者精心设计和组织下得以有效实施，进而达到促进学生成长的教育目的。

班级活动是班级德育的主要渠道，建国初期的班级活动注重配合各种社会政治运动，为政治斗争服务，组织学生参加生产劳动，大力强化学生的阶级斗争意识，促进思想的革命化；改革开放初期的班级活动突出基础教育，注重培养学生的道德素质，并辅以心理辅导，同时重视学校、家庭和社区三者的结合；新课程改革以来的班级活动主要回应全面实施素质教育的主张，在实践活动中注重培养学生的劳动观念和创新精神，促进学生全面发展。

班级管理是指教师根据一定的目的和要求，采取相应的措施和手段，优化配置班级中的人、财、物、时间、空间、信息等各种教育资源，实现既定的教育目标的活动过程。

班级文化是实现德育目标的桥梁，也是班级德育的一个重要途径。不同时期的班级文化表现出不同的时代特征。新中国成立以来，我国的班级文化经历了由强烈的政治性到去政治性、突出榜样模范，再到注重学生中心的变化。

四大实施路径的现实样态是通过共青团和少先队组织的建设、各类活动开展、班集体建设、班级文化建设达到教育学生、发展班集体的目标。现实的班级德育路径既相对独立，又互相联系，在育人的形式、内容、效能上各有特点、各有规律，但育人的目标是一致的。这些班级德育路径经过长时间的实践检验，具有可操作性和实际效果，其现实样态能够稳定传承、广泛应用，且有成熟经验、运行良好，推动着班级德育各项目标的落地、落实。

德育工作者也在实践中不断探索、不断完善、不断优化、不断改进班级德育实施路径，使得班级德育路径的现实样态更加丰富多彩和更具实效，以促进班级德性教育的有效实施；使得班级内每一个学生的素养得到综合提升，促进学生的全面发展。

目前国外也有围绕班级与德育关系开展的相应研究，例如，一些西方国家对班级学生开展了对其品德发展的具体内容（如诚信、友爱、民主等）和维度（如行为习惯、公民素养、人格品质、理想信念等）的监测。美国学者里克纳分别从学校层次和班级层次提出了“如何在学校教育中教授给学生尊重与责任的策略”。他认为在班级中可以运用建立道德环境、创造民主的教室环境、丰富道德教学、鼓励道德反思和教导冲突管理等九项策略来发展学生的品格教育[①]。

第一节 班级德育组织研究

班级德育组织包括中国少年先锋队和中国共产主义青年团，是在德育原则指导下建立的，从属于学校德育体系，是为学校德育服务的，它是班级德育工作体系的有机组成部分，有了职责分工明确、机构设置合理、互相关系顺畅的组织制度，班级德育工作才能正常进行。相反，没有一定的组织制度，班级德育就无从谈起。

一、班级德育组织形态的发展历史

《中国少年先锋队章程》指出“中国少年先锋队是中国少年儿童的群团组织，是少年儿童学习中国特色社会主义和共产主义的学校，是建设社会主义和共产主义的预备队。”中国共产主义青年团是中国共产党领导的先进青年的群团组织，是广大青年在实践中学习中国特色社会主义和共产主义的学校，是中国共产党的助手和后备军。新中国成立以来，中国少年先锋队和中国共产主义青年团创造性地开展组织教育、自主教育和实践活动，保护和关心青少年的成长，以社会主义思想和共产主义精神引导青少年努力成长为担当民族复兴大任的共产主义事业接班人，并在中小学班级德育中发挥了举足轻重的作用。下面按照时间顺序，对新中国成立以来中国少先队和共青团的建设和发展进行系统的梳理。

---

① Thomas Liciona. Education for Character: How Our Schools Can Teach Respect and Responsibility [M] . New York:Bantam Books, 1992 : 67 – 70.

（一）中国少年先锋队的发展历程

1. 新中国成立初期中国少年儿童队的建立与发展（1949—1978 年）

1949 年 10 月 13 日，中国新民主主义青年团中央常委扩大会议通过《关于建立中国少年儿童队的决议》，并通过了《中国少年儿童队章程草案》，推动全国小学大力建立少年儿童队的工作，借以团结、教育广大少年儿童。《决议》规定："中国少年儿童队是在中国新民主主义青年团领导下的少年儿童组织"，其任务"是在学习和各种集体活动中，团结和教育少年儿童，培养他们成为爱祖国、爱人民、爱劳动、爱科学和爱护公共财物的新中国的优秀儿女。"

1953 年 6 月，中国新民主主义青年团第二次全国代表大会关于修改团章的报告中指出："为了更确切地反映少年儿童队的性质、任务和适应少年儿童们的进步要求，有必要将队的名称改为'中国少年先锋队'"，在毛主席"好好学习，天天向上"的教导下，认真学习文化知识，努力掌握建设社会主义的本领。这个时期的少先队教育，以培养社会主义新一代为主要目标，重视激发少先队员爱祖国、爱人民的理想和意愿。1953 年 11 月，第二次全国少年儿童工作会议召开，会议指出要努力培养新生一代，引导少年儿童好好读书、热爱劳动、丰富对文体活动的兴趣。在会议精神鼓舞下，全国的少先队员积极参加劳动，参加社会主义建设。为了更快发展壮大少先队组织，1955 年 3 月第三次全国少年儿童工作大会召开，会议强调进一步加强思想和组织建设，吸收更多儿童加入组织。由此，少先队活动更加丰富和活泼。1957 年 5 月，上海少先队在"红领巾月"活动中以勤劳的双手收集废钢铁，并节省自己的零花钱，向祖国捐献"红领巾号"拖拉机支援农业生产，得到团市委的嘉奖①。

---

① 夏鹏翔，唐延延，左晓慧 . 新中国少先队教育的发展历程和启示［J］. 人民教育，2019(19)：13－16.

1954 年 6 月 1 日，团中央正式公布了《中国少年先锋队队章》，规定了少先队继承革命战争年代儿童团的优良传统，和过去的儿童团一样，用红领巾作为自己的标志。红领巾是红旗的一角，象征着革命的胜利。它的队礼是五指并拢，高举过头，表示人民的利益高于一切。它的呼号“时刻准备着，为共产主义事业而奋斗！”把星星火炬作为自己队旗的图案，表示少先队员在党的领导下向着光明的未来前进。少先队带领全国少年儿童开展各种有意义的活动。

在新中国成立初期的土地改革、镇压反革命、抗美援朝三大运动中，少先队员们配合当时的政治需要，积极参加斗地主，捉特务，捐献飞机、大炮支援保家卫国的正义战争等活动。天津市有七个少年儿童队员，在街心公园玩耍时，机智勇敢地捉住了企图进行破坏活动的特务。在抗美援朝中，少年儿童给志愿军写慰问信，做慰问袋等。北京市育英中学少先队把节省的 100 多万元零用钱，买了一支冲锋枪，献给金日成将军，请他转送给朝鲜人民军最英勇的战士。南京市的少先队收集了 47000 多万斤废铁献给人民政府。1952 年春节，全国 83 万少年儿童参加了“春节慰问烈军属一件事”活动,博得了烈军属和全国人民齐声赞扬。在“三反五反”运动中，少先队员开展了“三要三不要”（要爱护公物、要爱惜时间、要艰苦朴素；不要损人利己、不要浪费、不要贪小便宜和拿别人东西）的活动，抵制资产阶级思想的腐蚀。

在第一个五年计划的鼓舞下，在会议精神的影响下，少先队员们努力学习，为祖国建设贡献力量。江苏省宜兴县、辽宁省复县松树区和北京市的少先队员率先提出了开展“小五年计划”活动的倡议。他们说：“大人有大五年计划，我们小孩子也要有小五年计划，我们也要为祖国建设作贡献。”共青团中央支持少先队员这一倡议，全国少先队员热烈响应，“小五年计划”活动迅速在全国范围内广泛地开展起来。少先队员们收集废钢铁、拣粮、种植油料作物、饲养小动物，节省零用钱捐献拖拉机……他们在活动中受到了教育和锻炼，也为国家建设贡献了一份小小的力量。少先队还响应团中央的号召，开展了“除四害讲卫生”“植树造林”“讲普通话”三项活动。各地少先队广泛开展捕蝇、挖蛹、灭鼠活动，组织“少年卫生岗”、“绿化近卫军”“红领巾采种队”、建立少年苗圃等。江西鄱阳县的少先队员在鄱阳湖畔种下了万亩少年林；辽宁锦县临海小学在学校后面150亩沙滩上栽种十多万株树木，坚持几年育林，使荒滩变成了绿洲；上海二十多万少先队员参加了“绿化近卫军”，精心护理和保护道路两旁和公共场所的树木，不让一棵树木受损伤。浙江省杭州市灵隐小学少先队员提出了“一颗种子一颗心，建设祖国有我份”的口号，采集树种寄送给各地少先队员栽种。通过活动，广大少年儿童增强了热爱祖国、热爱社会主义的思想感情，也为移风易俗，建设祖国出了力[①]。

早在建国初，《中国人民政治协商会议共同纲领》中就提出将“五爱”作为新中国公民的道德标准，全国各学校少先队也全面开展“五爱”教育运动。这一内容不仅与新中国的建国方针一致，而且生动地体现了社会主义性质，具有形象、具体、生动易懂的特点，同时还与中华传统文化及爱国情感相结合，得到广大师生和社会公民的普遍认可和欢迎。当时还形成了不同年级特色的“五爱”教育内容。如“爱祖国”的教育就有以下主要内容：小学高年级教育学生热爱我们的国家制度，热爱祖国的辽阔疆土、光荣历史和人民的伟大创造。小学中年级学生要热爱祖国的社会主义建设事业，热爱中国共产党和毛主席。小学低年级学生要做到热爱劳动人民，爱家乡，爱学校，爱父母[②]。以“五爱”教育为道德教育中心，对学生的公德行为作出本质规定，这是符合社会发展对人的要求，也符合学生成长的道德要求，所以有强大的生命力，对今日的少先队教育活动亦产生深远的影响。

1960年，共青团中央召开第四次全国少先队工作会议，强调少先队活

---

① 杨毅静．小学少先队教育活动有效性探究［D］．南京：南京师范大学，2005：12.

② 孙少平．新中国德育五十年［M］．福州：福建教育出版社，2002：9.

动要坚持共产主义方向。1962 年，第五次全国少先队工作会议召开，会议提出要坚持共产主义理想教育，为培养共产主义新一代而奋斗[①]。1963 年，党中央、毛主席发出“向雷锋同志学习”的号召。全国各地少先队普遍开展了“向雷锋叔叔学习”的活动，他们读雷锋故事，和雷锋比童年，参观雷锋事迹展览，和雷锋班战士通信，做针线包、节约箱、建立光荣簿等。他们学习雷锋毫不利己、专门利人、全心全意为人民服务的精神，在校内外做了许许多多好事。少先队员学习雷锋叔叔，做了好事不留姓名，只是回答“这是我们应该做的”“我叫红领巾”。这是一项范围最广、持续时间最长的活动，对广大少先队员来说是一次非常深刻的共产主义思想教育。今日的少先队依旧在开展“学雷锋”活动[②]。

这一时期，少先队活动还十分注意培养团结友爱的集体，发挥队组织的教育作用。如南京雨花台第一小学的少先队开展“烈士墓前的红花”的活动，使一个落后的班级变成全校闻名的优秀中队，最后用烈士的名字命名为“卢志英中队”，并且继续不断地开展深入细致的工作并形成传统，使“卢志英中队”一届一届传下去。杭州市第十一中学少先队通过采集和寄送树种给海防前线的解放军战士，和解放一江山岛占领“一九〇”高地的英雄部队建立联系，将“‘一九〇’中队”的光荣称号授予各方面进步最大的中队；中队间开展了友谊竞赛，推动全大队团结友爱，齐步前进。少先队生动活泼的生活教导着少先队员们团结友爱，遵守纪律，他们十分喜欢自己的组织，都为戴上红领巾而感到无比光荣和自豪[③]。

2. 改革开放时期中国少年先锋队的重建与发展（1979—2000 年）

1976 年 10 月，党中央粉碎了“四人帮”，中国进入了新的历史时期。

---

① 夏鹏翔，唐延延，左晓慧．新中国少先队教育的发展历程和启示［J］．人民教育，2019(19)：13－16.

② 杨毅静．小学少先队教育活动有效性探究［D］．南京：南京师范大学，2005：13.

③ 同②.

1978 年 10 月，经党中央批准，共青团十届一中全会通过了关于恢复中国少年先锋队名称的决议。1979 年 10 月，共青团中央召开了第六次全国少先队工作会议。这次会议标志着我国少年儿童运动进入了一个新阶段。会议确定了新时期少先队工作的任务：坚持德智体全面发展的教育方针，贯彻“五爱”教育，把全体少年儿童组织起来，把少先队工作活跃起来，为把少年儿童培养成为献身人民、热爱科学、具有民主精神和健壮体魄的新一代，为造就一支朝气蓬勃的四化建设预备队而奋斗[①]。

第六次全国少先队工作会议之后，全国少先队组织有了很大的发展。1979 年，少先队开展了“我们爱科学”活动，少先队员们在小发明、小制作过程中，树立了科学的观念，广泛开展了“可爱的祖国远足”“大种蓖麻,支援四化”“人人争戴新风尚小红花”“红领巾读书读报奖章”及“红领巾为‘六五’作贡献”等活动，培养队员动手、动脑、勇于实践的精神。到 1984 年 7 月底，全国少先队员人数已由原来的七千万人增长到一亿三千万人。1984 年 7 月 25 日至 8 月 4 日，我国第一个少先队的全国领导机构——中国少年先锋队全国工作委员会（简称少工委）成立。团中央和教育部在北京联合召开了“中国少年先锋队队员和辅导员代表大会”，全国各地少先队组织派出代表聚会首都，与辅导员代表共同讨论、决定全国少先队工作的人事,这是建国以来第一次少先队的盛会。在这次会上，选举产生了我国第一个少先队的全国领导机构——中国少年先锋队全国工作委员会[②]，使少先队组织更有号召力和影响力。

1984 年 11 月团中央和全国少工委发起了“全国万名创造杯少先队活动竞赛”，这个活动历时八个月，在全国 29 个省、自治区和直辖市广泛开展起来，是当时少先队的一项主要活动。全国各地少先队组织共来稿三十三万五千多件，评选了一万个“创造杯奖”，其中一百五十个活动获

---

① 杨毅静 . 小学少先队教育活动有效性探究［D］. 南京：南京师范大学，2005：13.

② 同①14.

得“最佳活动奖”。该活动促进了少先队员树立创造意识、培养创造精神、锻炼创造能力。大连市金县二十里乡中心小学少先队开展了“在钱币上寻找骄傲、耻辱和理想”的活动。队员们在踢毽子时发现毽子用的古币后，继而四处搜集各种古币一百多枚，按年代顺序排列，举办展览会。队员们从钱币上了解到中国五千多年文明史、一百多年来的耻辱史、中国共产党领导人民的斗争史，激发了队员们为实现“四化”而努力学习的自觉性。贵州省印江县第一完小六（2）中队的队员们，对家乡梵净山脚下满山遍野的被人们称作讨厌的“绊脚石”的白石头进行考察。他们查阅资料，采集标本、分类编号，从学校实验室借来各种仪器，用学到的知识进行实验和分析，最后鉴别出重晶石、方解石、长石、石膏石、石英石等五种标本。然后将标本和实验记录寄到贵阳的中国地球化学研究所。经研究所鉴定，实验结论完全正确。又经 103 地质队勘探，发现重晶石储藏量很大，有开采价值。之后，队员们看到来往不绝的车辆，将开采的重晶石源源不断地运走。“绊脚石”成了宝石，他们感到无比自豪。“全国万名创造杯少先队活动竞赛”为当时及今后的少先队工作积累了新经验，开创了新局面，是改革开放以来影响最大、成效最显著的一次少先队活动①。

1990 年，第二次全国少代会召开，党和国家领导人出席，号召“向赖宁学习，做社会主义事业接班人”。1995 年，第三次全国少代会召开，会议主题是“做跨世纪社会主义事业合格建设者和接班人”，大会还为 1000 名优秀少先队员颁发了“雏鹰奖章”，极大地鼓舞了少先队员的热情。2000 年，第四次全国少代会召开，会议提出了“一切为了孩子，为了一切孩子，为了孩子一切”的口号，举行了“星星火炬、代代相传”的新老少先队员回忆传统、展望未来的报告活动。这个时期的少先队教育仍然是思想教育为主，坚持德智体全面发展。但教育形式上，除了以往的爱国主义教育、

① 杨毅静．小学少先队教育活动有效性探究［D］．南京：南京师范大学，2015：14－15.

革命传统教育，增加了社会调查、爱科学等实践性内容。由共青团中央、全国少工委发起的“手拉手”活动，让城市和农村的儿童和有障碍的儿童等联手发展，特别是在各民族儿童中间架起桥梁，丰富了儿童的生活阅历，促进了少先队员的道德成长。此外，配合素质教育的实施，少年军校、夏令营等活动尤其注重培养少先队员吃苦耐劳精神、生存能力①。

通过梳理各个时期的少先队教育活动，可以看出少先队教育活动一直是依靠儿童的积极参与并围绕党的中心任务展开的，因而在配合党的工作、教育少年儿童方面取得的重大成绩。

3. 新时期中国少年先锋队的发展与完善（2001 年至今）

21 世纪是世界经济发展和科学力量加强的时代，科学技术的日新月异加快了社会发展的速度，也使少先队教育迎来了更大的挑战。2003 年，全国少工委颁发《少先队 2003 年工作要点》指出，要做好各类主题教育活动，包括“红领巾心向党”“手拉手，话小康”“养成道德好习惯”“民族精神代代传”“争奖章，做准备”以及“中华少年足球”等，这些活动后来已成为少先队教育的品牌活动。

2005 年，第五次全国少代会召开，会议指出要“教育引导少年儿童时刻准备着，为建设中国特色社会主义贡献力量”。会议还在中华世纪坛、天安门等地举行了“祝福祖国、放飞希望”“向国旗敬礼”等主题活动。2010 年，第六次全国少代会召开，会议进一步强调“要使千千万万的少年儿童成长为中国特色社会主义事业的合格建设者和可靠接班人”，要让少年儿童在党的关怀下，在集体中勤奋学习、快乐生活、全面发展。2015 年，第七次全国少代会召开，会议向全国少先队员提出“准备着为实现中国梦的美好未来接力奋斗”的口号，习近平总书记也满怀深情地道出：“美好

① 夏鹏翔，唐延延，左晓慧. 新中国少先队教育的发展历程和启示[J]. 人民教育，2019(19)：13－16.

的生活属于你们，美丽的中国梦属于你们”[①]。

习近平总书记十分关注少先队的事业，关心少先队员的成长，多次亲临教育一线参加少先队活动并讲话，鼓励少先队员牢记社会主义核心价值观、学习英雄榜样、热爱劳动、锻炼身体，极大地鼓舞了少先队员的热情和决心[②]。

2012 年，《教育部关于加强中小学少先队活动的通知》下发，明确少先队活动成为中小学必修课，每周一课时；2013 年，《少先队活动课程指导纲要（试行）》公布，规定了少先队活动课程的性质、目标、内容、要求以及评价等内容；2012 年底，少先队教育的学科以“少年儿童组织与思想意识教育”为名称，成为教育学下属二级学科，从 2013 年开始，全国许多院校开展了研究生层次的招生和培养工作……由此，少先队教育成为课程化、学术化的一环，其理论性、研究性成为了必需。同时，共青团中央多次发布有关少先队辅导员要求的文件，《少先队工作改革方案》也指出“少先队工作队伍专业性不够”，要“建设高素质少先队辅导员和工作者队伍”。该方案还提出了当前少先队工作的主要目标是“使少先队作为党领导的少年儿童群众组织的特点更加鲜明，让少先队员更加喜欢少先队，光荣感和组织归属感显著增强”。

可以看出，新世纪的少先队教育有着十分明显的时代印记，为了实现中国梦，科技强国，少先队教育突出了队员的自主性、实践性和科学性。

（二）中国共产主义青年团的发展历程

1. 建国初期中国新民主主义青年团的调整与探索（1949—1977 年）

1949 年 4 月，中国新民主主义青年团“一大”在北平召开。从此，中

---

① 夏鹏翔，唐延延，左晓慧．新中国少先队教育的发展历程和启示［J］．人民教育，2019(19)：13 － 16.

② 同①.

国青年运动进入了一个新的历史时期[①]。新中国成立后，随着国民经济的缓慢复苏，社会主义改造与建设被提上了新中国的发展日程，对青年群体进行系统地领导与教育的重任则落在了青年团的身上。新民主主义青年团在中国共产党的领导下独立开展团的活动，为党和新中国培养青年人才，培养了大批经济建设的后备力量。1953 年 6 月，新民主主义青年团召开了“二大”，大会根据党在过渡时期的总路线，规定青年团在新时期的基本任务是在党的领导下，发扬中国青年运动的优良传统，团结全国各族青年为逐步实现国家工业化和逐步过渡到社会主义而奋斗[②]。在这一时期，在党的领导下，各级团组织发动广大团员积极开展各项工作，新民主主义青年团工作呈现出生机勃勃的气象。

社会主义改造基本完成后，1957 年 5 月，新民主主义青年团在京召开“三大”，大会正式决定将“新民主主义青年团”改名为“中国共产主义青年团”。在社会主义建设和发展过程中，广大青年按照“劳动、学习、团结”六字方针的要求，积极劳动、努力学习、加强团结。会后，全国青年掀起了学马列、学毛选的热潮。20 世纪 60 年代初，在毛泽东等中央领导的号召下，共青团又在全国青少年中开展了“学雷锋”活动。开展“学雷锋”活动，是共青团历史上极为重要的活动之一，它对加强青少年的共产主义思想教育具有深远的历史意义和现实意义。“学雷锋”活动开创了一代新风。1964 年 6 月，共青团召开“九大”，大会总结了团的工作经验，并根据毛泽东的指示，提出了促进我国青年革命化，培养无产阶级革命事业接班人的任务。会后，大批青年上山下乡，接受锻炼[③]。

邓小平曾经深刻地阐述了共青团在这一时期发挥的作用，他说，“要

---

① 郝本廉，李志勇．共青团 80 年发展的历史必然性［J］．山西青年管理干部学院学报，2002 (2)：6 − 9.

② 同①.

③ 同①.

青年团做的事情是什么呢？是要做更多的事情，还是做少一些事情？是做更多的事情。是要起更多的作用，还是起少一些作用？是起更多的作用。是要做更多人的工作，还是做少一些人的工作？是做更多人的工作。可以不可以这样说，在各个岗位的工作中，成年和青年一块搞，大量的人一块搞，你们青年团在里头起模范作用，这就是做了更多的事情，起了更多的作用，做了更多人的工作。你们起了模范作用，影响就不同了，首先影响青年，其次影响成年。”[①] 因此，这一时期中国共青团的作用在于培养与团结青年群体。在中国共产党的领导下，共青团为党的工作提供了有力的帮助，并与党内的“左”倾、右倾两种错误的倾向不断地做斗争，带领广大青年奋战在社会主义建设的最前沿，充分发挥青年人活力、创新的特有优势，这个时期的中国共产主义青年团是以青年管理为主的准政府型团体。

2. 改革开放时期中国共青团的变革与发展（1978—2000 年）

1978 年 10 月，团的“十大”召开，大会确立了新时期我国青年的光荣使命，动员全国青年进行新的长征，并选举了新的团中央领导，结束了共青团长达 12 年“一无章、二无纲、三无团中央”的混乱局面，共青团各项工作得以恢复[②]。

随着改革开放的深入推进，社会结构日益多元化，共青团在青年群体利益诉求的表达和维护方面发挥着日益重要的作用。1982 年团的“十一大”指出：“团的组织还要按照宪法的规定，保障青年的合法权益。对于压制青年的正当权利、损害青年的身心健康、扼杀青年的创造精神和对青年进行打击报复等现象，团组织要旗帜鲜明地加以反对。对于干涉青年的婚姻自由，歧视、虐待和摧残女青年等行为，团组织要敢于伸张正义，进行斗争。

① 邓小平文选：第 1 卷［M］. 北京：人民出版社，1994：284.

② 郝本廉，李志勇. 共青团 80 年发展的历史必然性［J］. 山西青年管理干部学院学报，2002 (2)：6 − 9.

要反对封建主义余毒对青年的束缚。同时，也要教育青年正确使用宪法规定的民主权利，采用正当手段反对社会上的不良现象。”[①]

1988 年 5 月，团的“十二大”召开以后，共青团进一步明确了其三大职能：一是党的助手和后备军；二是充当中国共产党联系广大青年的桥梁和纽带；三是反映和维护广大青年的利益诉求。1989 年 12 月，中央下发的《关于加强和改善党对工会、共青团、妇联工作领导的通知》明确指出，共青团既要担负起维护全国各族人民的利益，又要引领和带领好青年合理地表达自身利益诉求。1991 年至 1999 年期间，国家先后审议并通过《中华人民共和国未成年人保护法》和《预防未成年人犯罪法》。这两部法律明确了未成人权益保护的基本内容和相关法律责任。此外，不少省、区、市也制定并通过了相应的地方性青少年保护法规。全国人大内务司法委员会也设立了青少年事务专门小组。团中央创立了中国青少年发展基金会等“希望工程”,救助我国贫困地区失学青少年。维护青少年权益的机构与“希望工程”纷纷建立，不仅使得青少年工作逐步纳入法制化的轨道，而且更好地维护了青少年的各项权益[②]。

这一时期的中国共产主义青年团是中国共产党的助手和后备军，是以公益服务为主的社会型团体。中国共青团贯彻党的基本路线，改革和活跃团的工作，联系党与广大青年，代表和维护广大青年的利益。

3. 新世纪中国共青团的创新与完善（2000 年至今）

进入新世纪新阶段，世情、国情、党情正在发生深刻变化，这些新特点、新情况也深深地影响着发展中的中国共青团组织。2003 年，共青团“十五大”召开，会议明确指出，团的工作和建设面临着一些困难和问题，主要表现在组织动员能力的提升与资源整合的方式创新上。在改革开放和现代

---

① 中国共产主义青年团第十一次全国代表大会文件汇编［M］. 北京：中国青年出版社，1983 : 31.

② 倪瑾. 共青团的功能定位：组织动员和资源整合［D］. 上海：华东师范大学，2014 : 53.

化建设的新形势下，各级团组织普遍面临着动员能力不足与资源短缺问题。单纯依靠传统党政所赋予的有限的团内资源，已无法满足和适应共青团工作社会化运行的需要。团组织必须在借助传统力量的基础上，把视野由团内转向更为广阔的社会领域。为此，在全面建成小康社会和构建社会主义和谐社会的进程中，在中国共产党的领导下，为更好发挥广大青年的作用，团中央积极应对形势，在组织动员、资源整合的方式方法、渠道载体、平台建设、运作模式等方面都进行了大胆创新，并取得了瞩目的成绩[①]。

在组织动员上，更多地依托于网络、短信等新兴媒体的力量。当前，计算机和互联网技术在我国得到了普及，中国互联网络信息中心发布的《第29次中国互联网络发展状况统计报告》显示：截至2011年12月底，中国网民规模突破5亿，达到5.13亿。这种新媒体以其数字化的传播形态、交互性的传播方式、即时性的传播速度、个性化的传播资源使得网络成为最有效的传播和动员手段。2012年2月，共青团中央下发了《关于在全团广泛运用微博开展工作的实施意见》，努力把微博打造成共青团联系、服务、引导青少年的新途径、新载体[②]。

共青团组织所依赖的资源主要分为三类：第一类是党政资源；第二类是团内资源；第三类是社会资源。就三种资源的使用而言，党政资源和团内资源都是有限的，要想建立共青团青年工作的长效机制，就必须大力整合社会资源，合理运用社会资源来推动共青团的青年工作。2001年9月，为推动社会主义精神文明创建活动，共青团在全国组织开展了青年志愿者活动，号召广大青年要积极发挥自己的聪明才智，参与到各项服务于国家、社会和民众的志愿活动中来。广大团员青年参与的热情高涨，参与项目的领域多、范围广、规模大，青年志愿者被新闻媒体赞誉为“新时代的雷锋”。2008年下半年爆发的世界金融危机，给青年就业带来了巨大的

---

① 倪瑾.共青团的功能定位：组织动员和资源整合[D].上海：华东师范大学，2014：54.
② 同①.

困难。面对这一情况，共青团积极发挥其服务青年的职能，努力为青年就业和创业提供帮助。近年来，各级团组织建立起了一大批'青年就业创业见习基地'，这些基地在帮助青年就业和创业中发挥了重要作用，受到青年的肯定和赞许[①]。

2012 年 11 月，党的"十八大"在北京召开，这标志着中国特色社会主义进入了新时代。以习近平同志为核心的党中央从重视青年就是重视未来的战略高度，关心、关怀和关注青少年的发展和共青团工作。为落实党中央的要求，共青团把帮助广大青年确立崇高理想、坚定使命信念作为首要任务，坚持不懈地用习近平新时代中国特色社会主义思想构筑青年一代的强大精神支柱，努力培养社会主义建设者和接班人。

2015 年 7 月，第一次由党中央召开了党的群团工作会议。以习近平同志为核心的党中央把群团改革作为全面深化改革、推进国家治理体系和治理能力现代化的重要组成部分，精心部署、统筹推进。同年底，经中央深改组审议批准，共青团上海市委、共青团重庆市委率先着手群团改革试点。2016 年 8 月，中共中央办公厅印发《共青团中央改革方案》（以下简称《方案》），明确了共青团中央改革的指导思想、基本原则和主要目标。《方案》从四大方面、十二个领域提出了改革措施，并迅速在各级团组织中推进落实，团的改革取得了重要的阶段性成果。

2018 年 6 月 26 日，团的"十八大"召开，大会以"高举习近平新时代中国特色社会主义思想伟大旗帜，全面贯彻党的十九大精神，不忘跟党初心，牢记青春使命，奋发务实进取，勇于自我革命，团结带领广大团员青年为决胜全面建成小康社会、全面建设社会主义现代化国家、实现中华民族伟大复兴的中国梦努力奋斗"为主题。2018 年 7 月 2 日，中共中央总书记、国家主席、中央军委主席习近平在中南海同共青团十八届中央领导

① 倪瑾. 共青团的功能定位：组织动员和资源整合［D］. 上海：华东师范大学，2014：55.

班子成员集体谈话并发表重要讲话，习近平指出，共青团是党的助手和后备军，这体现了我们党对共青团的高度信任和殷切期望。团的所有工作，归结到一点，就是要当好这个助手和后备军。关键是要抓住三个根本性问题，必须把培养社会主义建设者和接班人作为根本任务，把巩固和扩大党执政的青年基础作为政治责任，把围绕中心、服务大局作为工作主线。要加强对青年的政治引领，党旗所指就是团旗所向。习近平总书记的重要讲话为共青团工作和共青团改革指明了方向、目标和任务。

团“十八大”闭幕之际，共青团中央印发了《关于提高政治站位改进工作作风的六条规定》，提出了坚决反对官本位思想、坚决反对宗派主义、坚决反对脱离青年、坚决反对飘浮作风、坚决反对以公谋私、坚决反对庸懒散漫等六条“坚决反对”，要求全体团干部要一起经常对照、模范遵守，有则改之、无则加勉，从严要求、防微杜渐。这是团十八届中央书记处第一次会议研究通过、团“十八大”后以团中央名义印发的第一份文件，在共青团内有极强的现实针对性，规定中的内容有些指向之前出现过的老问题，有些指向当下正在产生的新问题，对于深化共青团改革，从思想、行动、环境上根治共青团干部思想和工作作风方面的问题，净化团内政治生态具有重要的指导意义，是共青团改革的重要基石①。

2021 年 10 月 18 日，共青团中央召开深化改革动员部署会，深入学习、领会习近平总书记关于群团改革和共青团改革的一系列重要论述，传达学习党中央书记处关于深化共青团改革的重要要求，总结党的群团工作会议以来共青团改革取得的阶段性成效，分析当前共青团改革迫切需要破解的深层机制问题，部署团中央深化改革有关事项。2022 年 1 月，共青团中央召开十八届六中全会，会议指出，全团要以迎接和学习宣传贯彻党的“二十大”为主线，深入领会“两个确立”的决定性意义，坚决做

① 李玉琦. 共青团在历史发展中的探索和变革［J］. 中国青年社会科学，2019 (1) : 73.

到“两个维护”，时时处处事事同以习近平同志为核心的党中央保持高度一致，履行引领凝聚青年、组织动员青年、联系服务青年的基本职责，全面深化改革，全面从严治团，团结引领广大团员青年永远跟党走、奋进新征程。

2022 年 5 月，庆祝中国共产主义青年团成立 100 周年大会在北京人民大会堂举行。中共中央总书记、国家主席、中央军委主席习近平在会上发表重要讲话。习近平指出，共青团要牢牢把握培养社会主义建设者和接班人的根本任务，坚持为党育人、自觉担当尽责、心系广大青年、勇于自我革命，团结带领广大团员青年成长为有理想、敢担当、能吃苦、肯奋斗的新时代好青年，用青春的能动力和创造力激荡起民族复兴的澎湃春潮，用青春的智慧和汗水打拼出一个更加美好的中国。

进入新时代，在以习近平同志为核心的党中央的亲切关怀和正确领导下，中国共青团将团结和带领中国青年们奋楫争先，以保持和增强政治性、先进性、群众性为根本方向，坚持刀刃向内，突出问题导向，勇于自我革命，锐意进取，在党的事业和民族复兴征程中，书写青年一代的青春荣光[①]。

二、当前班级德育组织的主要形式

小学阶段的班级都建有少先队组织，初中阶段的一、二年级班级也都建有少先队组织，初中三年级的班级设有共青团组织。这都是党领导下的青少年的群众组织，也是引导青少年学习共产主义，培养共产主义接班人的基层组织。学校通过严格的组织建设、制度建设、思想建设，开展各种有意义特色的活动，对学生进行政治思想教育、理想信念教育，促进青少年在德、智、体、美、劳等方面全面发展。

---

① 李玉琦. 共青团在历史发展中的探索和变革[J]. 中国青年社会科学，2019 (1) : 65 − 73.

（一）以少先队组织建设引领儿童成长

中国少年先锋队是党创立和领导的中国少年儿童的群团组织，是少年儿童学习中国特色社会主义和共产主义的学校，是建设社会主义和共产主义的预备队。在党的坚强领导下，中国少年先锋队聚焦培养共产主义接班人，聚焦传承红色基因，团结、教育、引领少年儿童听党话、跟党走，强化对少年儿童的政治启蒙和价值观塑造，引导少年儿童时刻准备着为共产主义事业而奋斗，确保党和人民事业薪火相传、后继有人。

少先队组织建设的原则有：一、坚持党的领导。高举队旗跟党走，把党的要求不折不扣贯彻落实到少先队的工作和建设之中；二、坚持培育共产主义接班人的根本任务，以培养少年儿童树立共产主义远大理想和中国特色社会主义共同理想为目标，持续加强政治启蒙，从小培养儿童对党和社会主义祖国的朴素情感，确保红色基因代代相传；三、坚持把增强少先队员光荣感作为工作主线。在全童入队基础上充分体现少先队组织的先进性，引导少先队员从小学先锋、长大做先锋。坚持组织教育、自主教育、实践教育相统一；四、突出少先队的组织属性，强化少先队员的小主人意识和参与能力，坚持把实践育人作为少先队教育的基本形式，促进少先队员在集体中健康成长，使少先队教育与学校教育、家庭教育、社会教育相互配合、相得益彰；五、坚持与时俱进、改革创新。尊重少先队员主体地位，遵循新时代少年儿童成长规律，用少年儿童易于理解的语言做好思想引领工作。改革创新少先队组织建设、队伍建设、阵地建设、机制建设，着力打造政治鲜明、思想先进、团结友爱、活泼向上的新时代少先队组织[①]。

班级少先队组织的基础建设包括常规建设和队伍建设。常规建设包括

---

① 中共中央关于全面加强新时代少先队工作的意见［J］. 中华人民共和国教育部公报，2021 (3) : 2 − 7.

主题队会、雏鹰奖章考评、为班级服务等；队伍建设包括切实落实少先队小干部的民主选举和任期制度，以岗选人、以岗定人，切实落实少先队小干部的分工负责制，明确分工，各负其责，相互协作。具体而言，坚持例会制度。队干部每人一本少先队工作手册，记载内容包括就职宣言、分工职责、会议记录和工作记录等。在具体工作中，让队干部具有主动性。从查红领巾到查午休，从升降国旗到查小岗位，从分发队报到参与红领巾广播站活动，队干部能主动带领中队完成各项少先队工作，真正成为班级的小主人。

（二）以共青团组织建设锤炼青年思想

中学阶段是一个人世界观、人生观、价值观形成的关键时期。共青团组织是广大中学生在实践中学习中国特色社会主义和共产主义的学校，承担着学校育人的重要职能。建设共青团组织，有针对性地开展好面向学生的思想引领和成长服务工作，帮助他们形成理想信念，养成良好品德，提升综合素质，不仅直接关系到广大中学生的健康成长，更关系到中国特色社会主义事业后继有人、兴旺发达。

学校共青团作为学校党组织领导下的先进青年的群团组织，是学校青年根本利益的代表者和维护者，是青年在实践中学习中国特色社会主义和共产主义的学校，是培养各类人才的一支重要力量，是学校党组织的忠实助手和可靠后备军，是学校党组织联系青年学生的纽带和桥梁。

共青团组织建设在学校思想政治教育工作中发挥着重要作用。共青团的性质决定了思想政治工作是共青团组织的首要职责。共青团既不是一个经济组织，也不是一个文化组织或行政组织，而是党用来培养、教育青年一代的群众组织，是青年在实践中学习中国特色社会主义和共产主义的学校。加强青年的思想政治工作，把青年培养成为有理想、有道德、有文化、有纪律的一代新人，是共青团工作的出发点和归宿。学校共青团组织无论开展什么活动，都应该将思想教育放在首位。

学校共青团教育主要有以下特征：一、以理想信念教育为重点。引导学生树立为国家富强、民族复兴而奋发成才的远大理想，使学生初步了解中国特色社会主义理论体系，逐步确立跟党走中国特色社会主义道路的信念；二、以思想品德教育为基础。引导学生践行社会主义荣辱观，锤炼意志品格，增强法治意识，明确社会责任，树立积极健康向上的生活态度；三、以提高综合素质为导向。帮助学生掌握表达、交流、组织、协调、合作等社会化技能，提高学生的学习能力、实践能力、创新能力和社会观察能力，促进学生全面发展。

在学校教育改革实践中，共青团组织通过开展丰富多彩的课外活动，使广大青年学生在良好的文化氛围中接受潜移默化的感染和教育。共青团组织精心设计并开办深受学生喜爱的艺术节、文化节、科技节和社会实践等活动，帮助青年学生全面提高综合素质，切实增强共青团组织的吸引力和感染力。共青团组织一方面通过开展大量的课外科学文化艺术活动，帮助青年学生全面提高综合素质，培养创新精神。另一方面，共青团组织从学校实际出发，普遍开展社会实践活动，加强与社会的联系，加深了学生对社会的了解，促进了理论知识在实践中的应用，检验了学生的学习效果，促使青年学生投身实践，锻炼成才。

以理想信念教育为例。学校共青团组织广泛开展“我与祖国共奋进”主题教育活动，帮助学生了解社会主义初级阶段的基本国情，引导学生树立正确的世界观、人生观、价值观和马克思主义劳动观。根据不同年龄段学生的认知规律和思想实际，生动活泼地组织开展“学党史、知党情、跟党走”主题教育活动，帮助学生了解中国共产党和党开辟的中国特色社会主义道路，引导学生始终坚持爱国主义、社会主义和党的领导的有机统一。

当代中学生是在经济全球化深入发展和我国改革开放事业不断深化的新形势下成长的一代，是在独生子女或少子女家庭中成长的一代，是在互联网普及的信息社会中成长的一代。国际国内新形势和中学生新特点对共青团建设提出了更高要求。有的地方和学校对团的工作认识不足，重视不够，团的组织不健全、团干部配备不到位；有的学校团员发展程序尚需规范、团员意识教育有待加强；有的学校团的工作不够活跃，在工作内容和工作方法上亟须创新。适应新形势、应对新情况，加强共青团建设显得尤为重要和紧迫。当前和今后一个时期，共青团建设应全面贯彻党的教育方针，遵循中学教育教学规律和学生成长成才规律，围绕以人为本、全面实施素质教育的主题，以社会主义核心价值观教育为重点，面向全体学生，系统构建团队一体化分层教育体系，坚持实践育人、文化育人、服务育人，注重工作的普遍性、时代性、针对性，在组织青年、引导青年、服务青年和维护青少年合法权益方面大胆创新，为培养中国特色社会主义事业的合格建设者和可靠接班人作贡献。

三、班级德育组织的未来走向

当前中小学班级德育中存在着育人主体单薄、德育主体之间的统筹协调机制和德育资源的有效整合机制缺乏等问题。具体而言，一是过度依赖学校德育工作，家庭德育和社会德育未能有效整合；二是学校德育过程中，仅依靠班级中的班主任来完成班级德育工作，班主任缺乏有效的支持体系。德育实施的主体除了学校的教育工作者，还应该包括家庭和社会。目前中小学各个学段的学校德育、家庭德育和社会德育处于分散割裂的状态，缺乏整体的规划与设计，全员协同育人的效果大打折扣。班级中德育实践主要也以学校德育部门的行政安排为主要推手，学校德育甚至变成了唯一的渠道。中小学德育工作缺乏家庭德育和社会德育的共同协作，未能发挥家长、社区工作人员的作用。为了不断提高班级德育的实效性，未来班级德育有以下发展走向。

（一）加强党团组织和少先队在班级德育中的引领作用

为加强党对教育工作的全面领导，全面贯彻新时代党的组织路线和党的教育方针，2022 年中共中央办公厅印发《关于建立中小学校党组织领导的校长负责制的意见（试行）》，中小学校教育体制由过去的校长负责制转变为党组织领导下的校长负责制，切实发挥中小学校党组织的领导作用。文件强调，中小学校党组织领导共青团、少先队等群团组织，强化党建带团建、队建，加强学生会和学生社团管理，切实发挥基层战斗堡垒的作用。

学校中党团和少先队组织是学校德育工作队伍的重要组成部分，也是班级德育中不可忽视的途径。依据《关于进一步加强少先队工作的意见》（2000 年）、《关于进一步加强少先队工作的意见》（2005 年）、《少先队辅导员管理办法（试行）》（2007 年）等文件的相关要求，要求进一步加强党团和少先队组织建设、规范群团组织的管理。2021 年 2 月颁发的《中共中央关于全面加强新时代少先队工作的意见》，是新中国历史上第一个以党中央名义下发的专门加强少先队工作的文件，是新时代少先队工作的行动纲领。该文件在工作原则部分明确指出："少先队组织要坚持组织教育、自主教育、实践教育相统一。突出少先队的组织属性，强化少先队员的小主人意识和参与能力。"

班级中的团组织和少先队组织是由中国共产党领导的少年儿童群团组织，对学生发挥着政治启蒙、价值观塑造和科学育人的重要作用。团队组织的教育与学校教育相比，在教育目标、重点、方法和途径上存在区别。少先队组织教育是在辅导员指导下以开展队活动为主要方法，以理想教育为核心的自主教育活动，注重学生的实践[①]。学校要落实立德树人的根本任务，发挥党团组织和少先队的自我教育作用，将中小学的党团组织和少先队进行整合，形成一个有机的整体，发挥合力，切实有效地加强班级德育工作。

---

① 张先翱．论少先队组织教育的四个特征［J］．中国德育，2019 (13) : 34.

【工作案例】

四川省密切团教合作，助力班级德育，培育时代新人[①]

四川省在推进共青团和少先队工作时，充分发挥共青团、少先队组织独特的育人作用，突出少先队工作对少年儿童政治启蒙和价值观的塑造功能，加强共青团和少先队的联系。

首先，在班级中通过沉浸式、仪式感教育活动，引导少先队员感知祖国变化、增强制度自信。适应少先队员身心特点和认知规律，以少先队员听得进、学得懂、记得住的方式讲好“儿童化”政治，打造“红领巾云课堂”品牌，以寓教于乐、寓学于乐的方式持续提升活动的吸引力、感染力、影响力。

其次，突出典型，坚持用英雄人物、先进人物教育少年儿童，联合教育行政部门探索构建以“优秀共青团员”“优秀少先队员”“红领巾星级章”为统揽的中小学生表彰激励体系，把奖章和优秀评选作为少先队员的动力源，激励孩子从小学先锋、长大做先锋。班级中着眼构建党团队一体化全链条，把向团组织推荐优秀少先队员作为少先队的重要职责，开展初中少先队推优入团试点，通过采用积分制等形式，引导少先队员学习先进、争当先进。

再次，建立少先队实践教育基地，在班级中组织开展红领巾讲解员、小小护书员等活动，从身边的“小道理”感悟国家治理的“大道理”。探索在“志愿四川”网络平台设置“少年儿童志愿服务专区”等形式，引导班级中的少先队员在家长或教师监护下开展志愿服务。此外，把品牌活动打造作为重要载体。连续三年启动“新时代 · 蜀少年”“学法之星”“青春快线”“喜看家乡新变化，我是小小记录员”等主题活动，规范制定少先队活动菜单。

---

① 董筱婷．把握规律不断创新，构建德育工作新格局：全国中小学德育工作会议经验交流综述［J］．人民教育，2020 (24)：7 − 9.

可以看出四川省在推进团教合作过程中，通过将少先队工作纳入到学校党建工作规划中来，打通少先队组织与共青团组织的联系，以活动的形式调动学生的积极性，充分发挥少先队组织和共青团组织在班级德育中的作用，创新开展中小学生团、队主题教育活动，培养社会主义优秀的接班人。

（二）构建全方位的班级德育共同体

根据实施主体的不同，德育的渠道为学校德育、家庭德育和社会德育，其中学校德育是主要渠道。德育是一项系统工程，不仅需要依托于学校，更要依托于家庭和社会的协同配合与支持。家庭德育基于血缘伦理的权威性和父母言传身教的示范性为学生成长奠定品德基础，是学校德育不可或缺的帮手；社会德育主要是以学生所在的社区环境转化为有利于学校道德教育落实的社会氛围和场所，对学生产生潜移默化的影响。

在班级德育的实施路径方面，欧美国家会采用全校性德育模式，通过全员参与、全领域开展、全过程涉及的思路来培养学生的道德发展。在课堂教学中会对德育项目进行单独考核，重视学生的德育养成①。美国的中学德育更突出社会德育的作用，通过社会服务来创设德育情境，比如社区的服务活动和志愿者活动等。为了改善我国班级德育中碎片化、分割化的弊端，当前中小学德育工作提出一体化的呼吁。德育一体化建设应以立德树人为根本统领，以一体化的课程标准与多样性的课程体系为核心内容，以开放性、多样化的德育协同机制为主要途径，以良好的德育评价体系为激励和保障，全面提升德育工作的效果和质量②。因此建立班级德育共同体，应当整合家庭、社区、学校三方面的优质资源，搭建良好的合作平台、完

---

① 王怀军，张建红，谭刚. 基于国外经验的中学德育创新探析［J］. 中学政治教学参考，2019 (21) : 70.

② 叶飞，檀传宝. 德育一体化建设的理念基础与实践路径［J］. 教育研究，2020 (7) : 50 – 61.

善的合作机制，使参与和做好德育工作成为全体教师的自觉行动，从而形成多方参与、齐心协力、责任明确、分工协作的育人工作格局。

【工作案例】

2020 年浙江省建立了“互联网 +”家校协同育人模式，建成“浙江家长学校”课程数字资源库。该数字资源库从学前教育阶段覆盖到高中教育阶段，打造了全国首个省级层面发布的家长学校全媒体平台。借力“爱阅读”工程等载体，拓展网站、公众号等服务平台，加快网络家长学校建设，开发各类数字化家庭教育服务产品，积极组织开展线上和线下互动的家庭教育公益文化活动，为家长提供便捷的、个性化的服务活动，进一步打造书香家庭，培育良好家风。通过“学习共同体”这一桥梁，使学校和家庭成为同呼吸、共命运的共同体，最后形成家校“同频共振”的育人新样态。该家校协同育人模式体现了公益性、针对性、专业性等特点，获得家长和学校的一致好评①。

浙江省充分利用互联网技术的优势，将家庭德育资源整合到育人体系中来。在家校共育领域引入各种数字媒介，一方面有效整合了各类德育资源，另一方面也顺应了当前信息技术普及化的趋势。通过依托移动学习平台，整合区域社会资源，引导家长通过智能媒体完成线上课程的学习和积分并给达到一定积分的家长予以认证，颁发不同等级的“家长执照”，切实将学校德育与家庭德育有效结合起来。

教育部基础教育质量监测中心发布的《2020 国家义务教育质量监测——德育状况监测结果报告》指出：“学生安全保障责任大、与社会资源缺乏有效合作机制、社会资源不足是学校使用校外资源开展德育实践活动遇到的主要困难”。因此，班级德育在利用校外德育资源时要注意挖掘其德育性，校园文化创建与社会环境净化相结合，以实现共同育人。为切

① 浙江省教育技术中心资源建设一部．浙江建成首批 920 所中小学数字家长学校努力实现对学校家庭教育指导工作的三个变革．

实解决校外社会德育资源缺乏和参与不足的情况，文化和旅游部、教育部、国家文物局三部门于 2022 年 2 月联合颁发了《关于利用文化和旅游资源、文物资源提升青少年精神素养的通知》，提出“创新利用阵地服务资源，推动优质服务进校园，推进‘文教合作’机制”等要求，为班级德育引入社会资源提供强大的支持。通过建立公共文化设施，利用剧场、红色旅游景区等青少年教育实践基地，鼓励图书馆、美术馆、博物馆等公共文化机构为中小学社会实践活动提供场所、师资和设备等；通过开展中国优秀传统文化进校园、红色旅游资源进校园等活动，支持学校课后服务；通过积极搭建“文教合作”平台，建立教育系统与文化旅游系统、文物系统协同提升青少年精神素养工作的长效机制。

（三）建立全时段的班级德育体系

德育是一项长期的系统工程，持续贯穿人的一生，从幼儿园到大学，班级德育都会对学生产生持续的影响。因此班级德育需要面向未来，坚持用发展的眼光来推进德育工作，着眼于培养学生在未来生活中所需要的品德素质和能力。《国家中长期教育改革和发展规划纲要（2010—2020 年）》指出：“构建大中小学有效衔接的德育体系”，就是为了解决各学段之间德育割裂的矛盾。这种矛盾具体表现为各学段德育目标错位、内容交叉重复、要求不一致甚至相反、层次性不足等[①]。没有任何一个学段可以完整培养学生一生所需要的所有品德素养和道德能力，只有通过大中小各学段密切配合、有效衔接、逐级协同才能完成德育的任务。

因此班主任及学校其他德育工作者在开展德育工作时，要依托好班级德育的重要组织少先队和共青团，充分认识到德育的阶段性和持续性。一方面需要整体梳理各学段的德育目标，既要承接前一学段的德育内容，又

---

① 吴珍婷．班级德育生态问题及对策研究［D］．杭州：杭州师范大学，2020：55.

要为下一学段的内容作好铺垫，将前后学段的德育目标进行融会贯通、有机衔接。另一方面在选择德育内容时要根据学生成长发展规律进行精心选择，由浅入深、由简到繁、循序渐进、螺旋上升。基于以上两点，才能逐步建立全时段、层次递进、整体推进的班级德育系统。

在构建班级德育系统的过程中，需要特别注意协调德育工作各主体之间的关系。从教学与德育的关系来看，德育应该是学校中全体教育工作者的共同任务，而非德育课程教师的专属任务，所有教师都要参与到“全员育人”的过程中来。学校德育工作中，班主任、辅导员、党团组织、少先队组织是专门的德育工作队伍，是学校德育工作的骨干力量，发挥专职德育工作队伍的主导作用。组织管理方面，目前中小学仅依靠少先队和党团组织来推进班级德育，班级中的党团组织、少先队服从于统一领导，缺少自主性和创新性，一味地简单执行命令和任务，难以发挥学生的主体性。

班级育人体系是学校德育体系的重要子系统，班级作为学校行政管理的基层组织，是学校德育工作开展的依托平台，班级要完成学校的一切教学、活动、管理等工作。班主任则是班级德育工作中的骨干力量，担负着落实立德树人根本任务的重要使命。如果仅依靠班主任来完成立德树人的任务，将班主任视作班级德育的“第一责任人”甚至是“唯一责任人”，这是极不合理也是无法实现的，班主任会面临着角色转换的问题、工作状况和教育环境的问题[①]。这不仅会增加班主任的工作量，影响班级德育工作效果，而且极易将班级德育工作简单等同于班级管理，班主任独自一人承担班级管理工作、学生教育工作和各种事务性工作，导致班主任孤军奋战，极易使班主任陷入孤立无援的境地，出现“合而不作”的局面。为了实现教书育人、管理育人和服务育人的全方位育人格局，除了加强专职德育工

① 乔建中．班主任德育理论与操作［M］．南京：南京师范大学出版社，2007：6－13.

作队伍的整体素质，还要加强德育课教师队伍建设[①]。另外，还要提升每位科任教师的思想素质和师德水准，进一步增强中小学教师的德育意识，提升能力[②]。为此，需要整合调动校长、班主任、思想品德课和政治课教师、科任教师、共青团专职干部、少先队辅导员等学校各级各类教育工作者参与德育工作的积极性。

第二节　班级德育活动研究

班级活动是班级德育的主要渠道，建国初期的班级活动注重配合各种社会的政治运动，为政治斗争服务，组织学生参加生产劳动，大力强化学生的阶级斗争意识，促进思想的革命化；改革开放时期的班级活动突出基础教育，注重培养学生的道德素质并辅以心理辅导，同时重视学校、家庭和社区三结合；新课程改革以来的班级活动主要回应全面实施素质教育的主张，在实践活动中培养学生的劳动观念和创新精神，促进学生全面发展。

一、班级德育活动的历史回溯

道德教育的最终目的不仅是让学生掌握有关的道德规范、原则和价值观，而且要让学生养成相应的行为习惯。因此仅有认识性的学科课程是不够的，道德教育必须强调和重视在实践中通过活动和交往来获得相应的价值观念，并养成相关的行为习惯。社会实践和道德活动是个体思想品德形成的

---

① 冯建军．四十年德育改革的中国道路与中国经验［J］．东北师大学报（哲学社会科学版），2018 (6)：123.

② 章乐．论新时代中小学教师的德育意识和能力培养［J］．中国教育学刊，2020 (6)：17.

基础，道德活动是促进外界德育影响转化为学生自身思想品德的基础。

活动课程又称“经验课程”“儿童中心课程”。活动性德育课程作为学校道德教育课程的一部分，人们在关注其德育作用的同时，并未给其严格的定义，只有少数学者在对其探讨时曾经进行过界定。例如“以学生的兴趣、需要和能力为基础，利用校内外的教育资源，通过学校组织和学生自己组织的一系列活动，旨在增进学生的道德认知和实践能力，改善其道德生活而实施的德育课程。”①

（一）新中国成立初期的班级德育活动（1949—1978年）

1949—1956年，这一时期的学校德育工作围绕着当时社会政治经济的要求而展开，在德育活动主要内容方面表现为注重配合各种社会的政治运动，为政治斗争服务，如引导师生参与土改、镇压反革命、抗美援朝及“三反”“五反”等运动，使师生在这些运动中强化阶级斗争观念，站稳无产阶级立场，培养爱国爱民的思想情感。德育的发展由于受到当时社会政治形势的影响，留下不可避免的缺陷，比如用群众性的政治运动代替正常的学校德育工作②。同时，这一时期还十分重视榜样教育，当时书报刊物和电影广播配合学校，全方位地宣传英雄人物的先进事迹，各地涌现出不少以英雄名字命名的班级和中队。当时，社会风气良好，再加上通过实施《小学生守则》，小学生有了日常生活的行为准则，受到了共产主义道德教育，发扬了集体主义精神，学习目的更明确，纪律普遍良好，成绩有所提高，并且养成了优良的习惯和品质。热爱祖国、尊敬老师、同学互助、爱护公物、拾金不昧等优秀事迹蔚然成风③。

---

① 袁元，郑航. 德育原理［M］. 广州：广东教育出版社，1998：190.

② 孙少平. 建国以来我国中小学德育的历史回顾及其启示［J］. 河北师范大学学报（教育科学版），1999(4)：91－95.

③ 吴慧珠. 新中国小学德育课程的演变［J］. 课程·教材·教法，2006(2)：53－61.

1956 年至 1966 年是社会主义建设时期。这一时期，中国的政治、经济发生了巨大的变化，以阶级斗争为纲的指导思想逐步形成，班级德育注重突出政治性。教育与生产劳动相结合问题，学术批判问题，个人学习、工作乃至生活方式问题，都被上升到政治的高度，德育逐渐背离自身的本质，而融入社会政治斗争中。

这一时期的德育强调理论紧密联系实际，教育与火热的社会生活结合，向工农学习，注重培养学生的社会责任感、自我牺牲精神、团结互助的品德、艰苦朴素的作风。这个时期的学校德育根据社会现实斗争需要进行了相关工作，关于德育活动的内容主要有三个方面：第一，把政治教育和阶级斗争教育作为德育的重要内容，大力强化学生的阶级斗争意识，如利用四史（村史、社史、厂史、家史）进行教育，请三老（老贫农、老工人、老红军）作忆苦思甜报告等。第二，经常组织学生参加生产劳动，以促进思想的革命化。毛泽东于 1958 年提出“教育必须为无产阶级政治服务，必须同生产劳动相结合”的教育方针，对中国的教育产生了重大的影响。当时普遍认为，参加的劳动越多，而且参加的体力劳动越笨重，思想就越革命，学生不仅在学校设立的工厂、农场中进行劳动，还上山下乡，到工厂、矿山、农村以及建筑工地，与工农同吃同住同劳动。经常性的劳动对培养学生的劳动观点、热爱劳动的思想情感有帮助，但也造成教学质量下降。第三，广泛开展学习英雄的活动。这一时期，学校广泛、深入、持久地宣传一系列的英雄人物，如“大庆人”、“北大荒人”、焦裕禄、雷锋、王杰等人的高尚品质深入人心，董加耕、邢燕子、侯隽等知识青年上山下乡的革命行动，对青年一代坚定走与工农相结合的道路也产生很大的影响。在众多的榜样教育中，学习雷锋的活动规模最大，持续时间最长，产生的影响最深。

可以看出，这些人才为推动当时经济的发展起了很大的作用。但这阶段的学校德育由于受到突出阶级斗争思想的影响，出现政治泛化现象，一切都用政治原则来看待和处理，动辄上纲上线，尤其在方法形式上，采用群众运动的方式来解决思想问题，这使德育日益偏离正确的轨道[①]。

（二）改革开放时期的班级德育活动（1978—2000 年）

改革开放以来，我国在建设中国特色社会主义事业上取得了举世瞩目的成就的同时，在社会生活各个领域的问题与矛盾也层出不穷，其中，社会道德问题尤为突出，加强社会主义精神文明建设迫在眉睫，学校德育工作尤为关键。这一时期中小学德育工作中有关德育活动的内容主要表现为以下几方面。

第一，突出基础教育，注重培养学生的道德素质。新时期的德育，一反过去突出政治的做法，重视基础道德建设。20 世纪 80 年代开展声势浩大的“五讲”“四美”的文明礼貌教育活动，对青少年一代“讲文明，树立社会主义新风尚”产生了良好的影响，此后，文明礼貌教育、行为规范教育、校纪校规教育作为德育中富有成效的教育而被坚持下来。随着改革开放的深入，道德心理素质的培养也为学校德育所重视，诸如诚实、合作、竞争、开拓、顽强、责任感等良好心理品质培养在德育实践中展开。

第二，引进心理辅导，拓宽德育内容。社会的急剧变化，造成青少年因不适应而产生一系列的心理问题，促使德育改变过去“包打天下”的做法，而寻求新的出路，于是心理辅导应运而生。我国中小学心理辅导工作产生于 20 世纪 80 年代中期，90 年代后，开展心理辅导实验的学校不断增多（其中以上海、北京最为活跃），北京、上海成立了“中小学心理辅导协会”，还编写了一系列的教材。现在中小学德育工作中，不断引进心理辅导的主要内容，如养成正确的自我观、培养积极的情感、恰当地表现自我、协调人际关系、维护心理平衡等等。心理辅导被引进学校德育中，切实解决了学生的实际问题，增强了德育实效，受到越来越多学校的欢迎，并成为 21

① 孙少平 . 建国以来我国中小学德育的历史回顾及其启示［J］. 河北师范大学学报（教育科学版），1999 (4) : 92.

世纪学校德育的新趋势。

第三，重视学校、家庭和社区三结合。随着改革开放深入、社会影响的复杂多样、价值观的多元，人们认识到单纯依靠学校教育不能很好地完成培养青少年一代的任务，强调发挥家庭和社区的教育功能，创造良好的教育大环境。不少学校采取各种形式举办"家长学校"或"家庭教育讲座"等，为家长和社区提供学习机会。另外也要求家长和社区人员参与教育，同时经常组织学生参加社区的各种活动，利用社区优势进行各种有意义的课外活动，借此加强学校、家庭和社区的联系和合作。

（三）新课改以来的班级德育活动（2001 年至今）

2001 年，我国开启了新一轮基础教育改革，随着德育课程改革进入新的历史阶段，促进学生发展成为改革的根本目的，同时，这一阶段也是我国完善社会主义市场经济体制，改革攻坚，构建社会主义和谐社会和贯彻落实科学发展观的宏伟历史阶段。2002 年党的十六大以后，随着改革开放的深入，中小学素质教育进入国家推进、重点突破、全面开展的新阶段。胡锦涛总书记指出："全面实施素质教育，核心是要解决好培养什么人，怎样培养人的重大问题，这应该成为教育工作的主题"。同样，这也是中小学德育工作的主题。围绕这一主题，中小学开展形式多样、内容鲜活的教学实践活动，积极推进中小学依法治校，在校长分工中，设置法治校长。通过开展每年 9 月 "弘扬和培育民族精神月" 的活动，增强中小学生的爱国主义情感，在实践育人中，培养中小学生的劳动观念和创新精神。结合文明礼貌的宣传教育，中小学通过养成教育培养学生良好的文明习惯，遵守校纪、校规和法纪法规，以及社会公德和社会秩序，使学生成为遵纪守法的合格公民[①]。

---

① 邱伟光.改革开放以来中小学德育的历史沿革及其启示[J].思想理论教育，2008 (24)：9 - 13.

二、班级德育活动的现实样态

活动是当前班级德育的主要方式和手段，让学生有更多的机会去认识、参与、体验各种德育活动的过程，在活动中唤醒自己、反思自己，在活动中丰富、积累自己的道德素养，并在活动中感悟、领会和运用。学生亲身经历的活动多了，教师讲的道理在实际中就得到了具体的体现，学生自己的见解也得到了相互印证，获得了解决实际问题的方法，体验了成功的喜悦，从而将德育要求内化为自己的实际认识，转化为自己的实际行动。

在班主任指导下，有目的、有计划地为实现班级教育目标而举行的各种教育实践活动，是集体形成的基础、发展的催化剂。班级活动的目的是为了促进学生德、智、体、美、劳等方面的全面发展。适时开展有利于学生发展的班级活动，有利于促进学生个体的社会化和个性发展，有利于激发学生的积极性和主动性，提高学生的交际能力、表达能力、群体协作能力以及解决问题的能力。

（一）资源开发，丰富活动内容

为了更好地开展班级活动，班主任应树立教育资源的意识，调动一切可以调动的力量，主动向学生借力、向科任教师借力、向家长借力、向学校借力、向社会借力。对于班主任而言，可以利用的教育资源包括：学校教育资源、社会教育资源、家长教育资源。

学校是学生在学习期间最主要的生活空间。学生与同学和老师共同生活，会产生各种各样的关系，发生各种各样的事件。只要我们精心设计、留心观察、细心梳理、耐心辅导、真心交流，一定可以为学生创造属于他们的精彩活动。

教育的终极走向是学生的社会化，使学生更好地适应社会、融入社会。班级活动借助社会各方面的力量，让学生走进社会。通过邀请社会组织与个人共同组织班级活动，并借鉴他们的理念与方法，利用他们的资源和优势。校园附近的社区资源，周边的文化资源都是班级活动资源的重要来源。

家庭生活是每个学生个体生活的起点，同时将伴随学生个体生活的一生。利用家庭和家长资源开展班级活动，有利于培养良好的亲子关系。借助一些家长的专业知识，能够给班级活动提供重要而有力的支撑。

（二）优化设计，突显活动成效

班主任有目的、有计划地指导和开展形式多样、内容丰富的教育和实践活动，可以满足学生多方面的需要。通过多种活动氛围的创设，拓宽学生的视野，促进学生各方面的成长。比如在开展主题班会活动时，让学生联系本校、本班和自己的实际，展开讨论，并付诸行动。从学生的实际出发，如考虑到现代学生的交往需求，可以尝试开展班级交际活动，增强学生的人际交往能力，增进学生对班级文化的认同感。根据学生的年龄特点和心理特点，班级活动的内容和形式尽可能新颖，富有趣味。如开展轻松活跃的文体活动有利于愉悦心情、锻炼身体。在开展班级活动的过程中，活动环节要充分体现学生参与的广泛性和普遍性，能够让不同知识水平、不同能力的学生都有参与的机会，使每个学生都有机会表现和发挥自己的才能，在活动中既获得成功的体验又进一步发展特长。

1. 精心设计班级活动

班级活动拥有促进学生全面发展的多种方式，如富有教育意义的主题班会、社会调查、参观访问、社会服务及社会交往，都能增强学生的道德情感，加深其道德认识，促成其良好的道德行为。班级活动的设计主要遵循如下原则：

首先，集体教育与自我教育相结合。根据各年级学生的思想状况和身心特点设计活动。学生的精力充沛，兴趣广泛，活泼好动，他们的思想尚未定型，行动也未习惯化、自动化，可塑性很强，处于教育的最佳时期。由于学生的知识经验储备少，其思维正处于以具体形象思维为主逐步向抽象逻辑思维过渡的阶段，他们对生动形象、感性具体的东西容易接受，并能在思想上留下烙印。因此，通过组织开展一些丰富多彩的活动，把学校的教育要求变成学生自己实践的结果，使学生在积极参与班级活动的过程中实现集体教育和自我教育。这不仅有利于形成积极向上、凝聚力强的班级，而且有利于学生获得全面和谐的发展。

其次，与班级风气和学生思想实际相结合设计。班主任下大力气研究学生的思想实际，摸清学生的脉搏，抓住主要矛盾。主题班级活动的针对性越强，收效就大。

再次，与学科教学有机结合。班级活动为学生提供了更多学习知识的机会，不仅使学生的书本知识在实践中进一步巩固，还丰富了学识，发展了智力。有了更丰富的认识，学生拓宽了视野，活跃了思维，丰富了想象，提高了认知活动中的感受力、理解力和想象力。

最后，与重大节日相结合。如三八妇女节的“我让妈妈笑一笑”；五一劳动节的“我有一双勤巧的手”；清明节的“踏着先辈的足迹前进”；八一建军节的“敬礼，解放军叔叔”；十月一日国庆节的“祖国妈妈我爱您”等都是具有教育意义的活动。

2. 有效实施班级活动

选择贴近学生生活的主题。学生的思维具有形象性、具体性和实践性的特点，感性、具体、生动的日常生活事件往往被学生忽视，但其意义一旦被揭示，成为关注的中心，围绕其开展活动就能激发学生的兴趣。因此，活动主题的确定应贴近学生的生活。创设一个展示学生个性和才华的舞台，丰富学生的学习生活，让每个学生都能从中体验到成功的喜悦，使学生保持积极向上的良好心态。这些贴近学生生活的主题，为活动的有效开展奠定了良好的基础。

把活动的主动权交给学生。学生是一个个鲜活的生命个体，学生的生活经验、感受、兴趣、爱好、知识、能力等构成活动资源的有机成分，没有学生的积极、主动参与，就难以实现班级活动的育人功能。因此，开展班级活动必须把活动的主动权交给学生，以提高班级活动的实效。教师以一个参谋者的身份，与学生一起收集资源、确定主题、安排活动的内容与形式，尽量把活动的自主权交给学生，把握好有所为与有所不为的界限。在各项准备活动中，注意引导和鼓励每一个学生都积极参与，特别注意引导和鼓励那些特长不明显或有自卑感的学生，使每个学生都有所得，而不是让多数学生成为活动的观赏者。

班主任发挥主导作用。当学生不会排练活动时，教师亲自指导示范，可以提高学生活动的水平。班主任学会当导演，纵观全局，在出现异常情况时及时指导。诸如冷场，气氛不活跃的时候，要及时调控、启发、诱导。在班级活动实施过程中，班主任还要恰到好处地处理好静态预设与动态生成的关系，处理好情感体验与价值引领的关系，处理好遵循规范与开拓创新的关系，以充分发挥好班级活动育人的作用，促进学生成长①。

（三）评价拓展，提升活动品质

班级活动的开展对于青少年的社会化与个性化发展有其独特的意义和价值，好的班级活动结束后，会使学生的思想观念有所转变，心灵得到熏陶。不能为了活动而活动，使活动失去其教育意义而流于形式。

1. 多维度评价班级活动

一次好的班级活动，可以从以下四方面进行评价：

（1）适合青少年的身心发展特点。好的班级活动应体现学生特点，具有时代性、契合学生年龄特点又富有新意。假如班级活动设置特别频繁，形式不新颖，学生自然就提不起兴趣，也没有多大意愿参加到活动中来。

（2）引起学生心灵的共鸣，起到相应的教育效果。在活动中学生能否学有所得，能力能否得到锻炼，在过程中能否获得愉悦的情感体验，能否

---

① 齐学红．黄正平．班主任专业基本功［M］．南京：南京师范大学出版社，2013：306－309.

树立正确的价值观和培育高尚的审美情趣，是评价班级活动是否有效的重要标准。

（3）体现学生的主体地位。好的班级活动，教师会尽量避开一手操办，尽量多放手让学生去做。从活动形式的设计，活动的准备，到整个活动的过程，都要让大多数学生参加进来，让他们体验整个过程。只有这样，学生作为班级主人的角色才能得到真正体现，学生也会对本人设计的活动感兴趣，并且乐于参与。

（4）体现教师的主导地位。在班级活动中，班主任发挥着主导作用，就像建筑家的图纸、剧作家的头脑、画家的眼睛、音乐家的灵感。设计活动时，教师应站在儿童立场上，用学生的大脑去思索，用学生的情感去体验情感，把学生的困难当成本人的困难，了解学生的年龄特点、学习特点、学生的喜好等等，把教师的需要转化成学生发展的需要。以简洁有趣的活动代替单调无味的说教，设计出学生喜爱的活动。在班级活动中，班主任是一个提倡者，分析学生中存在的问题，找出处理问题的方法，提出倡议；在班级活动中，班主任是一个总导演，搭一个台让学生尽情地展示；在班级活动中，班主任是一个总结者，在总结时使学生能力得到提升。

2. *多层次拓展活动功能*

班级是在班级成员参加共同活动的过程中逐步形成的。通过一个又一个班级活动，使得班级奋斗目标得以实现。每当顺利地完成一个活动，就是向着班级发展目标跨近了一步。通过班级活动，班级的组织机构及其功能得以运作。在活动的组织实施过程中，通过加强分工协作，充分锻炼班干部的能力，调动全班成员的参与积极性，从而形成坚强的领导核心。通过班级活动，学生的工作责任感和集体主义精神得以被激发，学习正确处理人与人、个人与集体之间的关系，同时在班级内部逐渐形成正确的集体舆论和良好的班风。通过班级活动，全班学生充分交往，互相了解，建立友谊，增强班级的向心力和凝聚力。总之，通过开展班级活动，拓展活动功能，班集体可以更好地形成、发展和巩固。

三、班级德育活动的未来走向

丰富多彩、形式多样的德育活动不仅含有显性的道德知识，而且蕴含了隐性的情感冲突和内在道德情感的生成①。德育活动可以向学生传递道德知识，让学生在活动中增强道德体验，激发学生的道德情感，进而促使学生养成德性。2017 年颁发的《中小学德育工作指南》提出，德育内容的主题涵盖理想信念教育、社会主义核心价值观教育、中华优秀传统文化教育、生态文明教育和心理健康教育。多样的教育主题以活动为载体开展，包括各类节日活动、重大纪念日活动、仪式教育活动等形式。当前中小学班级各类德育活动主题众多、形式多样，泛化成一系列的实践活动，但呈现出碎片化倾向，活动与活动之间缺乏“螺旋上升”的衔接，忽视学生年龄特点与体验感。虽然组织开展的德育活动不可谓不丰富，但适应学生身心发展特点为学生所喜欢的活动却相对较少②。接下来，主要从班级德育的活动理念、活动内容、活动形式、活动评价四个方面来提出改进建议，力求促进德育活动的实施效益最大化。

（一）秉持正确的班级德育活动理念

习近平总书记指出，我们要在加强学生的品德修养上下功夫，教育引导学生培育和践行社会主义核心价值观，努力构建德、智、体、美、劳全面培养的教育体系，把立德树人融入教育的各环节。在该思想的引领下，我们要秉持“立德树人”的班级德育活动理念，创造性地开展丰富多彩的班级德育活动，使班级德育活动贴近中小学生思想实际，培养并提升学生

---

① 王洪杰. 我国中小学隐性德育确实的成因与对策分析[J]. 中国教育学刊, 2016 (9) : 93.

② 刘雪莲，范国睿. 新时代中小学德育改革发展的目标与策略：全国教育大会以来中小学德育改革的政策述评［J］. 教育科学研究，2020 (6) : 32.

的道德品性、道德行为习惯和能力，促进学生健康成长。

（二）选择适宜的班级德育活动内容

具体的班级德育实践活动是学生内化道德于心、外化于行的关键所在。适宜的活动内容既可以呈现德育目标的整体性，还可以体现德育目标的针对性。一方面，班级德育活动的内容要积极适应社会的变化发展。社会的发展与变迁，不断地为学校德育工作提出新的挑战，同时也提供了新的教育资源。在对学生开展公民教育、生态教育、国情教育等内容的活动时，要避免陷入简单化、刻板化的工作困境。结合德育工作的情境性、弥散性和体验性等特点，教育者在强调德育活动的规则性和规范性的同时，还应注重学生道德情感、道德意志的唤醒。

另一方面，班级德育活动的内容还要契合学生的身心发展特点。班级德育过程是师生之间双向互动的复杂过程，是教育者外在教化过程与内在建构过程的统一。学生是独立发展的个体存在，其道德认知、道德情感、道德意志和道德行为与学生的身心年龄发展特征密切相关。德育的外在教化需要转化为学生的内在体验。教师可以通过学生的道德知识、道德情感、道德意志和道德行为来衡量德育的有效性①。要突破德育活动过程中教师占据主导地位的局面，扭转“教师预设总结、学生倾听服从”的场景，为学生提供表达和探索的机会，重视学生作为德育主体的真实感受和情感体验，在班级德育活动中彰显学生的话语权和表达权。

（三）采用合适的班级德育活动形式

班级中的德育活动内容丰富、形式多样，具有内在的教育价值和引领价值。班级中的德育活动大多由学校层面制定和统一安排，主题众多。因

---

① 余婧．中小学隐性德育课程的缺失及重建［J］．教学与管理，2019 (15)：51.

此要重视活动内容和形式的整体规划，优化德育活动目标体系的顶层设计，总目标、年龄目标、具体活动目标之间需要有效衔接，前后连贯融通。德育活动的形式要加强对学生的环境熏陶,引发学生内心深处的共鸣，注重师生之间的对话、非言语暗示和关怀型的情感表达，将德育活动的教育价值通过不同的教育手段展示出来，体现出德育活动引人向善的价值取向。

（四）设计科学的班级德育活动评价体系

为了提高班级德育活动的有效性，还需要重视对德育活动的评价，发挥评价的导向、诊断和改进的作用。班级德育活动的评价一般是由教师和学生组成评价主体，对德育活动是否提高了学生的道德水平进行价值判断的过程。目前实践中存在着“缺乏班级德育评价理念及正确价值观的引领、评价活动无体系和程序、评价以结果导向为主、评价形式以他人评价为主”等误区，构建科学、适宜、规范的德育活动评价体系是推进未来班级德育活动向纵深发展的重要力量。

班级德育活动评价应遵循以下原则：一是树立正确的评价观。德育活动的评价最终指向学生道德的发展，因此采用过程性评价记录德育活动对学生的影响，呈现学生道德发展变化的过程。二是细化评价指标体系。德育活动的评价不仅包括活动的目标、内容、过程、方法、效果等内容维度，而且要对指标体系进行分层设计，针对不同学生层次制定可操作的标准体系和计量体系。三是坚持多元评价。多元评价一方面体现在评价主体的多元化，除了班主任作为常见的评价主体之外，科任教师、学生、学生家长、学校管理者等都可以作为评价的主体；多元评价还体现在评价方法的多元化。定性与定量的评价方式相结合，重点使用表现性评价、档案袋评价、谈话法等形式搜集评价信息，力求科学、公正、客观地呈现学生是如何通过班级德育活动的开展逐步提升道德水平的。

第三节　班级管理研究

班级管理是指教师带领全班学生，根据一定的目的和要求，采取相应的措施和手段，优化配置班级中的人、财、物、时间、空间、信息等各种教育资源，实现既定的教育目标的活动过程。目前我国学术界对班级管理的界定主要有以下两种：一种是把班级管理当作一种工作，凸显的是其工具价值；另一种是把班级管理当作一种教育活动，彰显为学生发展的目的性[①]。但是，无论是哪种价值取向，都凸显了班级管理的功能与价值。

一、班级管理制度的历史演变

（一）班主任负责制的引入与发展

民国时期我国班级管理实行的是“级任制”[②]，部分地区还存在“导师制”[③]。新中国成立后，我国开始参照苏联经验，建立“班主任制”，直至今日。

1952 年，《小学暂行规程（草案）》及《中学暂行规程（草案）》，确定了班主任的设置，规定：“小学各班采取教师责任制，各班设班主任一人，并酌设科任教师。”“中学每班设班主任一人，由校长就各班教员中选聘……负责联系本班各科教员，指导学生生活和学习。班主任任课时数，根据具体情况，较专任教师酌减。”从那时起，班主任的设置就开始在华夏大地上扎下根来。

---

① 周金山．班级管理异化研究［D］．武汉：华中师范大学，2011：7.

② 陈桂生．聚焦班主任：“班主任制”透视［M］．北京：教育科学出版社，2012：15.

③ 同②21.

1956年，教育部规定对从事班主任工作的教师予以适当补贴。1979年11月，教育部、财政部、国家劳动总局联合颁发了《关于普通中学和小学班主任津贴试行办法（草案）》，正式试行了班主任津贴制度，对班主任的“资格”“职责”“课业负担量”和“津贴”都作了详细的规定，形成了一套班主任制度，班主任变成了“德育工作者”，班主任制就顺理成章地演变为“班主任负责制”“班主任承包制”，成为把学生行为管理与指导延伸到班级的一种最为简便的制度。

1988年，国家教委发布了《小学班主任工作暂行规定（试行）》[①]和《中学班主任工作暂行规定（试行）》，前者从“思想品质”与习惯、学习与“课业负担量”、“身体健康”与“卫生习惯”、班委会与少先队、劳动实践、班级常规和家校共育等方面对小学班主任的职责进行了明确规定，后者从“思想政治”与“道德”、“学习任务”、劳动、“课外生活”、班级的日常管理、协调科任教师、思想品德的评价和家校沟通等方面对中学班主任的职责进行了明确规定。在这样的制度下，班主任职责的进一步细化，班主任成对班级学生“样样管”的角色。2009年，教育部颁发了《中小学班主任工作规定》，对班主任的配备与选聘、职责与任务、待遇与权力、培养与培训、考核与奖惩进行了全面细致的规定，班主任对学生的德、智、体、美等方面的发展负有主要责任，并对班集体的形成以及班级各项活动的开展等起着决定性作用。班主任除了担任相关课程的教学工作外，还要组织其他任课教师团结协作，组织协调学生家长和社区的各种教育力量，使之形成教育合力，确保学校教育活动的有效进行。

（二）班干部制度的建立与发展

班干部制度在我国已经实施了近70年，是中小学班级管理的重要形

---

① 教育部政策研究与法制建设司．现行教育法规与政策选编［M］．北京：教育科学出版社，2002：191－195，198－199.

式。在班级授课制的教学组织形式下，班干部制度对提高班级管理效率、培养学生综合能力等方面起到了重要作用。

班干部制度源于 20 世纪 50 年代初期全面学习苏联以马卡连柯、克鲁普斯卡娅为代表的集体主义教育思想。马卡连柯的班级建设思想中的‘管理’意识在这一时期表现极为明显，学生基本上在指定的范围内活动，没有更多的自主权和发挥个性的余地”[①]。由于当时学校班级建设也主要以马卡连柯的“班级”为摹本，教育系统以班级组织为依托，以行政体系的要求为参照，形成了班干部制度。1955 年，教育部、高等教育部联合颁发《中等学校学生会组织条例》[②]，其中第三章“班会委员会”规定，“班设班会委员会，由全班同学选出班长一人、委员二至四人组成”，“班委会在班主任领导下，协同青年团和少年先锋队，团结全班同学，鼓舞他们努力学习和自觉地遵守纪律，组织班内值日，保持教室的整洁，动员和组织本班同学积极参加本班的和全校性的文娱、体育、政治活动和各种社会工作，并定期召开班会。”这是我国较早的有关班干部制度安排的规定，为班干部制度的合法性奠定了基础。

1956 年，北京师范大学教育系教育学教研室出版《教育学讲义》（上、下册），该书提出要把组织和培养班集体作为班主任工作内容之一：班主任首先要把班级学生组织起来：①紧紧依靠团、队组织把积极分子团结成为核心，依靠他们去带动全班学生的积极性；②建立班会机构，选举班委员和班长，选举时班主任经常是向全班暗示和介绍最好的学生；③分配社会工作，以便把集体组织和发动起来；④确立各种工作制度和规则。其次，组织丰富多样的活动：①集体活动的多样性；②班会及重要作用……班会

① 叶澜，郑金洲，卜玉华．教育理论与学校实践［M］．北京：高等教育出版社，2000：369.

② 何东昌．中华人民共和国重要教育文献（1949—1975）［M］．海口：海南出版社，1998：547.

差不多是班主任进行工作的最主要的和经常应用的方式[①]。

不难看出，班主任是班干部制度建设的直接责任人。对班主任来说，班干部制度是他们进行班级管理的一种方式。在这种制度下，班级实行权力主义、行政命令的学生干部模式，听话、可控制、“易驯服”是这一时期的基本特征[②]。

20世纪七八十年代，随着改革开放的不断推进，学校改革也迎来新的气象。我国的班干部制度在组织方式和运行方式上发生了重大变化。这一时期，班级建设开始呈现“民主管理”特色，力行民主选举，强化民主制度，培育具有主体精神的个体成了教育追求的目标。班级工作开始在整个活动中注意树立学生的主人翁责任感，注意发挥学生的个性，重视学生的个性差异在集体建设中的作用[③]。这也成为班干部制度改革的重要内容，人们开始反思任命班干部的弊端，呼吁民主选举班干部。

20世纪90年代以后，班级建设进入全面改革的阶段，班干部制度也进入了新的阶段。班级作为学校教育教学的基本单位，在变革时代开始逐步摆脱管理主义、控制主义的做法，进行着从“管理”到“辅导”的深刻变革[④]。班级自主权开始向学生全面开放，学生的权利意识和主体意识进一步增强。在班级学生干部的选拔与组建方面逐步走向以大众化、民主选举制、动态轮流制、扁平型为特点的状态。譬如：班级管理中极权主义做法消失，行政命令的味道变淡；学生的主体意识和权利意识增强；班干部选举形式更加多样化；班干部选举更加民主化，班干部的工作受到一定的监督，服务意识增强。

---

① 北京师范大学教育系教育学教研组．教育学讲义：下册［M］．北京：北京师范大学出版社，1956：154－155.

② 肖景蓉．当代我国中小学“班委会”的功能转型及其实现机制研究［D］．上海：华东师范大学，2007：7.

③ 卜玉华．我国中小学班级工作的传统与当代变革［J］．教育研究，2004（11）：65.

④ 王洪明．从“管理”到“辅导”：班级变革研究［D］．上海：华东师范大学，2011.

21 世纪以来，尤其是在新课程改革的背景下，班干部制度也开始进行新的改革尝试。在班干部的选拔上更注重民主的程序，尊重班级学生的集体意愿，突出自主管理的价值取向。在班干部培养上更注重班干部岗位的育人价值，更加关注班干部自身组织能力、责任和奉献意识的培养，以及班干部群体对学生的引领和榜样作用的发挥，弱化了班干部原有的政治因素和工具主义属性。在班干部考核上更注重多元化考核以及考核的开放性，让更多的主体参与到班干部考核过程中。在班干部选拔任用上不再是单一的任命制，形成了竞选制、轮岗制、组阁制等多种形式，扩展了班干部选拔任用的方式。

为了培养学生的自主管理能力，各地试行班级管理改革，通过尝试性管理，鼓励学生主动参与班组管理，班干部采取“自荐演讲与民主选举结合制”和“常务班长”与“值周班长”结合制；通过全员性管理，轮流互换，做到“人人有事做，事事有人管”，让每一位学生都参与到班级管理中来；通过小组管理，实现对全班的以“抓学习为重点，抓纪律、卫生、文体为辅助”的立体化管理；通过“无班主任日”制，强化学生的自主与自治①。

（三）班级教育小组的建立与发展

在沿用至今的班主任负责制下，学校的各项教育教学任务得以有效进行和落实，然而，随着我国教育的不断改革，班主任负责制日益凸显出其局限性：①工作繁杂，班主任疲于应付；②与现代教育的民主精神相悖；③难以保证班级管理决策的科学性；④不利于全员育人思想的落实②。

2006 年，南京外国语学校仙林分校作为全市首个班级管理改革试点，取消了原来的单一班主任负责制，提出建立班级教育小组。由班主任、任

---

① 熊明安，喻本伐. 中国当代教育实验史［M］. 济南：山东教育出版社，2005：865－867.

② 束乾春，华莉. 班主任负责制 vs 班级教育小组：江苏省镇江市润州区“班级管理体制改革”的思考和实践［J］. 江苏教育，2017（7）：36－38.

课教师、家长、学生组成教育小组共同管理班级，整合学科资源，对所有学生进行精准诊断指导。学校每个班由 3 至 4 名教师、2 名学生代表、2 名家长代表组成班级教育小组，共同管理班级事务。根据各自特点，教育小组的教师进行具体分工，如有的负责主题班会，有的负责集体活动，还有的负责帮扶困难学生等。

2007 年，南京外国语学校仙林分校中小学部分别印发了《班级教育小组工作手册》，出台了《班级教育小组工作要求》《班级教育小组工作暂行规定》（修订稿）及《年级组、学部对班级教育小组管理考评办法》，明确提出各班建立班级教育小组的要求，并对班级任课教师集中办公制度加以完善，以中学部为主，全校 14 个班级参加的“班级教育管理体制改革的实践研究”课题组正式成立，班级教育小组制度建设进入了理论与实践相结合的新阶段[①]。这一阶段，在班级教育小组制度建设的组织领导，教育运作、评价考核等环节均涌现出很多新的经验和做法：在组织领导方面，确定了含班主任在内 3 至 4 名任课教师包括生活教师，为核心成员，家长代表、学生部分代表为重要成员；核心成员“日碰头”“周例会”制；核心成员与班级全体任课教师共同出席的对学生“月诊断”的经验；将全班学生分包到每个教师具体指导的经验；年级、学部对教师实行两方面考核评价的经验等等。这一时期，班级教育小组制度建设进入全校规范化运作的条件日渐成熟[②]。

2008 年春季新学期开始，学校正式颁布《班级教育小组制度建设的若干规定》，要求各学部、各年级、各班级严格按照《规定》执行，同时要求各教育小组大胆实验，勇于创新，“班级教育小组工作评价制度”

---

① 钱铁锋. 大力推进班级教育小组制度建设：谈班级管理体制改革［J］. 中国德育，2011(3)：32－34＋77.

② 齐学红，钱铁锋. 建立班级教育小组制度：班级管理体制改革的尝试［J］. 班主任之友（小学版），2008(8)：11.

也在加紧研制，南京外国语学校仙林分校班级管理体制改革进入了新的阶段[①]。

班级教育小组的实质是用教师集体负责制取代班主任个人负责制，在管理中，坚持集体决策、集体行动和集体承担责任，由小组组长负责成员的组织、协调和开展各种教育活动，小组成员有选择地参与研讨、决策等过程。通过“日碰头、周例会、月诊断”的工作模式，教育小组全体教师发挥各自特点，对每一个学生进行“会诊”，并制订学生个人教育指导方案。班级教育小组制度在一定程度上整合了教育资源，使学生受益的同时，也促进了教师的成长。

2014 年，江苏省镇江实验学校也对本校的班主任制度进行改革，创立了班级教育小组。班级教育小组由班主任、班级任课教师代表、学生代表、学生家长代表组成，是班级教育和管理的领导核心，班主任担任组长、任课教师是核心成员、3 位家长是成员。全校教师和行政人员都必须是班级教育小组成员。班级教育小组将班主任个人管理变为班教小组成员集体建设，由班主任个人负责变为班教小组集体负责，让学生、家长和教师共同参与到班级管理中来，更利于践行全人教育理念。

2016 年，镇江实验学校构建了组阁制班级教育小组。在教师层面，该管理体制通过校内竞选和自我推荐、校内聘用等方式产生班教组长，再由班教组长指定人选搭建班教核心成员。学生层面分两个部分：在班级日常事务方面，学生自主选举产生班委会成员，由班委会负责班级事务；在学习事务方面，根据学生的特点和平时表现指定了 6 名候选人参加学习组长竞选。在组长竞选演讲中，6 名学生各抒己见。竞选演讲后由全体同学和班教小组成员无记名投票选出 3 名学习小组的组长，然后用同样的方式选出 9 名行政组长。班教小组组建自己的 3 个学习大组，每位教师带领一个

---

① 钱铁锋．大力推进班级教育小组制度建设：谈班级管理体制改革［J］．中国德育，2011（3）：34.

大组，每个大组里又由 3 个小组组成。这种管理体制使教师和学生自我提升、相互合作、共同发展，在一定程度上体现了新课改的核心理念，即自主、合作、探究、发展、内化，以实现学生的自主管理和自我教育为目标，提高学生自主管理自主学习的能力，促进班集体建设良性发展。[①]

2019 年，基于全人教育的目标，镇江实验学校在班级教育小组集体负责制的基础上，对班级管理体制进行改革，提出“阳光教育小组”班级管理模式，以“小组合作”为出发点，以“阳光教师”和“阳光学生”为工作目的，以此来改变班主任队伍在烦琐、高强度、高压力、高情感的工作中出现的职业倦怠，让来自于学科教师、家长、学生等教育资源的整合得到制度的保障。在原有制度的基础上设置了“三会”制度，即组长和核心成员“日碰头”“周例会”,交流工作重难点和学生情况。每月的第四周“周例会”改为“月诊断”，邀请家长代表和学生代表共同参加，商讨班级的重大事情，共同为班级建设出谋划策，针对个别学生的近期情况进行“诊断”，寻求最适合的教育方法。校长室、德育处、教务处等各职能部门和级部对各班“三会”情况进行过程管理，督促各班在“三会”中进行班级“阳光教育小组”的决策、执行、总结、反馈，确保“阳光教育小组”的有效运行[②]。在“三会”的基础上,镇江实验学校根据“阳光教育小组”核心成员的能力、兴趣和科目等实际情况对班级管理工作进行分工，任务到人、责任到人，同时建立了“阳光教育小组”考评制度，将“服从组长的合理分工”作为师德考核的重要内容，对于组内协同共同完成的任务的考评，采用“捆绑考核”。该校还采取“阳光教育小组”的家长代表开展“家长资源进课堂”、组织家校沙龙、收集家长对“阳光教育小组”成员的评价等方式对“阳光教育小组”进行家校共育。此外，该校取消班干部，加强对学生代表的培训。邀请学生参与到班级管理事务当中，

① 夏建平 . 全人教育理念的探索与实践［J］. 华夏教师 , 2016 (6) : 9 – 10.

② 夏建平 . 阳光教育小组 : 对班级管理体制的改革［J］. 华夏教师 , 2019 (16) : 91.

以此激发学生代表参与管理的积极性、荣誉感，培养服务意识和参与班级管理的能力[①]。

总之，南京外国语学校仙林分校的班级教育小组和镇江实验学校的“阳光教育小组”都通过制度的载体整合了教师资源，充分地发挥了教师的全员育人功能，有利于教师树立整体观念，从不同角度了解学生、教育学生。该制度当前仍处于发展的初期阶段，全国的中小学也在不断摸索中。

二、班级德育管理的现实样态

班级管理是一个动态的过程，它是根据一定的目的要求，采用一定的手段措施，带领全班学生，对班级中的各种资源进行计划、组织、协调、控制，以实现教育目标，形成有效的管理体制机制，实现良好的班级德育，促进学生的健康成长。

（一）指向培育目标的管理制度建设

班级管理制度是班级建设不可缺少的一部分，是协调和组织好班级的保证。有了制度，才能保证严格的纪律，使集体活动井然有序，使班级目标顺利达成，才能使学生在一定的要求下自觉约束自己的言行，朝着符合班级群体利益、符合教育培养目标的方向发展。班级管理制度对学生行为的规范作用，主要体现在规范学生的学习行为和生活行为，帮助学生养成终生受益的好习惯[②]。

有什么样的班级规章制度，就有什么样的学生，就有什么样的道德观、价值观，甚至人生观、世界观。俗话说：“不依规矩，不成方圆”。班级虽小，

---

① 夏建平．阳光教育小组：对班级管理体制的改革［J］．华夏教师，2019 (16)：91.

② 齐学红．在冲突与融合中建设现代班级文化［J］．中国德育，2011 (3)：72.

但也会建立和健全各种规章制度。在班级制度建立过程中，应充分发扬民主，经过师生充分酝酿和讨论，最后才以条文的形式定下来。班级的管理制度应体现三个特点：一是全，规章制度应该是全方位的，做到事事有章可循；二是细，内容具体明确，操作性强；三是严，纪律严明，赏罚分明。

班级管理制度并不是由班主任单方面制定、专门用来约束学生的一套制度体系。班级管理制度的制定与执行也应充分发挥和调动学生的主观能动性，把教育民主意识灌注于班级管理制度的制定与执行的全过程。学生在民主参与班级管理制度的制定过程中，体会到民主与纪律、自由与秩序的关系，在民主生活中践行民主，这也是实现班级社会化功能的重要途径和方法。实践证明，只有经过学生自己讨论协商并认可的班级管理制度，才能发挥其应有的规范约束作用，否则就会形同虚设，成为一纸空文[①]。

班级管理制度的建设内容非常广泛，但就其特点来说，主要分为班级规章制度和班级行为规范。班级规章制度是对学生学习和生活的最基本的方面进行规范和制约，它是一种硬性的制度。班级行为规范是结合本班的实际制定的行为规范，它是通过积极倡导来发挥作用，它的内容比制度更具体，更有针对性。

当前，班级管理制度的建立存在着忽视民主性的状况，班主任的专制导致班级制度僵化，学生不能作出任何自我的选择，只能被动服从。久而久之形成的不是学生需要做的，而是需要学生做的思想。这不但打击学生的积极性，也剥夺了学生实现自我管理，提升自我的机会，不利于学生的身心健康发展。许多班级管理制度中常常出现“几不要”“几不准”等等，似乎只有运用这些冰冷强硬的字眼，才能保证制度的严肃性，才会取得实效。这其实也是对学生的不尊重，体现出师生关系的不平等，是一个观念

① 齐学红.在冲突与融合中建设现代班级文化［J］.中国德育，2011 (3)：72－73.

和思想的问题。

在制定班级管理制度时，首先，可以把一些充满温情、关爱、希望的字眼运用到制度中来。其次，所制定的制度切实本班情况，有计划地解决学生的突出问题，有可操作性。从各方面客观指导和评价学生的品行和学习。根据班级的特点以及学生的实际情况，共同确立努力的目标，制定相关的公约，达到既定的目标。只有建立起完善的班级管理制度并监督落实，才能提高班级管理育人的水平。

班级的规章制度是实现班级奋斗目标的保障。师生共同制定班级常规、班级文明公约和纪律等，在经过全体成员集体商讨表决的基础上，认真组织实施，坚持依法治班。在班级制度的各项条文中，突出精神风貌、价值观念、作风态度等具有文化气息的条款，给制度以灵魂，共同发挥规章制度的强制作用和激励作用，使班级形成"事事有人做，人人有事做，时时有事做，事事有时做"的良好局面。为了帮助学生实现将班级制度文化从强制约束向自觉遵守的转化，根据学生的心理特点，可以借助于晨会、班报、班级日记等工具载体，积极地进行宣传，正确加以引导，以帮助学生养成自觉遵守日常行为规范的良好习惯。面对丰富的班级制度文化，学生学习吸收内化，本身就是一个教育过程。学生一旦置身于班集体的制度文化氛围之中，他们的思想观念就会受到潜移默化的影响，日积月累就会形成一种与班级文化相融合的价值观，为学生提供评定品格行为的内在尺度，使每个学生时时都在一定的准则规范下自省自觉，使之朝着符合班级群体利益，符合教育培养目标的方向发展。

（二）形成能动发展的自主管理体系

应树立学生是班级管理的主人意识。班级管理追求的不是他治，而是自治；不是他律，而是自律。要让学生学会自我管理，真正成为班级常规管理的主人，突出和体现学生自主性，在充分了解学生情况的基础上调动学生的积极性，真正发挥其在班级管理中的能动作用，实施自主管理，培养学生的自治自理能力[①]。

每个学生都可以在集体中找到一个适合自己的位置，担负一项具体的工作，使人人都为集体作贡献，人人意识到自己是集体中不可或缺的一分子，培养学生多层次的角色意识，确保班级每位学生都能有岗位，每个岗位都能锻炼和培养学生的能力和品格。

制定班级自主管理目标，明确班级发展方向。要实现班级自主管理，则首先要制定班级自主管理的目标，并明确班级的发展方向。教师应该积极组织班干部及其他班级成员为班级建设出力，并细化班级发展的方向。每个班级成员在班级建设中所扮演的角色，并引导学生的个人发展目标跟班级自主管理的目标结合起来，进而实现班级及个人都可以得到同步及和谐发展。教师在班级自主管理中，发现班级管理存在问题后，要及时引导班干部及学生认真查找问题，修改班级自主管理制度和目标，妥善解决各种发展障碍及班级自主管理问题。

明确学生在班级自主管理中的主体地位。学生是班级管理的主体，教师是班级管理的主导者。教师应该注重调动学生参与班级管理的积极性，激发他们参与班级管理的热情，引导学生发挥主体能动性。在班级管理过程中，为了防止班干部出现一言堂的现象，要多鼓励及引导全体学生积极参与班级事务管理，引导学生进一步增强主人翁意识。

重视学生干部的培养，提升学生自主管理的能力。学生干部在进行班级自主管理过程中的重要性不言而喻。班主任要抓好学生干部的思想建设，注重学生干部的培训及管理，让学生干部掌握班级自主管理的方法及技能。此外，教师也要充分信任学生干部，不断提高学生干部的自主管理水平，鼓励他们创新班级管理工作，引导其在班级自主管理中发挥出重要的作用。

---

① 齐学红，黄正平．班主任专业基本功［M］．南京：南京师范大学出版社，2013：149.

以考评为契机，加强执行力，注重自主管理过程控制。有了良好的班级发展目标及操作性强的班级自主管理制度，教师加强班级成员对班级管理工作的执行力建设，促进班级管理工作尽快落到实处。注重过程评价，以班级考核为主要契机，科学梳理班级各项管理工作，通过综合测评来考察及评价班级自主管理工作的落实情况，对于在班级自主管理工作中作出重要贡献的班干部及个人给予肯定。

【工作案例】

班级“软管理”引导学生自主管理[①]

初为班主任时，我天天“长”在班里，可效果依然不理想，只要我稍一懈怠，班级考核的成绩就让我不愿意看到。如何让学生由被动管理变为自主管理呢？当学生进入四年级后，我尝试着实行班级“软管理”，通过多种手段调动学生的积极性和能动性，让他们自我教育、自我管理。由“要我做”变成“我要做”。

“值日班长”实现人人参与管理

全班52名学生按学号依次担任值日班长，这样人人都可当，人人都能当，让每一名学生都有机会当一天“管理者”。值日班长的工作分为常规工作和创新工作两类。常规工作指的是从早晨的开门、值日到课间，以及两操的纪律、班级的卫生等，事无巨细全是值日班长的工作范围。而创新工作则是每名值日班长根据自身的特长及爱好，自我创新出的特色工作。例如，有设计特长的同学可以在这一天设计一份新的板报，有音乐特长的学生可以在下午的“班班唱”时展示一下自己的才艺等。我并没有给值日班长的工作划定什么范围，我希望能给学生更多自由发挥的空间。

通过一学期的实施，效果很明显，学生们通过角色的转变实现自我、展现自我、提高自我，真正成为自我教育的主人。尤其是那些从没有当过

---

① 齐学红，黄正平．班主任专业基本功［M］．南京师范大学出版社，2013：150－151.

班干部的学生，更是珍惜这个得来不易的机会：他们很早就到校开教室门，帮值日生打扫卫生。家长也对此表示了极大的赞同，觉得给每个孩子提供了平等锻炼、平等发展的好机会。

“小组合作”实现学生组团管理

苏霍姆林斯基曾经说过：只有激发学生进行自我教育的教育才是真正的教育。随着教育观念不断更新。我在课堂上引入了“小组合作”这一学习方式。

对于小组的组建，我尽量做到公平，达到“组间同质、组内异质”，让学生在课堂上合作学习、合作交流。在课下,我充分发挥组长的带头作用。让小组内的成员互相帮助、取长补短，养成良好的行为习惯，学生在组内真诚合作，组际公平竞争，在合作与竞争过程中逐步完善人格，养成良好的心理素质。

合作也让学生增强了交往，掌握了初步的交往能力。现在的学生大多是独生子女，张扬自我而不顾及他人，“组团”让学生们学会了合作，有助于增进学生的感情，比我以前强制规定的“一帮一”要强很多。

“星级评价”实现学生动态管理

在平时的班级管理中，我采用了星级评价擂台。该擂台设在班级的墙壁上，由学生绘制。星级评价实施动态管理，每天一汇总，所有任课教师及全体学生均参与其中。大到国家级的各种比赛，小到每天的习惯养成，只要是获得奖励的学生，都可以得到一颗星。让每位学生的每一点进步都明明白白地展示在大家面前。

星级评价中，我重奖励轻惩罚。扣星，会让学生在班级里处处小心谨慎，与教师形成抵触情绪。长此以往，学生就会失去活力与生机，班级氛围就会死气沉沉。用加星的方式就可以鼓励更多的学生参与到班级管理中，在加星的同时，我也会注意用言语鼓励学生。学期末。我会给星星多的学生写下“星星喜报”，让家长与学生一起分享这份喜悦。

现在，“软管理”让我的班主任工作轻松了许多，更重要的是，学生们学会了自我管理。

（三）体现全员育人的班教小组机制

传统班级管理中班主任是唯一责任人，承载了过重的工作压力。事务繁忙使其没有足够精力研究学生，压力过大也不利于自身的发展。而班级任课教师却专注学科教学，缺少全面育人的机会。班级管理缺少民主与合力。一方面，班主任习惯大一统的管理方法，“家长制”作风较浓，个体决策风险较大。另一方面，班主任对任课教师没有管理权，任课教师没有参与班级全面管理的义务，容易各行其是，难以形成合力，大大削弱了教育效果。施行“班级教育小组”管理班级的机制，将传统的由班主任个体素质决定班级教育成败转变为依靠众人综合素质提高班级教育质量。班级教育小组集体决策，集体行动，集体负责，使得全体教师都来关注学生的全面发展，关注学生的综合素质，关注学生的和谐健康成长。

班级教育小组一般设组长 1 名，成员分为核心成员和重要成员，核心成员为班级教育小组组长（即班主任）1 名、任课教师 1~2 人；重要成员为班级学生干部代表 3 人和学生家长代表 3 人。学校根据整体工作安排，对教学人员进行合理调配，任命每个班级的教育小组组长。组长选定后，年级组根据年级教师担任课程的情况进行双向选择，经过年级、学校协调确定核心成员。重要成员（包括学生干部代表与学生家长代表）由年级与班级自己确定。

在班主任的主持下，由班级教育小组成员集体作出重要决策（如学期工作计划、班级各项重要工作和活动，学期工作总结等），班级日常工作决策主要由核心成员作出。决策作出后，在班主任的领导下，由班级教育小组成员分工负责落实，所有任课教师既教书又育人。在对全班学生个体指导方案确定后，具体指导工作分包到每一位任课教师。

班级教育小组实行集体负责。班级教育小组全体成员对班级的一切教育行为与教育效果负有责任，其中核心成员负有主要责任，重要成员负有相关责任，组长是第一责任人。人人负责，分工负责与共同负责相结合。民主决策。班级的重要规章制度、重要活动方案、班干部的选拔任用、班级各项奖惩决定以及与同学发展密切相关的其他决策都必须经过教育小组核心成员或全体成员的研究讨论，最后形成决定。分工协作。在民主决策的基础上，班级教育小组根据成员的特点、特长进行合理分工，各自具体承担班级教育管理的某项任务。在具体工作过程中，体现协作精神，分工不分家，互相配合、互相支持，每个成员都将自己的工作统一到班级整体目标上，统一到整体效益上。“三会”商讨。以“日碰头”“周例会”“月诊断”三种形式召开教育小组工作会议。牵手指导。班级教育小组的每一位教师，按照要求与一个或几个学生建立牵手关系，为牵手对象提供多方面的关心帮助，包括帮助其制定目标与规划，帮助其提高学业成绩，帮助其建立学习与生活的信心，帮助其解决心理或生理上遇到的一些麻烦等。

三、班级管理制度的发展走向

（一）充分发挥班级管理制度的德育功能

班级管理制度作为班级教育环境的重要组成部分，是班级推进德育工作的途径之一。班级管理制度层次丰富，横向涵盖了班级组织建设制度、班级日常管理制度和班级活动管理制度，纵向由上而下包括国家、学校、班级三个层次的各种制度。班级管理制度并非随意制定，而是班主任带领全班学生根据国家和学校已有的规章制度，结合班级自身特点制定的管理制度，符合每个班级的实际情况。

班级管理制度是具有道德性的制度，对学生品德发展具有规范功能、导向功能、调节功能和陶冶功能。[①] 要想充分发挥班级管理制度的德育功能，需要从多方面进行提升。首先，增强制定班级管理制度的合道德性，班主任引导学生参与到班级管理制度制定的过程中来，共同协商，共同约定。其次，重视执行班级管理制度时的公正性与合理性。再次，利用班级管理制度进行评价时的科学性和发展性。班级管理制度虽然具有强制性、权威性和规范性，但学生可以通过明确的行为规范要求促进道德认知的发展,进而推动学生品德的发展。因此,要正确看待班级管理制度的教育作用,摒弃将管理制度看作是约束的惩罚机制，才能充分发挥班级管理制度的德育功能。

（二）优化班级管理制度的设计与实施

班级管理制度为学校德育工作提供良好的班级秩序，同时也为学生品德发展提供相应的教育内容，因此蕴含了丰富的德育价值，具体表现为：班级管理制度中明确的行为规范要求是学生道德知识的来源；制度的合理性为学生的品德发展提供价值导向；班级管理制度所规范的班级社会关系构成学生品德发展的德性环境；促进学生品德发展是科学班级管理制度的内在要求。[②] 因此班级管理制度在制定阶段、实施阶段都必须体现公正性与合道德性。

【工作案例】

三维沉浸式制度建设，引领班级“自信向上路”[③]

班级管理制度应是充满温度的制度，变班级管理为学生自律是最终目标。班级中的每位学生都有权利也有义务参与到班级管理制度的建设

---

① 王静文．中小学班级管理制度德育功能开发的问题与对策研究［D］．重庆：西南大学，2013：13－17.

② 同①13－15.

③ 谭婧．多维联动，奏响学生自信成长的华彩乐章［J］．班主任，2022(3)：9－12.

中来，他们既是制度的制定者也是执行者。为了发挥班级榜样的作用，我班从推选、宣传、奖励三方面建立坚实的制度。班集体建设初期，我通过开展班会的形式，让学生畅所欲言，发现自身存在的问题，并共同商定制度实施可行性，制定可以接受的发展策略，形成了“品性德行、知识学习、体能锻炼、艺术修为、劳动素养”五个维度的自主选择型激励制度，学生可根据自己的实际情况选择最合适的发展路径。我们还在《中学生守则》的基础上，结合学校发布的“在校一日常规”，全班共同商议，制定出独属于我们班的“我心中的线”自律制度，强化大家的规则意识。

（三）彰显学生在班级管理中的主体性

随着时代的变革，以教师为主导的传统班级管理模式已经难以应对当前班级德育的挑战，学生的独立性和自主性得到了较快的发展，学生才是班级德育中的主体。班级中应明确学生的主体地位、尊重学生的主体性，学生可以民主参与到班级事务管理过程中来。自由与平等既是民主的内涵，也是民主的价值追求。在班级德育过程中首先是尊重和唤醒学生的主体意识，让学生能感受到自己是班级的一分子，可以参与到班级中的各项活动，并提出自己的意见。其次是充分培养和发挥学生的主体能动性，学生不再是被动的受教育者，而是可以创造性的思考并实践。再次是保障学生的权利。学生是具备主体性权利的个体，班级德育活动中要尊重并彰显学生的权利。最终实现班级治理的观念层面从管理走向经营，制度层面从教师主导走向学生自治，行为层面从管理控制走向文化建设，反映了青少年身心发展的客观需要[①]。

在学校组织层面，小学有少先队员代表大会（简称“少代会”），中学

---

① 齐学红．论班级治理方式的三种变革［J］．中国德育，2018 (1)：11－14.

有学生代表大会（简称“学代会”），通过无记名投票民主选举学生代表，学生代表在学代会召开时可以听取和审议上一届学生会的工作报告，并选举新一届学生会成员。还可以审议校内其他社团的工作报告，同时代表全班同学对学生提出全面的意见和建议，行使自身的民主权利。学生代表还可以通过自主、合作、探究的形式，积极参与到班级建设与管理中来，与班主任共同商讨班级中的重大事情，班主任也广泛听取学生意见，与学生共同协商。同时班主任还可以最大程度地赋予学生自主权，如让学生自己主持主题班会活动、学生活动发言等[①]。

班级德育中鼓励学生自主管理，营造平等和谐的氛围。制定班级民主管理制度，形成学生自我教育、民主管理的班级管理模式。学生是班级中重要的参与主体，学生可以参与班级建设和管理的过程，可以在教师的引导下实现自我管理，做自我管理的主人。班级民主是新时代教育发展和学校发展的客观需要，也是历史发展的趋势，它应该成为当前班级管理的一种常态。班级值班周制度，旨在培养学生积极参与班级、学校与社会活动的主体意识，有利于增强学生的团队精神与合作意识。

在班级组织层面，可以尝试突破传统的“班长—班委—小组长”的班级管理模式，鼓励全班学生参与到班级管理中来，实行“班级自主管理模式，每位学生都要担任一个项目的负责人。担当项目的设置采取两种形式：一种是教师根据班级管理的整体需要确定必须设置的担当岗位，由学生自主竞聘和教师指定相结合产生，例如学科代表、卫生、课间操、安全、班级门窗、路队、眼保健操、板报等岗位的担当；另一种是充分调动学生自主创造性做事的意识，由学生自主定岗、自主命名、自主担任的班级管理，例如“花卉仙子担当”、“饭管”（负责食堂就餐管理）、“坐姿担当”、“讲台桌面管

---

① 钱铁锋，齐学红．变革学校：一位中学校长的口述史［M］．北京：教育科学出版社，2020 : 73.

理担当”、“纸巾担当” 等自主设立的担当岗位[①]。

第四节　班级文化研究

班级文化是指依托并通过班级这个载体来反映和传播的文化现象，它的形态包括以班风、教风和学风为主要内容的班级精神文化，以班级组织规章制度为主要内容的班级制度文化、以班级组织活动为主要内容的班级活动文化和以教室环境为主要内容的班级环境文化。班级文化对班级德育工作有着重大的影响，班级精神文化时刻对学生进行着暗示教育；班级组织文化是寓德育于各项班集体活动中的重要媒介；班级物质文化始终对学生进行着环境陶冶，使其思想品德受到潜移默化的影响，班级文化无时不在对学生的道德认识、道德情感、道德意志、道德行为发挥着形成功能[②]。

一、班级文化的发展演变

不同历史时期的班级文化表现出鲜明的时代特征。新中国成立以来，我国的班级文化经历了由政治性到去政治性、突出榜样模范，再到注重学生中心的变化。

（一）政治导向的班级文化（1949—1978 年）

新中国成立之初，为除旧布新、安邦定国，我国取缔了具有国民党反

---

① 孙晓晖，王天贵．让每位孩子真正成为班级管理的主人：“智囊团—担当”班级自主管理模式的实践［J］．中国德育，2018 (8)：72.

② 倪高武．班级文化与德育的联结［J］．河南教育，1994 (9)：26.

动性质的课程，“开设革命的政治课程和其他新课程”[①]，同时，颁布了一系列有关德育的法令、方针、政策。如 1949 年《中国人民政治协商会议共同纲领》(第四十六条)规定“提倡爱祖国、爱人民、爱劳动、爱护公共财物为中华人民共和国全体国民的公德”。同年 12 月的第一次全国教育工作会议上，提出了新解放区要有计划、有步骤地在教师和青年学生中进行政治与思想教育，建立革命的人生观[②]。在此基础上，又于 1952 年 3 月 18 日颁发的《小学暂行规程（草案）》和《中学暂行规程（草案）》，指出德育的目标是使学生具备爱国、勇敢、团结的精神。因为新集体的诞生急需一个稳定的社会环境，所以新中国成立后第一次提出德育的主要功能就是为政治服务，培养人的集体意识与团结意识。这个阶段的班级德育高度强调思想政治教育，而班级文化的建设也服务于此阶段的政治导向，注重配合各种社会的政治运动，为政治斗争服务。统一的做法是在教室张贴“劳动最光荣”“无产阶级万岁”等带有政治性语言的口号和标语，以及“大庆人”、“北大荒人”、焦裕禄、雷锋等英雄画像，引导师生参与土改、镇压反革命、抗美援朝及“三反”“五反”等运动，使师生在这些运动中强化阶级斗争观念，站稳无产阶级立场，培养爱国爱民的思想情感。

1957—1976 年是教育史上问题最多的时期，1957 年至“文革”前，课程目标和德育课程随着国家的重大决策而变化，具有浓重的意识形态色彩，主要局限于革命传统教育的范畴。班级文化建设也随之被赋予了浓厚的政治性色彩，把政治教育和阶级斗争教育作为德育的重要内容，大力强化学生的阶级斗争意识。如利用“四史”（村史、杜史、厂史、家史）进行教育，请“三老”（老贫农、老工人、老红军）作忆苦思甜报告等。1966—1976 年十年“文革”期间，班级文化的政治化导向尤为明显，班级

---

① 《中国教育年鉴》编辑部. 中国教育年鉴(2000)[M]. 北京：人民教育出版社，2000：915.

② 钱俊瑞. 在第一次全国教育工作会议上的总结报告要点［A］// 中共中央文献研究室编. 建国以来重要文献选编：第一册. 北京：中央文献出版社，2011：73.

德育更是随学校德育一同沦为了政治的工具，强化了政治取向，具体表现为教室墙上和黑板上张贴一些宣传“革命”运动的标语，如“批判走资派和牛鬼蛇神”，学习“白卷英雄”和“小学生的日记”等。

（二）模范榜样的班级文化（1978—2000 年）

粉碎“四人帮”，十年“文革”结束。党的十一届三中全会召开以后，经过拨乱反正，批判了“四人帮”在教育上推行的错误路线，重新确立了德育在学校中的重要地位。1978 年 4 月召开的全国教育工作会议上，邓小平进一步阐明了贯彻德智体美全面发展的教育方针，辩证地指明了德育与学习科学知识的关系。他提出 :“毫无疑问，学校应该永远把坚定正确的政治方向放在第一位。”1979 年教育部召开了中小学思想政治教育工作座谈会，明确提出加强中小学的思想政治教育工作，必须从新时期的总任务出发，对中小学生集中地进行坚持四项基本原则的宣传教育，并与革命理想教育和共产主义道德品质教育相结合。

而这一时期的青年学生绝大多数都是热情奔放、生气勃勃的，决心为中国美好的未来刻苦学习，但是十年动乱在很多学生年幼的心灵上直接或间接地留下了阴影。因此，在这一时期，有的学生虽身在奔腾激越的四化建设中，却认为人生空虚，准备获取毕业文凭、追逐个人安逸了事 ；有的以为只要埋头学习就行，而政治思想品德的好坏，无碍国家大局 ；有的不了解时代赋予自己的重任，缺乏时代的责任感和革命事业心，以吃穿玩乐为念等等。

为了帮助青年学生树立革命理想，防止这些消极因素的存在和滋长，班级德育应通过板报、标语等方式，着重向学生宣传介绍革命前辈以天下为己任的革命精神和革命实践，启发他们正确认识社会发展方向，认清时代的潮流，增强时代责任感和革命事业心。因此，这一时期的班级文化更多地强调榜样模范的教育作用。如学习雷锋精神塑造良好班级文化，具体为学习其集体主义精神引导学生正确认识个人与集体、个人与社会的关系；

通过讲述雷锋故事、组织集体性公益劳动和制定班级奖惩制度等方式，在班级建设中树立大公无私、助人为乐、毫不利己、专门利人的追求奉献的价值观念，形成团结互助、纪律严明、勤劳上进和好学深思的班风。

（三）学生中心的班级文化（2001 年至今）

进入 21 世纪以后，我国社会环境发生了显著的变化，和谐社会构建与可持续发展逐渐成为社会发展的主导语。2001 年，我国开启了新一轮基础教育课程改革，德育课程改革由此进入了历史新篇章，班级德育和班级文化建设也进入了新的历史阶段，这一时期班级文化的主要特点是回应新课程改革对素质教育的要求，在班级文化建设工作中突出学生中心。

2002 年党的十六大以后，随着改革开放的深入，中小学素质教育进入国家推进、重点突破、全面开展的新阶段。胡锦涛指出："全面实施素质教育，核心是要解决好培养什么人，怎样培养人的重大问题，这应该成为教育工作的主题"。同样，这也是中小学班级德育工作的主题。新课程改革以个性发展、创新精神和合作意识为价值取向，注重学生心理健康的发展，强调对学生的人文关怀，在这样的背景下，班级文化显示出开放性、民主性、互动性和个性化的特点。新课程改革提倡在提高学生兴趣的基础上，使学生能够在快乐中学习，快乐中成长，因此班级的门、墙壁、板报等经常由学生自己设计、装扮，张贴班级学生的各类作品，班规内容及实施等工作也让学生参与进来，体现民主、公开和平等。这些对于学生积极性的提高和创新潜在能力的发展起到了很好的促进作用。

二、班级文化的现实样态

班级文化作为一种教育力量，对学生的发展有着重要的作用，对学生的健康成长有着巨大的影响。班级文化育人的终极目标在于创设一种氛围，以期陶冶学生情操，构建学生健康人格，全面提高学生素养。

（一）创设积极的环境文化

班级环境文化是班级形象的标志之一。美化教室环境，既展示了良好的班级形象，也可以用美好的环境陶冶学生。心理学研究表明，环境会对人的心理和人格产生巨大影响。美好的教室环境能给学生增添生活和学习的乐趣，消除学习后的疲劳。更重要的是，良好的班级环境有助于培养学生正确的审美观，陶冶学生的情操，促进学生奋发向上，还可以增强班级的向心力、凝聚力，能让有限的教室空间形成优良的教育氛围，营造良好的成长环境，促进学生的品格发展，对学生的成长具有潜移默化的教育影响力和感染力。

班级环境作为一种显性文化，是可以摸得着、看得见的文化。比如教室墙壁上的名言警句，英雄人物或世界名人的画像；展示学生书画才能的书画长廊；激发学生探索未知世界的科普长廊；表露爱心的“小小地球村”；悬挂在教室前面的醒目图案和标语等等。无论是种植花草树木，还是悬挂图片标语，或是利用墙报，都应从审美的高度加以规划，挖掘其潜移默化的育人功能。

良好的班级环境文化犹如细雨润物，容易给学生营造良好的心境，使学生获得心理上的平衡。一个安静、和谐的学习与生活空间，可以催人奋进，可以影响学生对事物的判断和看法，可以改变学生的学习与生活方式。班级环境文化的建设应注重审美的要求，精心选择内容，注意阶段性和稳定性，在体现洁、齐、美、趣特点的同时，达到形式新颖、活泼、美观、大方。应根据学生不同年龄、不同年级的特点或围绕某一时期的中心任务来安排，突出知识性、趣味性、鼓励性。充分调动学生参与的积极性，让学生用自己的智慧和双手来布置班级环境，使学生在建设班级美好环境的过程中受到锻炼和教育。

班级环境文化的建设应符合学生的年龄和心理特点，与班级的教育教学目标相一致，充分发挥学生的自主性，体现班级的净化、绿化、美化。

班级环境文化建设是教室内外所表现出的物质文化形态，包括布置教室、办好班报、图书一角、设计墙饰、生态区域、宣传板块、展览阵地等方面的内容。应采取人文、自主、适应、统一、个性、经济的原则，让师生共同经历创生过程，共同设计、布置、装饰班级环境，如师生展示阵地（作品、照片等），趣活园地（绿植、手工等），形成有特色的班级环境，起到环境育人的作用。

以教室的布置为例：突出教室环境布置的积极意义，使每一堵墙都说话。以“整体与美观”的教育性、“创造与生动”的实用性、“经济与环保”的安全性原则，精心策划，让教室内的每一块墙壁、每一个角落都具有教育作用，彰显班集体特色，让师生感觉舒心。教室环境布置在主题内容上积极向上，在整体布置上体现和谐、整洁、美观、大方，营造富有生命气息的班级文化，彰显班级个性。

（二）塑造向上的班级精神

班级精神是班级文化的核心和灵魂，是全班学生的精神支柱和共同信仰的价值标准。它包括群体意识、舆论风气、价值取向、审美观念等，具有强大凝聚力。培育班级精神是一项长期而艰巨的任务，班主任在班级精神的塑造上发挥着主导作用。

塑造班级精神的过程就是班级主体在班级生活中形成共享的价值观和信仰的过程。班级精神文化包括制度文化、观念文化和行为文化等，常常表现为一个班级的班风、班训，以及可以通过班徽、班歌、班旗、班花、班级象征颜色、班级卡通、班鸟、班名等加以体现。

制度文化是班级精神的重要体现，包括班规公约，构成一个制度化的文化环境；观念文化是关于班级、学生、社会、人生、世界、价值的种种观念，这些观念潜移默化地影响着学生；因制度和观念等引发出来，从学生身上表现出来的言谈举止和精神面貌，则是行为文化。

班级精神具有怡情、承载和凝聚的功能，是所有师生共同创造的一种精神财富，体现着师生共同认同与维护的理念、情感、价值取向，是规范学生行为、培育学生人格、陶冶学生情操的重要手段。

在当前的班级文化建设中，缺乏对班级精神塑造的了解和探究，不利于班级文化建设的开展。因此，班级文化建设要重视和加强班级精神育人，使学生身居其中，处处感到集体的力量和温暖，同学之间的鼓励和关怀，师生之间的民主和平等，使人心情舒畅，产生一股令人振奋、催人向上的力量。这种凝聚力一旦形成，会产生强烈的吸引力，把师生团结起来，共同为班级的建设和发展而努力。

班级精神并非是自发形成的，而是在协商融合过程中逐渐形成的。班级是由来自不同地域、不同阶层、不同社区的互不相识的学生的集合。每个学生都具有不同的价值观，要让班级中的学生在某些价值取向上逐步获得共识需要一个过程。班级精神是在班级生活中逐步形成，它的形成与班级成员需要的满足有关。班级精神的最终形成，需要班级成员能够在某一价值取向上达成一致，这种达成一致的过程就是协商的过程。在班级这个小社会中，教师与学生之间、学生与学生之间、教师与教师之间具有不同的价值观。不同的价值观经过一系列冲突、碰撞和融合，最后逐步形成班级的价值观。

当前，班级精神文化育人主要表现为：引导学生确定班级的共同目标，围绕班级目标，每个人制定出个人奋斗目标；拟定班训，主题鲜明突出、简洁明快、富有教导和劝勉意义，好的班训就是内容和形式的完美结合；提出班级口号，这是一个班级工作的基点，是班级目标的浓缩，是一种激发班级同学积极向上的精神力量；评选班级中的各类优秀，榜样的力量是无穷的，通过开展评选“三好学生”“学生干部”“班级明星”等，树立典型，鼓舞士气；设立各种“进步奖”，“放大”后进生的点滴进步，增强他们不断进取的自信心；选定与传唱班歌，一首好的班歌，可以激励学生刻苦努力、奋发向上，增强班级的凝聚力，让学生在优美、动听的歌声中唤醒自己的童真童趣，促进学生生动活泼健康向上的发展，形成良好的班风[①]。

以制定班训为例：一个善于抓班级管理的班主任会和学生一起制定班训。班训就是班级管理的总目标。如有些班倡导“团结、进取、勤学、乐思”的精神，并以此作为班训，指引同学向更高、更远的目标冲刺；或培养、形成“团结、互助、勤奋、向上”的班集体；或把班级建设成一个在“德、智、体、美、劳”等各方面都处于年级前列的优秀班集体；或把班级建设成一个“团结奋斗、自强不息，有活力，具有高度凝聚力”的班集体。这些目标都可以用标语的形式写出来，或张贴在教室的醒目位置，或作为学生的座右铭张贴在学生的课桌上。

（三）具有独特个性的学生文化

在班级中，学生虽然接受着教师的影响，具有教育文化的普遍性，但由于学生身心发展的需要，他们也会在相互作用中形成自己独特的文化特征，构成一种相对独特的文化形态，这种学生文化也被称为学生亚文化。学生文化是学生群体共有的价值观念和行为方式，主要由学生的规范性行为、共有的价值、意义和信仰所构成。学生文化是介于儿童世界和成人世界之间的一种文化现象，是学生从儿童迈向成年的一种过渡性产物，反映出其要求自主、独立的要求，也在一定程度上认同着成人的价值观念。

学生文化一般都是非正式形成的，往往是学生在日常的相互交往中，由有着共同的价值观念和行为方式的学生结为一个群体而表现出来的，同时，它对学生的影响也是非正式的。学生文化中蕴涵着学生群体的价值和规范，这些文化特征也构成一种“环境”，影响着处于这种文化情境中的每一个学生，使得学生在不知不觉中习得了这种文化[②]。

学生文化大致分为两种，第一种就是非班级显性倡导的同学关系建构

---

① 欧阳国亮．试论班级文化建设的原则与策略［J］．新教育，2019 (8)：84－86.

② 葛金国．校园文化建设导论［M］．合肥：安徽大学出版社，2003.

的同伴文化，是一般不被提倡、易被忽视的、自发的、隐性的同伴关系文化。第二种是某一时期在学生之间流行的文化，如追星文化、网络文化、短信文化等。学生文化大都具有自发性和潜隐性，多元性与不稳定性，浸润性与自主体验性，可能表现出不同的性别文化特征，不同的年龄阶段的文化需求，也会基于共同的心理需要结为有共同价值观念的群体，因不同的社会经历表现出不同的思维观念等。

学生文化是学生在真实的班级生活中，自觉或不自觉地创造并置身其中的成长“境遇”，与学生的成长体验息息相关，甚至影响至深至远，他们的成长秘密，大多藏在有可能被教师忽视的学生亚文化中。他们最切身的成长体验，也有可能不是主文化带来的，而是亚文化的功劳。相比较而言，学生在亚文化中，因为更加自由自主，所以就会在很多维度上更加自然地生长，这种自然生长对班级文化的影响正在逐渐加强，它提供了一种解决问题的方法，为学生提供了一种可供选择的文化形式，透过其文化要素为学生提供了一种有意义的、与学校生活不同的生活方式。

当学生文化与教育文化发生冲突时，教师应站在学生立场上，理解、尊重学生，做一个学生世界的倾听者，允许学生存有个体差异，保持班级文化的健康生态。教师只有用心、用情并用专业的目光去关注学生文化，去了解学生文化中立体的、真实的学生，才能帮助自己看清楚真切的班级生态，从而为每一个学生的积极成长服务。教师不仅要关注和了解学生文化，参与到学生文化的创造中，成为学生文化中的一分子。教师只有参与、浸润到学生文化中，才能看清楚学生文化是怎样作用于班级主文化的，才能了解学生在集体中真实的角色体验，才能知道社会生活、流行文化等等是怎样参与学生成长的……理解了这些，教师才能科学定位班级生态创造的愿景，才能和学生一起行动起来，实现理想班级生态的构建[①]。

---

① 程林．班主任应积极主动构建班级亚文化［J］．科技传播，2009 (9)：81.

（四）体现引领示范的教师文化

教师文化是以教师为主体的一种精神现象和文化状况。教师文化是班级文化的重要组成部分。教师文化与社会价值观有密切的联系，同时也体现了教师的价值取向、审美意识、社会行为、角色扮演等方面的自我特征。

教师文化对整个班级学生教育的影响力是潜在而深刻的。教师的思想观念、个性风格、举止言谈方式、道德修养水准、为人师表身体力行的程度等，都在学生的成长过程中留下深深的烙印，影响学生的品格发展。教师的不同角色特征、人格特征、形象特征等，会给学生以不同的印象，从而影响班级教育的开展，形成教师不同的教育风格，学生不同的成长风格。有什么样的老师就有什么样的学生，在班级文化建设时，教师尤其要注意自身对学生潜移默化的影响，换句话说，教师形象是班级文化的重要资源。

教师文化依靠制度的力量在班级文化中占据优势地位。因此，教师更应具有崇高的精神境界和高尚的道德品质。不仅要用自己的丰富学识教人，而且更重要的是要用自己的品格教人；不仅通过语言传授知识，而是以自己的品格去传授品格。尚未成熟的儿童和青少年，他们具有向师性、模仿性的特点，这就要求教师的行为时时处处起示范表率作用，不仅对学生要有学习上的影响力，更重要的是具有人格上的感召力。学生受教师文化的影响是潜移默化的、深刻的、终生受益的[①]。

班级是育人的重要场域，身教重于言教，良好的教师文化在学生道德成长中具有极为重要的示范作用和强大的感染力，对学生的成长起着潜移默化的熏陶与培养作用。班主任在教师文化的建设过程中起着重要的引领和协调作用。一个班级如果在班主任的带动下，每一个教师人格高尚、眼界开阔、知识渊博、志向远大、思想活跃，那么他们的言传身教对学生的

---

① 齐学红，黄正平．班主任专业基本功［M］．南京：南京师范大学出版社，2013：62.

影响是巨大而深远的。如果教师自己不能以身作则，那么再好的说教也不可能产生良好的教育效果，甚至会在一定程度上产生负面影响。

良好的教师文化建立应遵循习近平总书记提出的“有理想信念、有道德情操、有扎实学识、有仁爱之心”的“四有”好教师的要求和标准，以社会主义核心价值观为思想引领，以关爱学生、严谨笃学、淡泊名利、自尊自律为核心内容，以教育教学实践为基本途径，以立德树人、教书育人为根本目标，在专业发展上既要注重知识，更要注重道德；在师德要求上既要注重基础，更要注重超越；在价值取向上既要注重奉献，更要注重发展；在师德养成上既要注重他律，更要注重自律。

《中小学教师职业道德规范》（2023 年修订）的内容为爱国守法、爱岗敬业、关爱学生、教书育人、为人师表、终身学习。这六条基本内容体现了教师职业特点，对师德的本质要求和时代特征。而“爱”与“责任”是贯穿其中的核心和灵魂[①]。

【相关链接】

中小学教师职业道德规范［2023 年修订］

一、爱国守法。热爱祖国，热爱人民，拥护中国共产党领导，拥护社会主义。全面贯彻国家教育方针，自觉遵守教育法律法规，依法履行教师职责权利。不得有违背党和国家方针政策的言行。

二、爱岗敬业。忠诚于人民教育事业，志存高远，勤恳敬业，甘为人梯，乐于奉献。对工作高度负责，认真备课上课，认真批改作业，认真辅导学生，不得敷衍塞责。

三、关爱学生。关心爱护全体学生，尊重学生人格，平等公正对待学生。对学生严慈相济，做学生良师益友。保护学生安全，关心学生健康，维护学生权益。不讽刺、挖苦、歧视学生，不体罚或变相体罚学生。

---

① 齐学红，黄正平．班主任专业基本功［M］．南京：南京师范大学出版社，2013：65.

四、教书育人。遵循教育规律，实施素质教育。循循善诱，诲人不倦，因材施教。培养学生良好品行，激发学生创新精神，促进学生全面发展。不以分数作为评价学生的唯一标准。

五、为人师表。坚守高尚情操，知荣明耻，严于律己，以身作则。衣着得体，语言规范，举止文明。关心集体，团结协作，尊重同事，尊重家长。作风正派，廉洁奉公。自觉抵制有偿家教，不利用职务之便谋取私利。

六、终身学习。崇尚科学精神，树立终身学习理念，拓宽知识视野，更新知识结构。潜心钻研业务，勇于探索创新，不断提高专业素养和教育教学水平。

（五）以文化活动打造文化特色

班级文化建设的形式仅仅是文化建设的一个开端，要建设一个有机的班级，必须有丰富多彩的文化活动去深化班级文化建设的内涵。丰富的班级文化活动，使班级文化建设走向动态生成，促进班级文化建设不断深化，从而形成有特色的班级文化。

班级文化活动的开展要针对班级的实际，抓住学生的爱好，找出突破口、关联点，根据学校活动计划安排各种类型的活动，在活动中注意培养学生的团结精神和合作意识，尤其是在活动中，相互的配合更有利于协作精神的培养。在活动中，从协作精神入手，培养学生的集体荣誉感，有了集体荣誉感的学生，自然就会在各个方面有进取心，而有进取心的学生和班集体，就有了进步的可能，也就迈出了向上发展的步伐。班级文化就是在这样的班级活动中一点点活化出来的，学生能一天天接近良好的品格，也必然会给他们带来美好的人生[①]。

以班级仪式和庆典活动为例：仪式和庆典是班级文化活动的重要内容，

---

① 向福佳．我国小学班级文化建设存在的问题、原因及对策分析［J］．知识文库，2019 (4)：85 － 86.

它经历师生共生的过程。每个班级在相应的阶段都要举行开学、结业、表彰、颁奖，以及入学、成长，聘任（家长委员会、学生志愿岗等）的班级仪式，举行集体获奖、集体生日等庆典，通过内化于心的价值引领和外化于形的实践活动，让师生共同获得归属感、获得感、成就感，形成班级凝聚力，助力学生成长，促进学生成长。

（六）当前文化育人存在的问题

在当今应试教育仍然占主导地位的教育环境下，班级文化育人还存在着很多问题，具体表现为形式主义大行其道班级特色不彰显，学生参与率不高、认同度不高等问题。比如，班级墙壁上会贴有一些文化图案，但是当学生被问及怎样理解本班墙壁所张贴的文化内容时，大部分学生都无法说出来。这表明同学们并未研究墙壁所彰显的文化，没有内化为他们真正理解的东西，因此，这样的环境没有起到应有的作用。

班级文化育人的问题，还表现为班主任对班级文化建设意义的错误解读，班级文化建设缺乏个性化，班级文化活动过于形式化，在班级文化建设过程中忽视民主性等。因此，有必要对班级文化育人进行更加全面而深入的研究和实践[①]。

三、班级文化的未来走向

（一）构建“学生为本”的班级文化空间

班级作为学校德育工作的基本组织单元，其蕴含的文化内涵是推进学校德育实施的基础。班级文化包括基于学生个体品德的个性文化、基于

---

① 杨甲．小学班级文化建设中存在的问题及改进方法［J］．现代企业教育，2010 (22)：171 － 172.

德育框架的组织文化、基于主观意识的情感文化和基于群组风貌的集体文化①。要充分利用黑板报、走廊、墙壁等区域进行文化建设，营造良好的文化氛围。班主任可以鼓励学生根据班级特色，提炼精华，自主设计班名、班训、班歌、班徽和班级口号等，提升班级活力，增强班级凝聚力。

班主任作为班级德育的引领者，开展德育实践活动时，要立足班级自身特点，明确班级情况、管理理念、班级目标、德育内容、实施途径、支持保障和评价体系，努力挖掘班本化特色，发挥班级的整体德育作用。针对不同班级的实际情况，凸显班级的个性特色，才能真正为学生构建一个良好的班级德育环境。首先，班主任要对班级整体的情况进行全面了解并分析，包括班级中学生的基本信息和学生身心发展特点，并结合学校德育工作规划和社会对育人的要求。其次，班主任要凝练出具有特色的带班理念，结合《中小学德育工作指南》和学校德育工作安排，分解细化班级德育工作，确保德育目标层层分解，切合学生实际并能实现。最后，班主任要结合班级实际情况制定相应的德育策略。制定符合本班实际的班级德育评价标准，对德育工作的过程和结果进行及时的评价，构建完整的班级育人体系。最终实现营造良好的班级文化，创设安全、包容、和谐、关爱的班级氛围，让学生在班级中获得自尊、自主、自由的发展。

（二）挖掘适宜的班级文化资源

随着多媒体信息技术的普及，5G、大数据、人工智能、3D 打印等新技术加速渗透到社会生活各领域，极大地影响人类生活的方方面面，也在重塑学校德育的形态和拓宽班级德育的空间。网络传媒因其生动形象、快捷方便等特性可以作为班级德育重点开发的资源。但同时正是因为信息的多元丰富性，不同媒体产生的影响也不尽相同，具有复杂性的特征。网络

---

① 王晓彤．从学校德育根系生长看班级文化的生成机理［J］．教育理论与实践，2021(20)：18－20.

德育资源是可以实现德育功能的网络信息载体，包括图片、视频、文字、多媒体技术等。网络德育资源一方面要依托网络，加强信息技术与班级德育传统路径的高度融合，体现时代感；另一方面要具备育人的价值，贴近学生现实生活，教育者要负责挑选学生普遍存在的问题，增强对学生的吸引力。结合学生普遍关注的社会热点话题，重视德育价值的挖掘。班级也应采取相应的措施，与时俱进，引导学生树立对待网络媒介的正确观念，通过显性德育和隐性德育相结合的方法，将理论知识与实践活动联结起来。利用信息技术手段，结合学生身心特点，合理使用网络德育资源。教育工作者要为学生营造健康的绿色网络环境，合力开发网络德育资源，充分利用网站、微信公众号、QQ 群、邮箱等网上宣传交流平台。通过网络开展主题班（队）会、冬（夏）令营、家校互动等活动。同时还要提升教师的信息技术使用能力，深化多媒体资源辅助德育工作的专题研究，加快推进思政课和主题班会课资源库的建设，鼓励教师自主开发具有特色的网络德育资源库。

道德教育源于生活，道德教育只能在生活中进行，道德教育是为了让人更好地生活[①]。德育只有与学生的日常生活及生命体验联系起来，根植于学生的生活世界，才能真正触动学生心灵，具有强大的生命力和坚实的基础。德育工作不能仅停留于学校范围内，德育终究是一种生活德育，要和学生的生活世界紧密结合[②]，使德育真正走进学生的生活，直达学生的生命、精神和灵魂深处。生活的过程与道德的生成是相统一的，学生的道德是无法脱离生活而存在的。学生在班级中过什么样的道德生活，他就会形成什么样的道德。学校应提倡回归学生生活世界的班级德育，让学生在班级中过有道德的生活。学生是道德的主体，班级德育要从学生的生活世界出发，创造出丰富多彩的适宜生活，解决他们生活中实际遇到的问题，从认识、

---

① 王桂艳．德育与班级管理［M］．北京：北京师范大学出版社，2015：31－32.

② 鲁洁．生活·道德·道德教育［J］．教育研究，2006（10）：3－7.

态度和价值观等方面去改变他们的生活方式，引领他们更好地去理解生活。因此，教育者在班级德育中要秉持生活德育的基本理念。要想走出班级德育的实践困境，就要带领学生回归日常生活世界，回归到多样性的人际交往情境，回归真实的生活。同时鼓励知识学习与感悟实践相结合，加强案例教学、讨论辨析、实践体验等形式的运用。

班级德育首先应回归到学生真实的道德生活中来。让学生在真实的日常生活世界中获得道德体验，激发学生的道德需求和道德情感，使学生过上具有创造性、丰富性、生命性的生活。其次，班级德育要以实践道德生活为目标。班级德育指向真实的生活，而非脱离现实的纯精神世界，也不是简单的物质世界，学生在美好的道德生活过程中感悟道德对人的价值。最后，班级德育的内容要取材于学生的现实生活。选择学生亲身经历或耳濡目染的具有道德意义的生活事件，引发学生积极的思考，促使学生将道德体验转化成道德行为，实践道德生活。遵循学生日常生活的逻辑与顺序来组织班级德育的内容，德育内容的进度与学生的生活进程相一致。德育内容来源于学生的生活空间，对学生所有的生活领域进行筛选，着眼于学生生活中新出现的问题，在引导学生直面问题、解决问题的过程中，使有意义的道德学习真实发生。

（三）凝练独具特色的班级文化精神

班级文化最根本的使命和担当是通过文化来“育人”。当前班级文化建设面临的主要矛盾冲突，来自于学生文化与教育文化的冲突，主要体现为主流文化与学生亚文化之间的矛盾冲突[①]。

班级文化的核心是班级精神，班级精神包括班级愿景、班级目标、班级氛围、特色创新等理念层面的内容，是班级成员共同的价值追求。因此，

---

① 齐学红 . 在冲突和融合中建设现代班级文化［J］. 中国德育，2011 (3) : 71.

在各种文化相互碰撞的过程中，班主任要引导学生相互协商、达成共识，凝练出属于本班独有的班级精神应该是班级文化建设的终极目标。当然这个过程并非一蹴而就的，而是班级成员之间长期对话、交流、沟通的过程。只有充分了解班级学生的实际情况，才能提出具有主导价值取向的目标，进而让全班学生自愿去践行，营造出和谐生态的班级文化。

通过对当前学校班级中德育实施路径存在的主要问题进行归纳梳理后发现，班级德育存在着德育路径实践样态单一、育人主体单薄、德育活动趋于形式化、学生声音缺失等方面问题。结合国内外班级德育的优秀经验，未来中小学班级德育实施路径为：加强党团组织和少先队在班级德育中的作用；发挥学生主体性，鼓励民主管理和自我管理；多元主体联动，实现班级协同育人；整合班级德育资源，回归学生的生活世界，让学生在班级中过有道德的生活。

第五章
班级德育的实施与评价研究

教育评价，是指在一定教育价值观的指导下，依据确立的教育目标，通过使用一定的技术和方法，对所实施的各种教育活动、教育过程和教育结果进行科学判定的过程[①]。班级德育评价，是指对班级德育实施效果的价值研究。班级德育评价主要包括学生评价、班主任评价、班级评价。班级德育评价中，不论是对学生的评价，还是对班主任、班级的评价，都是围绕人的评价而展开的。

学生评价是指在一定教育价值观指导下，根据一定的标准，运用现代教育评价的一系列方法和技术，对学生的思想品德、学业成绩、身心素质、情感态度等的发展过程和状况进行价值判断的活动[②]。学生评价既是教育评价的基础和重点，也是学校教育评价的核心。因为学生的质量既是衡量一所学校教育工作质量的标准，也是提高学校教育工作水平的根本所在和关键要素。所以，构建合理的学生评价体系、有效地实施学生评价、促进学生发展，是教育的必然追求[③]。

---

① 全国十二所重点师范大学联合编写．教育学基础［M］．北京：教育科学出版社，2014：316.

② 齐学红．班级管理［M］．北京：教育科学出版社，2018：228－229.

③ 同①317.

班主任评价是对班主任工作进行描述和价值判断的过程，是对班主任在教育工作中的行为进行的判断、分析和比较。对班主任评价目的在于方便决策，以提供更优质的教育服务，同时发挥在教育实践和教育理论方面的导向作用①。通过对班主任工作的行为、效果进行描述、判断、分析与比较，进行全面、客观的评价，促进班主任提高思想认识、转变教育理念、增强专业素养、促进学生发展、提高班级管理水平，提升学校办学品质。

班级评价实际上是班级教育管理评价，是指评价主体通过收集班级和学生在班级活动中的相关信息，对班集体和学生个体的发展变化状况作出的判断。评价者通过收集、分析班级和学生的情况，把握班级学生集体和个体发展的现状和存在的问题，找到解决问题的根本，有效提高教育管理的质量和效果②。班级评价既是班级德育工作的最后环节，又是开展新一轮德育工作的最初环节。班级评价是诊断与评定班级德育工作效果、了解班级德育工作基本状况的重要途径，并且为班级德育工作的改进提供依据与支撑。

第一节　学生评价研究

学生评价是教育评价中历史悠久而又永恒的话题，有了学校教育就有了对学生如何评价的问题。学生评价具有诊断、导向、发展和管理等功能。它是学校教育工作的重要组成部分，也是每一位教师都必须实际操作的一项重要内容。构建合理的学生评价体系，有效地实施学生评价，才能更好地促进学生的学习与成长。

---

① 齐学红．班级管理［M］．北京：教育科学出版社，2018：283.

② 同① 258.

一、学生评价的发展历史

学生评价从世界历史的角度分析其发展轨迹，大致可以划分成三个时期，即考试制度时期、教育测验时期和学生评价时期。学生评价的发展轨迹是一个不断传承与创新的过程。考试制度、教育测验和学生评价虽然始于不同时期，但是都一直延续至今，并各具特色。它们之间不是后者取代前者的关系，而是外延不断扩大和内涵不断发展丰富的过程[①]。

《礼记 · 学记》中便有对学生管理和考核的规定和要求。隋炀帝大业二年（公元 606 年）置“进士科”开始科举取士。科举制度经过唐朝的发展以及宋朝、元朝、明朝的演变，在分科选拔、逐级考试、考生来源、考试科目与方法、录用程序等方面逐步形成了一套较为行之有效的考试制度，这可以看作系统地进行教育评价活动的萌芽。1905 年，清政府废止承袭 1300 多年的封建科举制度。虽然我国的科举制度废止，但是自由报名、公开考试、平等竞争、择优选拔等考试原则，以及帖经、墨义、策问、诗赋、口试等多样化的考试方法一直延续至今，并且得到了西方国家政府与学校的推崇和采用。世界各国不断进行考试改革，以期实现考试的科学化和现代化。如今考试制度已经成为一个重要的研究领域，称“考试学”[②]。

中国古代所萌发的教育评价思想的嫩芽，因种种原因，并未能在 20 世纪伴随着西方教育测验和评价运动而率先发展起来。1905 年清政府废止科举制度后，在内与外、主动与被动多种力量的共同作用下，西方教育测量的理论很快就传入了我国，进而在 20 世纪 20—30 年代形成了中国的教育测量运动。期间，1920 年廖世承和陈鹤琴在南京高师开设测验课程，并以心理测验量表测量学生，这是在我国第一次正式应用科学心理测验。

---

① 王斌华 . 学生评价的发展轨迹［J］. 华东师范大学学报（教育科学版），2012 (3) : 37.

② 同 ① 38 – 39.

1937 年全面抗战爆发至 1949 年新中国成立之前，教育测量运动被迫中断，而 20 世纪 30 年代正是西方教育评价研究诞生并迅速发展的年代。教育测验大量吸收了心理测量的基本原理和技术，努力追求学生成绩评定的客观标准。教师普遍扮演了“教育测验技术员”角色，他们采用各种量表测定学生的知识记忆或某些特质。1932 年至 1940 年期间，美国教育家泰勒完成了教育评价史上具有里程碑意义的“八年研究”，这也标志着教育评价学科的正式确立。1942 年，艾金发表了题为《“八年研究”的历程》(The Story of the Eight-Year Study) 的研究成果报告，第一次使用了“教育评价”这个专业术语。当时,“教育评价”这个专业术语的内涵比较狭隘，近乎“学生评价”的同义词，还没有涉及教师评价、课程评价和学校评价。在当时的历史背景下，“八年研究”及其他一系列的研究成果自然是不可能介绍到我国来的，甚至连“教育评价”的概念都未能引进，我国教育评价理论的研究水平从此与世界拉开了距离[①]。

1949 年新中国成立，我国的学生评价取得了长足的发展，接下来从历史的角度纵向梳理新中国成立 70 多年来我国学生评价的发展历程。

（一）政治取向的学生评价（1949—1977 年）

新中国成立伊始，各项事业百废待兴，国家建设离不开人才，发展教育事业的重要任务便是“提高人民文化水平，培养国家建设人才”。叶澜教授指出，尽管我国教育改革中涉及大量的经济需求、文化需求等其他需求，但在政府层面，国家政治利益是率先和根本的[②]。其中教育对培养的人的要求是又红又专，不能只专不红。由于政治上的原因，政府认定苏联的

---

① 卢文汇，连仙枝．对我国中小学生评价的历史研究[J]．晋城职业技术学院学报，2011：37.

② 齐学红．结构与行动：基础教育改革的历史社会学研究［M］．南京：南京师范大学，2020：225.

教育就是社会主义教育，予以一概肯定。教育领域全盘否定之前在教育评价中积累的经验，完全采用“苏式考评体系”，并在实践中全盘照搬。

1. 又红又专

新中国成立以后，依靠上下一心、艰苦奋斗，国民经济在短时间内实现快速增长。1958 年第二个五年计划开始，国家对于建设人才的需求愈加迫切。同年 9 月中共中央、国务院颁布了《关于教育工作的指示》，对教育提出了“鼓足干劲、力争上游，多快好省地扫除文盲，普及教育，培养出一支数以千万计的又红又专的工人阶级知识分子的队伍”的任务。《关于教育工作的指示》强调了马克思列宁主义的政治教育、思想教育，强调教育中阶级观念、社会主义觉悟的培养。这个时期对学生的评价要求是又红又专，不能只专不红①。

2. 苏联模式

新中国成立后，我国开始由学习欧美转向全方位地学习苏联模式。1944 年，苏联决定以五级分制代替在学校中所使用的学生成绩和品行评定的文字制度。我国不少学者对苏联的五级分制进行了介绍，如葛天民率先在《人民教育》撰文指出，苏联之前所使用的等第记分法主观性较强，英美的百分制则是笨拙不灵活，极易导致学生个人英雄主义和个人竞争的资本主义思想，而五级分制简便准确，便于经常使用，课上与课下相结合，学月、学期与学年相结合，口试与笔试相结合，是评定学生成绩的一种最科学、最准确、最简便的计分方法。此后，五级分制逐渐在我国推广开来。课上课下经常可见教师手拿“记分簿”对学生的学习成绩、课堂表现进行记录，测量已不再是学生评价的唯一方式，行为观察法广泛使用，但后来出现了极端化倾向，逐渐由技术层面的学习上升到了意识形态层面，随着中苏关系的破裂而被迅速叫停。

---

① 齐学红．结构与行动：基础教育改革的历史社会学研究［M］．南京：南京师范大学，2020：225－226.

20世纪60年代初，中苏两国关系彻底破裂，政治上的斗争再次延伸到教育领域中来。在教育评价领域，欧美式的教育测验以“资”字号被否定于前，苏式的考评方法又以“修”字号被批判于后，而教育行政部门又不能指出评价发展的正确方向在哪里，于是我国的教育评价研究遂陷于无所适从的困境而再次被迫中断，然而这一中断便是20年①。

（二）改革开放下的学生评价（1978—1999年）

“文化大革命”之后，国家急需恢复教育秩序，提升教育质量，培养优秀人才。强调“基础知识与基本技能”的“双基”的学生评价，对于矫正“政治挂帅”的评价取向有非常重要的作用，它使学校将工作重心逐渐转移到对学生的知识教学和能力培养上来。然而，过分强调“双基”，又将学校教育逐渐引向了“应试”轨道②。20世纪90年代中期，国家政策要求教育由“应试教育”转向全面提高国民素质的轨道。全国各地中小学校兴起了以“学生综合素质评价”为主题的专项课题研究与探索。

1. 改革开放初期

1978—1985年，处于改革开放初期，基础教育的学生评价处于恢复期，这一时期的学生评价以恢复教育秩序为目的③。

“文革”期间高考制度被废除了10年，全国实行“推荐与选拔相结合”的招生办法。这一招生办法存在影响教育公平、导致高等教育质量下滑、造成思想混乱以及导致人才匮乏等弊端。正式恢复的高等学校招生统一考试制度，根据德、智、体全面衡量考生，个人自愿报名，统一考试，择优

---

① 卢文汇，连仙枝．对我国中小学生评价的历史研究［J］．晋城职业技术学院学报，2011(2)：37.

② 安富海，刘甜甜．守正创新：我国学生评价政策的回顾与展望［J］．课程·教材·教法，2023(4)：76.

③ 许世红．基础教育学生评价研究：历史沿革、现实状况与未来走向［M］．广州：广东高等教育出版社，2014：1.

录取。恢复高考使社会风气发生了巨大的转变，为百废待兴的中国大地吹来了尊重知识、尊重人才的春风。

改革开放之初，党中央确立了教育作为首要发展的战略地位。1985 年 5 月，中共中央颁布了《关于教育体制改革的决定》，提出“教育体制改革的根本目的是提高民族素质，多出人才，出好人才”。1986 年 4 月，全国人大六届四次会议通过并颁布了《中华人民共和国义务教育法》，明确提出了“义务教育必须贯彻国家的教育方针，努力提高教育质量，使儿童、少年在品德、智力、体质等方面全面发展，为提高全民族的素质，培养有理想、有道德、有文化、有纪律的社会主义建设人才奠定基础”。这些文件和法律的颁布，再加上西方的评价理念传入我国，极大地促进了我国的教育评价的发展。

这一时期，为了满足社会对人才的极度需求，社会、家长和学校几乎把对教育的注意力聚焦在学生的中、高考成绩和学校的升学率上，学生评价几乎等同于学业评价。学生评价围绕着各行各业所需要的人才甄别与选拔的标准，建立了一系列考试制度和学业评价制度，对如何评价学生的学业成绩、如何考试等做了详细的规定。各级各类学校把文化课程的学习放在首要位置，智育成了教育的第一要素。学生评价以为上一级学校选出合格人才为主要目的来组织开展活动。

1982 年 5 月，教育部和共青团中央印发《关于在中学生中评选“三好”学生的试行办法》,明确指出在掌握“三好”学生标准时应注意坚持德、智、体全面发展，要防止以学习好代替其他两好，或者对其他两好降格以求。这为开展学生评价提供了评价标准。然而，尽管国家文件明确学生应坚持德、智、体全面发展，但在具体的落实中，智育往往成为最为重要的评价要素，占学生评价各项指标中的最大权重。学校和教师在学生评价活动中处于绝对支配地位，学生则被动接受来自行政部门、学校和教师的评价。学生评价的主要方法是量化评价，具体体现为各种量表、测验和考试。各中小学主要通过地方统一考试的方式来评价学生，评价内容主要是基础知识和基本技能的掌握情况。学生评价直接体现为学科考试分数，最终体现在学校的毕业率、升学率上。

2. 改革开放中期

1986—1999 年，改革开放中期，学生评价处于选拔性评价居主流、新评价方式蓬勃发展的改革实验期[①]。这一时期，学生评价虽然主要由政府行政部门统筹管理，但在具体实施上各地各校都发生了一些变化。一些基本普及义务教育的地方逐渐取消“小升初”的考试，教育管理权也逐渐转移到地方县镇级政府及学校。同时，学生评价制度设计与改革开始受到西方发达国家教育评价理论的影响，不仅引进了国外许多先进的理念和具体做法，全国多个地区也尝试进行了改革实验，在已有评价制度的基础上，探索形成一定的地方模式和特色。

由于教育资源特别是优质资源的紧缺，再加上中国传统考试文化的影响，这一时期，学生评价的选拔性功能凸显，应试教育愈演愈烈，引起社会各界不满。以考试为主的学生评价成为人们对教育进行批判的焦点，而同时新的学生评价制度尚处于探索阶段。虽然没有形成成熟的做法，但仍然发生了一些重要转变，评价目的开始由甄别学生转变为促进学生素质的整体提高，学生评价的规范性与评价工具的研制均得到了较大程度的发展[②]。

国家倡导实施素质教育后，中小学校掀起了教育评价实验的热潮。20 世纪 90 年代，在教育科研人员的带领下，全国各地中小学校都兴起了以“学生综合素质评价”为主题的专项课题研究与探索，不断涌现了一系列的理论研究论文，也出现了具有较强操作性的学生综合素质评价方案与评价手

---

① 许世红 . 基础教育学生评价研究：历史沿革、现实状况与未来走向［M］. 广州：广东高等教育出版社，2014：5.

② 梁红梅，栾慧敏，戚淑芝 . 改革开放以来我国中小学生评价制度的发展与反思［J］. 当代教育科学，2011（18）：4.

册。一些教育工作者在实验基础上，提出了许多具有创新性的学生评价模式与方法，如“个性发展教育评价模式”、“层次结构目标教育模式”、“分数＋等级＋评语”式评价、“成长记录袋”评价等。在评价主体方面，开始尝试从一元走向多元，鼓励学生本人、同学、家长参与评价①。

经过十多年的努力，学生综合素质评价在全面性与科学性方面取得了较大进展，尤其是品德评价显著加强。这些研究成果和实践活动为21世纪全面铺开的基础教育改革中进一步开展学生质量综合评价的理论研究和实践实验奠定了深厚基础，对我国学生评价研究有深远的意义②。

（三）新课程改革下的学生评价（2000年至今）

进入21世纪，如何提高人的综合素质、培养全面发展的人已成为教育领域的艰巨使命，中国基础教育领域迎来了第八次课程改革。2001年秋季开始实施基础教育新课程实验，新的课程、新的教法、新的要求也必然需要新的评价方式与之相应。《基础教育课程改革纲要（试行）》指出，评价改革的目标是：“改变课程评价过分强调甄别与选拔的功能，发挥评价促进学生发展、教师提高和改进教学实践的功能”。新课程实施以来学生评价改革的实践与研究，总体围绕五个方面：学生评价理念变革的实践与研究；日常学生评价实践的改革与研究；高利害学生评价体系的实践探索与研究；综合素质评价的实施与挑战；大规模教育考试的改进与研究等③。

新一轮基础教育课程改革的评价强调：评价功能从注重甄别与选拔转向激励、反馈与调整；评价内容从过分注重学业转向注重多方面发展的潜

---

① 梁红梅，栾慧敏，戚淑芝．改革开放以来我国中小学生评价制度的发展与反思［J］．当代教育科学，2011(18)：4.

② 许世红．基础教育学生评价研究：历史沿革、现实状况与未来走向［M］．广州：广东高等教育出版社，2014：10.

③ 徐岩，丁朝蓬，王利．新课程实施以来学生评价改革的回顾与思考［J］．课程·教材·教法，2012(3)：12－17.

能；评价技术从过分强调量化转向更加重视质的分析；评价主体从单一转向多元；评价的角度从终结性转向过程性、发展性，更加关注学生的个体差异；评价方式更多地采取观察、面谈、调查、作品展示、项目活动报告等开放的、多样化的方式，而不仅仅依靠笔试的结果；评价内容更多地关注学生的现状、潜力和发展趋势；新的评价方式强调可操作性，力求评价简明、方法易行，使一线教师容易使用。

国家教委印发的《关于当前积极推进中小学实施素质教育的若干意见》指出，“实施素质教育是迎接21世纪挑战，提高国民素质，培养跨世纪人才的战略举措。”综合素质评价伴随着新一轮课程改革而生,因与中考、高考挂钩而不断巩固其重要地位，进而成为新课程评价的核心内容。综合素质评价力图改变学生各学科能力封闭式发展、多方面素质得不到全面发展的现状，强化学校促进学生全面发展的教育功能。综合素质评价是促进学生全面发展的重要举措，有利于选拔合格人才，提高日常教学质量和教师自身水平，有助于优化学校整体工作。实施学生综合素质评价需要坚持全面性原则、导向性原则、发展性原则、多元化原则、公平性原则和操作性原则。综合素质评价对深入推进基础教育课程改革，改进学校教育教学质量，促进学生全面发展具有重要意义。

新课程评价改革的核心是“一切为了学生的发展”。2002年，教育部颁发《关于积极推进中小学评价与考试制度改革的通知》，提出要“建立以促进学生发展为目标的评价体系”，这标志着发展性学生评价制度在我国正式确立。发展性评价集中体现了“一切为了学生发展”的教育理念。学生处于不断发展的过程中，教育的意义在于引导和促进学生的发展和完善。发展性评价为学生确定个体化的发展性目标，不断收集学生发展过程中的信息，根据学生的具体情况，判断学生存在的优势与不足，在此基础上提出具体的、有针对性的改进建议。发展性评价考虑学生的过去，重视学生的现在，更着眼于学生的未来，所追求的是对学生的关注和关怀，不但要通过评价促进学生在原有水平上的提高，达到基础教育培养目标的要求，而且更要发现学生的潜能，发挥学生的特长，了解学生发展中的需求，帮助学生认识自我，建立自信[①]。

2013 年 6 月，教育部颁布了《关于推进中小学教育质量综合评价改革的意见》，强调要以促进学生发展为核心，建立科学的中小学教育质量评价制度，构建综合评价指标体系。2014 年 3 月，教育部颁布的《关于全面深化课程改革落实立德树人根本任务的意见》指出，要“研究制订学生发展核心素养体系和学业质量标准”，注重综合考查学生发展情况。2020 年 10 月，中共中央、国务院印发了《深化新时代教育评价改革总体方案》（以下简称《总体方案》），这是新中国成立以来第一个关于教育评价改革的系统性政策。《总体方案》提出，要“改进结果评价，强化过程评价，探索增值评价，健全综合评价”，“改革学生评价，促进德智体美劳全面发展”，首次从德育评价、体育评价、美育评价、劳动教育评价、学业标准、考试招生制度等方面指明学生评价改革的方向。为落实《总体方案》，2021 年 3 月，教育部等六部门联合出台了《义务教育质量评价指南》（以下简称《评价指南》），指出对学生进行评价要围绕学生的品德、学业、身心、审美、劳动与社会实践五个方面，加强学生综合素质档案的建设和使用。在评价方法方面，强调注重结果评价与增值评价相结合，综合评价与特色评价相结合，自我评价与外部评价相结合，线上评价与线下评价相结合。2022 年 4 月，教育部颁布的《义务教育课程方案（2022 年版）》提出，要全面推进基于核心素养的学生评价。至此，学生评价政策进入了指向学生发展核心素养的综合素质评价时期[②]。

① 李胜芳．新课程理念下学生评价方式的变革［J］．南阳师范学院学报（社会科学版），2006 (2) : 122.

② 安富海，刘甜甜．守正创新：我国学生评价政策的回顾与展望［J］．课程·教材·教法，2023 (4) : 77.

二、学生评价的现实困境与反思

当前，我国学生评价理念日益先进，方法日益多样，学生评价的范围更加宽泛。与此同时，由于一些主客观因素的制约，使得深层次的困惑、疑难、矛盾问题也不断地涌现出来。

（一）“全面发展”与“分数中心”

发掘学生的各种潜能，对学生进行全方位评价，使学生发展过程中的优势尽可能地展示出来是新课程学生评价变革的主要目的。新课程改革以来，有些学校、教师十分重视学生评价，认识到评价是为了促进学生发展，在实践中做了积极的尝试。但是“为促进学生的全面发展而评价”“为促进教育质量的全面提高而评价”还没有真正成为大多数人的自觉实践。一些学校、教师对学生的评价以“选择适合教育的学生”为主要目的，即以“选拔适合高一级学校学习的学生”为评价活动的最高宗旨。

新课程评价改革强调应淡化甄别选拔功能，然而过分强调甄别选拔依然是当前学生评价中的突出问题。虽然有些学校在评价标准的个性化、针对性方面作出了一些尝试，但是不少学校还困于学业的“分分计较”，评价标准不是为诊断，依然是为了甄别；不是为了激励而是为了选拔。评价标准忽视了学生、教师、学校的个性发展和个体间的差异性，依然是过于强调共性和一般趋势，不能制订促进学生德智体美劳综合素质发展的评价标准。“一把尺子衡量所有学生”的评价标准，打击了不少学生学习的积极性，限制了学生全面而有个性的发展。

当下在很多人看来，学生学业负担过重与学生全面发展必然是矛盾的，解决不了学业负担过重的问题就解决不了促进学生全面发展的问题。这种观点有其合理性，但也不够准确。学生学业负担过重显然是一个问题，但更大的问题是这些负担都是投向了“智”这一部分，以至于学生没有更多的时间精力投向德、体、美、劳等方面①。很多教师已经习惯通过测验或考试来对学生进行评价和排队，部分教师会依照学生的成绩来安排座位和任命班干部，也有的教师由于固化思维影响，对于部分难以量化的情感态度和价值观通过打分的形式来进行评比，把本身需要按照发展程度进行评价的项目转变为评分项目②。这种“分数中心”的评价难以体现学生实际的进步状况和努力程度，对于诊断、改进学习过程中存在的问题和激励学生不断成长的作用也是微乎其微；过于关注学生知识的获得与技能的习得，忽视对学生在学习过程与方法、情感态度、价值观等其他方面发展的评价；忽视对学生的行为习惯、心理素质、实践能力、创新精神等综合素质的评价。学生的全面发展、个性发展受到很大的限制。

在新课改和素质教育不断深入推进的今天，上述的“以分数为中心，忽视学生全面发展”的情况虽然在一定程度上有所改观，但是并未得到彻底改变，影响了学生的健康成长。

（二）“多元参与”与“教师主导”

新课程实施以来，尽管许多教师都认识到评价主体要多元化，但是当前评价主体还是比较单一的，教师在学生评价上依然占居主导地位，基本上没有形成学生、教师、管理者、教育专家、家长等多主体共同积极参与、交互作用的评价模式。事实证明这种评价主体的单一性不利于促进学生的发展。

班主任评价为主，有失客观公正。目前，对学生的评价主要是以班主任评价为主。我国很多中小学班级的学生数过多，班主任的工作量大、负担重。尽管有不少班主任努力地想面向全体、面向学生的可持续发展、全面客观地评价学生，但还是很难顾及到每一个学生，很难多方位地去评价

---

① 柯政．学生评价改革的难为、应为、须为［J］．教育发展研究，2021 (18)：32.

② 张文．新课程推进中学生评价存在的问题与对策［J］．教育理论与实践，2017 (2)：20.

学生，这必然会发生评价偏差的问题[①]。

任课教师往往只以分数来评价学生。大多数任课教师学科本位的思想依然比较重，他们往往只关注自己的学科教学，忽视自己的育人天职。他们在平时除了授课，指导学生学业外，与学生缺少必要的沟通和交流。在对学生的评价中往往只以分数来评价学生，忽略对学生其他方面的评价；往往会区别对待成绩不同的学生，导致“后进生”表现越来越不理想，甚至出现厌学心理。

学生自我评价忽视或重视不够。目前，学生评价中依然存在着忽视学生的自我评价或对学生的自我评价重视不够的现象。学生评价往往是教师主导，教师往往拥有绝对权力，凌驾于学生之上，喜欢一言堂，学生的优劣得失均由教师自己说了算。学生往往处于被动、消极的地位，很是无奈。久而久之，学生会变得冷漠，产生讨厌、拒绝的情绪，学生的自尊心、自信心得不到很好的保护。

家长对学生评价存在误区。由于有些学校、教师对于新课程的教育思想宣传不够，很多家长对新课程评价改革没有全面理解。他们往往把要求孩子获得高分摆在家庭教育的首位，不懂得培养孩子的全面素质。甚至有的家长眼中只有孩子的学习成绩，对学校要求孩子参加社会实践活动，要么漠然视之，要么弄虚作假，要么强烈反对。有的家长误解素质教育，认为逼迫孩子学习乐器、书画、棋类并通过等级考试就是素质教育[②]。

现在不少教育工作者能认识到评价学生需要主体多元化，这样才能对学生进行多角度客观评价，然而在实际的操作过程中，评价主体依然是教师占据绝对地位，甚至是唯一。

---

① 张银梦.我国中小学学生评价存在的问题及对策研究［J］.决策探索，2018 (6)：65.

② 张文.新课程推进中学生评价存在的问题与对策［J］.教育理论与实践，2017 (2)：21.

（三）“丰富创新”与“简单惯性”

经过多年的研究，学生评价方法较之前有了很大改观。一些学校、教师在实验基础上，提出了许多具有创新性的学生评价模式与方法，如档案袋评定法、成果展示法、学生成长手册等。这些多样化、先进的学生评价工具有利于对学生进行较为全面而科学的评价。然而，当下一些教师缺乏正确的评价理念，深受传统经验、惯性思维的影响，习惯于简化处理，导致不能对学生进行科学的评价。

过分重视量化评价。目前很多教师仍然以定量的考试评价作为评价学生的主要手段，把学生的学习成绩作为评优评先的依据；对于像“成长记录袋”这样的操作稍有些复杂的评价往往加以忽略；将促进学生全面发展的评价内容简单地量化处理。有的学校为了升学率甚至劝退或放弃一部分成绩较差的学生，违背了素质教育和义务教育的理念；学生评价手册也失去了评价的意义，成为学校应付上级检查的工具。单纯的量化评价把复杂的教育现象简单化、表面化，不仅无法从根本上保证评价客观性、精确性，而且往往忽视了学生情感、态度和价值观这些教育中有意义的内容。

忽视诊断性评价。评价具有导向、激励、诊断、发展等多重功能。其中，诊断性评价可以确定学生的学习准备情况，明确学生的学习起点，为教师的教学设计提供依据；可以了解学生的发展差异，有助于教师对于不同特征的学生采取具有针对性的干预措施；也可以了解个别学生在发展上的特殊障碍，为教师的个别教育提供依据。当前，评价的诊断功能并未充分发挥，较为突出的现状就是教师在遇到学生出现问题时，往往是凭经验、感情简单地处理，不能从“学生”需求出发。学生心里在想什么，出现的问题及原因，将会有什么表现，很少有教师对其作出科学的诊断性评价。

评价结果缺少反馈。在学生评价工作结束后，评价的结果主要用于帮助教师制定教学决策，而学生作为被评价者，他们获得的只是哪些地方做对了、哪些地方做错了，以及得了多少分等简单的反馈，并不能知道出现错误的原因，也很少能获得接下来该怎么努力才能更好地进步等方面的反馈。除了学生，学生家长也很少能获得学生评价结果的反馈。如果学生评价结果没有被及时有效地反馈给学生和学生家长，就会使评价的作用大打折扣，影响学生评价功能的有效发挥。一方面，学生既无法具体知道自己的优势，从而增强自信心并继续保持，也无法知道自己有哪些地方需要改进，以及在将来如何避免再犯同样的错误；另一方面，家长也难以了解自己孩子在哪些方面做得很棒，是值得表扬的，以及在哪些方面还存在不足，需要在以后的家庭教育中督促孩子改正的[①]。

总之，当前中小学教育中的学生评价仍然存在着不少问题，主要表现在评价的观念、目的、内容、主体、方法、标准和结果反馈上。这些学生评价问题，究其原因，主要有以下几个方面：

“学而优则仕”是中国历史文化传统思想，“唯分数论”的现象依然盛行，究其思想根源，还是摆脱不了传统历史思想文化的影响。随着外来思想的传播和渗透，尤其是各种测量表的引进，加重了学生评价过程中的量化成分。本来学生评价中就存在一定程度上的量化倾向，再加之外来思想的传播，更是推动了这种“量化评价为主”趋势的发展。

学生评价是整个教育体系的一个重要组成部分，学生评价的弊端可以追溯到教育体制模式上来。目前整个教育体制存在着一定的问题，这是不容置疑的。在一定程度上说，这些问题都与我们的教育体制模式相关联。但是，每个时代的教育体制模式总有其存在的合理性和不可超越的历史局限性。教育模式的弊病仅仅是造成学生评价出现问题的一个因素，因而不能过多地去责备教育体制模式给学生评价带来的弊病。教育界应致力于进行学生评价的改革。

新课程改革中关于学生评价的理念有些也在教育教学实践中被扭曲，

---

① 贾慧，孙明娟．中小学学生评价的现实困境与改进策略［J］．西部素质教育，2023 (1)：26－27.

如学者何毅指出："在功利主义的学生评价观念下，学校教育方面过分关注的是人的物质层次的发展，严重偏向于实用知识和技术的传授，忽视人与人的精神性发展。"[①] 学校和教师在急功近利或是敷衍了事的评价理念支配下，因自身的认识与能力所限，往往把学生评价作为一种工具，用易操作的量化的手段来掩盖或者取代学生整体意义上的价值评价，这显然是一种简单机械的学生评价理念，必然会走向机械、教条的道路。

叶澜教授曾指出："教育除了鲜明的社会性之外，还有鲜明的生命性。人的生命是教育的基石，生命是教育学思考的原点。在一定意义上，教育是直面人的生命、通过人的生命、为了人的生命质量的提高而进行的社会活动，是以人为本的社会中最体现生命关怀的一种事业。"[②] 这是教育的起点，也是教育的归宿。教育的本真就是全方位、多层次、宽领域地促进学生健康和谐发展。从如今学生评价的发展事实来看，当下大多数的学生评价已经不能促进教育及学生的健康和谐发展。

三、走向多元开放的学生评价

中小学生评价改革是未来推进教育评价改革的重点。如何面对和解决当下学生评价中存在的问题？未来学生评价又将如何改革发展呢？

2020 年 10 月，中共中央、国务院印发了《深化新时代教育评价改革总体方案》。这是新中国第一个关于教育评价系统性改革的文件，明确了教育评价改革的指导思想、主要原则、目标及重点任务，成为未来教育评价改革的重要政策依据。2021 年 3 月，教育部、中共中央组织部等六部门联合印发《义务教育质量评价指南》。该文件也为我们深入推进新时代教

---

① 何毅．反思当前学生评价的价值取向及其影响［J］．现代教育论丛，2011 (8)：17.

② 叶澜．为"生命·实践教育学派"的创建而努力：叶澜教授访谈录［J］．教育研究，2004 (2)：33.

育评价改革，推动我国教育评价改革走向专业化、科学化和协同化指明了方向。

随着基础教育课程改革的逐步推进，一些地区、一些学校根据国家文件精神要求，结合实际情况制定了评价方案并予以实施，使学生评价从政策文本走向实践创新。南京外国语学校仙林分校制定的《中学生综合素质多元评价及奖励实施细则（试行稿）》，体现了一些学校对学生评价的共同的价值追求和实践研究，能给未来学生评价的改革带来思考与启发。

【工作案例】

中学生综合素质多元评价及奖励实施细则（试行稿）[①]

根据江苏省教育厅颁发的《江苏省普通高中学生综合素质评价方案》和南京市颁发的《初中学生综合素质评价方案》，结合我校学生实际，制定本细则。

一、指导思想

进一步落实“以人为本”的教育理念,更好地促进学生发展个性的同时，全面提高学生综合素质，运用多元智能理论，让每一位学生充分展示自己的优势领域，体悟到学习、生活过程中的快乐，引领学生健康发展，使学生在不同方面实现个人的价值，找到自己的闪光点，促进学生个性和潜能发展。

二、评价原则

1．多元评价原则

充分肯定每一个学生的个性特长、进步与发展，激发学生的自信和自主发展的欲望，引导学生更加客观全面地评价自己，明确自我发展的目标与方向，使每一个学生都能在不同的方面得到肯定和鼓励，促进学生的全面发展和个性特长发挥。

---

① 本案例由江苏省南京外国语学校仙林分校提供。

2．导向性原则

充分发挥评价标准的导向作用。通过制定评价指标，明确评价程序，强化评价措施，从而引导学校和教师全面关注学生发展过程，张扬学生个性，全面提高学生的综合素质。

3．“三公”原则

学校在对学生进行综合素质评价过程中，必须坚持公平、公正、公开的原则。以向学生高度负责的精神和态度，认真细致、实事求是地做好每一项评价。

4．发展性原则

坚持以发展的眼光看待学生，注重学生的日常行为表现，将形成性评价与终结性评价有机结合，有效发挥评价的激励功能，突出评价对学生全面发展的促进作用，使评价过程成为学生不断认识自我、发展自我和完善自我的过程。

5．可操作性原则

评价指标简明，方法易行，避免过于形式化和繁琐，便于一线教师使用。

三、组织实施

学校成立由校长任组长的南外仙林分校中学部学生多元评价工作领导小组。该领导小组负责制定评价实施细则，具体组织实施评级工作，审定评价结果，受理咨询、申诉和复议申请。

四、评价内容、奖励方式及操作流程

（一）评价内容

我校中学生的综合素质多元评价体系分为六个维度：道德品质、公民素养、学习品质、交流合作、运动健康、审美表现，各维度二级指标如下：

表 5-1 南外仙林分校中学生综合素质多元评价体系

维度	内容	评价标准	自评	组评	终评		
					组级	校级综合	校级单项
道德品质	爱国学子	①热爱祖国，关心国家大事，严肃认真参加升旗仪式，仪表端庄、唱国歌时声音洪亮。 ②自觉维护祖国的尊严，敢于并善于向恶意攻击国家的言行作斗争。不做有损国家形象的事，不说不利于民族利益的话，一切从祖国的荣誉和利益出发。 ③在出国交流、求学及旅游等外事活动中，自觉遵守所在国的法规，尊重所在国的风情民俗，没有有损于国家的言行					
	浩然学子	①有正义感，坚持原则而又不苛求他人。 ②发现有不正当行为能及时制止，做事光明磊落。 ③积极向上，不断进取					
	勤俭学子	①珍惜他人的劳动成果，不浪费，不攀比。 ②自觉节约水电等公共资源并能带动他人，注重能源、学习用品的再利用，爱护公共财物					
	孝敬学子	①在家庭，体贴父母，能与长辈多沟通交流。 ②在学校，尊重老师，虚心听取意见，主动问好。 ③在社会，尊重并能主动帮助年老体弱的长辈					
	诚信学子	①重情重义，诚实守信，敢于承担责任，不欺骗他人。 ②表里如一，言行一致。 ③拾金不昧，在同学中有较高的诚信度和影响力					

续表

维度	内容	评价标准	自评	组评	终评		
					组级	校级综合	校级单项
公民素养	“三自”学子	①自觉遵守校内外的各项法规制度，自我约束力强。 ②善于独立思考，有较强的上进心，对自己的成长有目标、有规划、有行动。 ③能科学自主安排时间，做事讲究效率。 ④有较强的民主意识，能够依法维护自身权益。 ⑤生活充实，学习高效，乐观自信					
	儒雅学子	①具有较高的文明素养，谈吐优雅，在与他人的交往中，能做到尊重、宽容。 ②言行规范得体，有较深的文化内涵和人格魅力					
	爱心学子	①对人友善，爱父母，爱老师，爱同学，爱护小动物，爱护花草。 ②热心公益活动，表现突出					
	环保学子	①环保意识强，能积极参加环保公益活动，注重节约。 ②认真做好值日工作和保洁工作					
学习品质	善学学子	①有良好的学习习惯和方法，勤学好问，善于总结学习经验，与同学分享学习成果。 ②学习成绩优秀。 ③在全国、省、市或区组织的各项竞赛中成绩优异者					
	勤奋学子	①学习态度认真，有毅力，不怕挫折。 ②学习成绩有进步					
	创新学子	①善于打破常规思维，有创新意识与勇气。 ②不迷信权威，具有批判意识，在学习上不拘泥书本知识，学习方法独特，在活动中有创意					

续表

维度	内容	评价标准	自评	组评	终评		
					组级	校级综合	校级单项
	雄辩学子	①积极参与相关活动，善于演说，敢于陈述自己的观点，与他人论辩时有理有据，以理服人。 ②在阐述自己的观点时冷静理性，善于控制自己的情绪。思维清晰敏捷、尊重对方					
交流合作	合作学子	①积极参与活动，在活动中有团队意识。 ②具有较强的协调组织能力，能尊重并悦纳与自己意见不同、性格不同的人					
	实践学子	①积极参与学校组织的各项活动。 ②在活动中动手能力强，在实践中善于体验、探究、总结经验					
	领袖学子	①有一定的号召力、影响力和组织能力，在工作中善于说服他人，有主见。 ②工作目标明确，有感召力，能以身作则，起带头作用。 ③处处以团队利益为重，有全局观念					
运动健康	阳光学子	①身心健康，积极参加锻炼。 ②认真上好体育课，做操认真，动作规范					
	“五环”学子	①有一定竞技技巧，积极参加校内外各项体育活动。 ②在各类体育比赛中有突出的成绩					
审美表现	艺术学子	①有一定的艺术特长，较高的艺术素养。 ②在各项艺术活动中，积极参与，表现突出					
自报项目							

（二）奖励方式

学生根据自身情况，申报自评的二级指标项目不超过 10 个，组评项目不超过 8 个，教育小组终评不超过 6 个。

1. 年级彩虹奖。各班级根据情况，凡符合以上评价内容中二级指标项目 1—4 项的学生，由班级报年级组审核后颁发“年级彩虹奖”荣誉证书。

2. 校级彩虹奖分为：校级综合素质发展彩虹奖、校级单项彩虹奖、校级特别彩虹奖三种。获得校级彩虹奖的前提条件为：符合二级指标项目 5 项或以上。

（1）校级综合素质发展彩虹奖。各班级根据情况，将综合素质较高、全面发展的学生，由班级推荐至教导处，经学校审核确认后，颁发“彩虹奖——综合素质发展奖”荣誉证书。各年级各班申报“彩虹奖——综合素质发展奖”比例：初中部 25%，高中部 30%。

（2）校级单项彩虹奖。各班根据情况，在符合校级彩虹奖表彰的前提条件下，在二级指标中推选出最突出的学生，上报至教导处，经审核确认后，颁发“彩虹奖——校级单项奖”荣誉证书。各年级各班申报“彩虹奖——校级单项奖”比例：初中部 25%，高中部 30%。

（3）校级特别彩虹奖。学生在校期间，凡在国家、省级以上教育主管部门组织的各项竞赛中取得优异成绩的、在校期间有突出表现，且符合校级彩虹奖表彰条件的，可由年级推荐至教导处，经学校审核确认后，颁发“校级特别彩虹奖”荣誉证书。

（三）操作流程

1. 自评：学生根据自身实际情况，对照多元评价表上的二级指标评价内容及标准，认真评价自己，也可自报项目，但自评项目不超过 10 个。

2. 组评：各小组组长和组内班干部评价组员，组长之间相互评价，同时接受班教小组成员的监督，组评项目不超过 8 个。（参考自评，但不拘泥自评）

3. 终评：班教小组成员参考自评和组评对学生进行全面客观的评价，

评价出的结果为年级彩虹奖，而校级彩虹奖（包括综合素质发展奖和单项奖）的产生要在此基础上再经过两个步骤：（1）班教小组成员根据终评结果推选出综合素质发展奖的候选人，全体学生投票产生（建议：候选的学生可以先述职然后再组织全体投票）；（2）班教小组成员推选出校级单项奖的候选人，全体学生投票产生（建议：候选的学生可以先述职然后再组织全体投票）。特别注意校级单项奖候选人要在综合素质发展奖产生后再由班教小组成员斟酌产生。

五、补充说明

1．“彩虹奖”寓意：美丽的彩虹是由多种色彩组成的，它象征着生命的多彩，青春的绚烂；象征着学生个性发展的多元。彩虹犹如一条学生通往理想的七彩之路，引导着他们快乐、幸福的成长。

2. 校级单项奖与综合素质发展奖不可兼得。

3. 凡违反国家法律和学校校纪校规的同学均不得申报参评校级“彩虹奖”。

4. 各班建立学生档案袋，注意过程材料的收集记录。

（一）育人本位，构建促进全面发展的评价体系

1. 立德树人，以为党育人、为国育才作为出发点

《深化新时代教育评价改革总体方案》（2020 年）开宗明义强调，新时代教育评价改革要“全面贯彻党的教育方针”，“落实立德树人根本任务”，“引导全党全社会树立科学的教育发展观、人才成长观、选人用人观，推动构建服务全民终身学习的教育体系，努力培养担当民族复兴大任的时代新人，培养德智体美劳全面发展的社会主义建设者和接班人”。培养什么样的人，是发展教育事业，也是推动新时代教育评价改革的首要问题[①]。南

① 赵德成．中小学学生评价改革的思路与建议［J］．人民教育，2021 (8)：41.

京外国语学校仙林分校制定的《中学生综合素质多元评价及奖励实施细则》（以下简称《实施细则》）遵循了“为党育人、为国育才”这一根本准则。“道德品质、公民素养、学习品质、交流合作、运动健康、审美表现”这六个维度的内容都体现了“为党育人、为国育才”的宗旨。立德树人、“五育”并举是发展新时代中国特色社会主义教育事业的核心之所在，每一位教师都必须站在为党育人、为国育才的高度，明确新时代教育评价改革这一根本遵循。

2. 以生为本，尊重热爱，树立人性化的评价观

对于学生评价的未来发展，信息化和大数据时代为其带来了无限可能，但在享受其带来的便利之时，我们也必须意识到，科技并不是万能的。教育是一个复杂的系统，是人与人、心与心的沟通，教育是有情感和温度的，这是科技的局限所在，也是教师不可被取代的原因。评价活动作为一种价值判断，极具主观色彩，对评价主体有着很高的要求。要使学生评价真正实现促进学生发展的功能，需要评价主体有对于学生作为完整的人的清醒认识，尊重学生的差异和个性，促使每一位学生健康成长；也需要评价主体怀有一份教育情怀，以耐心和爱心关照学生的需求，愿意与他们真诚地交流，并给予理解，从而引导他们形成正确、积极的自我评价和认识。可以肯定的是注入尊重和热爱的评价才是真正意义上有效的评价[①]。

南京外国语学校仙林分校制定的《实施细则》中的“指导思想”提出：“进一步落实‘以人为本’的教育理念，更好地促进学生发展个性的同时，全面提高学生综合素质，运用多元智能理论，让每一位学生充分展示自己的优势领域，体悟到学习、生活过程中的快乐，引领学生健康发展，使学生在不同方面实现个人的价值，找到自己的闪光点，促进学生个性和潜能发展。”这一指导思想充分体现了“以生为本，尊重热爱”这一人

① 张文．新课程推进中学生评价存在的问题与对策［J］．教育理论与实践，2017 (2)：21－22.

性化的评价观。《实施细则》中的“多元评价、导向性、‘三公’、发展性、可操作”这些评价原则也体现了“以生为本，尊重热爱”这一人性化的评价观。

《义务教育质量评价指南》(2021 年)(以下简称《评价指南》)明确要求义务教育评价改革要坚持“育人为本、问题导向、以评促建”等原则。学生评价要坚持以生为本的原则，着眼于学生的可持续发展，以尊重与热爱学生为出发点，把学生真正放在“人”的位置；坚持公平、公正的原则，尊重和认同学生发展的个体差异，促使每一个学生都能健康成长。

3. 五育并举，构建全面发展的评价体系

五育并举，培养全面发展的人是教育的重要目标。确立全面发展的评价理念可以使班主任及课任教师多角度、多层次地认识学生，将智力因素与非智力因素结合起来，关注学生的整体性，这样更有利于教师调动全班每一分子的力量形成优势合力，促成班级学生的可持续发展。确立全面发展的评价理念，可以宽容与广阔的视角审视学生，以足够的耐心等待学生成长；关注学生的方方面面，在最大程度上促进学生全面和谐地成长。

学生评价改革的一大重点是保障评价内容的全面性，评价标准的适切性，促进学生全面发展。《评价指南》进一步明确了义务教育阶段学生质量评价是由品德发展、学业发展、身心发展、审美素养、劳动与社会实践所构成的，而每一维度下又是一个独立的子集，如美育就包括审美的知识、情感、能力等[①]。要在德智体美劳全面发展上达到国家规定的基本标准，需要依据不同学生学习年段制定相应的全面发展体系。不同的年段有不同的要求，更重要的是一体设计、前后联通、系统培养，逐步建立多方位、多领域、多层次、多主体的评价标准和评价内容。

南京外国语学校仙林分校制定的《中学生综合素质多元评价及奖励实

① 张善超，杨美佳. 新时代中小学生评价改革的趋向与路径[J]. 福建教育，2021 (18)：6.

施细则》体现国家文件精神，评价内容全面，确立了六个评价维度，二十个方面的评价内容，每个方面都制定了适切的评价标准。落实中小学生评价改革，需要改变以往以学生学业成绩为单一内容的评价方式，转到提升学生综合素质上来；从各地学校和学生实际出发，从德智体美劳等方面构建完善的学生评价体系；评价标准要关注学生发展的多种可能性，倡导多种价值选择；不断改进和实现发展性评价，从而促进学生的全面发展。

（二）主体多元，形成多方参与、协同育人的局面

系统性、整体性和协同性是教育评价改革的独特之处。《评价指南》指出，要建立由督学、教育行政人员、教育科研人员、校长、教师及其他有关方面人员组成的义务教育质量评价队伍。南京外国语学校仙林分校制定的《中学生综合素质多元评价及奖励实施细则》中可以看到学生本人、小组内的同学、班教小组的成员，还有校级教师都共同参与了学生的评价，其中的班教小组成员不仅包括班主任、科任教师，还有家长与学生代表。学校参与学生评价的人员是来自多方面的，真正做到了多元。多方的评价主体只有协同合作，才能形成合力共同落实中小学生评价改革的任务，担负协同育人的重要责任。

1. 教师正确认识，有效落实评价改革

班主任和科任教师是学生评价的重要主体，也是落实学生评价改革的“第一责任人”。每个教师都应深入理解学生评价改革的重大意义，并在实践中扎扎实实地开展学生评价改革的工作。第一，教师要加强对新时代教育评价理念的学习，纠正自己对教育评价的片面、浅薄甚至错误的认知。教师应认识到学生评价的功能不再单纯为选拔与甄别服务，应发挥其诊断、反馈、调节、激励、导向、管理等功能，以促进学生全面而有个性的发展。第二，尽力在学生评价的实践中做到评价内容细分化、评价标准多元化、评价方式过程化、评价结果透明化。教师做到心中有学生，关注评价的全过程，一步一步地扎实推进。第三，教师要加强研讨，可以开展与学生评

价有关的小课题研究，积极探索，提升学生评价实践的科学性。科学有效的学生评价方式是在实践中摸索出来的，教师应该结合班级学生的实际情况，主动探索更加多元、更有针对性、更高效的学生评价方式。

2. 学生成为评价的主体，主动参与评价过程

学生自我评价是促进学生自我认识、自我激励、自我调整、自我提高的有效途径；自我评价有利于学生对自己的学习、纪律和行为习惯进行反思，有助于培养学生的独立性、自主性和自我发展、自我成长的能力；自我评价不仅在于获得自我认识，更重要的是在认识过程中不断地反省自身，这也是学生自我成长的一项重要内容。

教师，尤其是班主任要充分发挥学生自我评价的作用，让学生本人也成为评价的主体，让学生参与评价的过程。利用合适的时机，与学生交流评价的意义、程序和方法，鼓励学生主动地参与自己与他人的评价活动；在确定评价内容和制定评价标准时，要多听听学生意见；鼓励学生和教师共同协商评价的方法，慎重地对待学生提出的意见；在收集评价资料时应该让学生发挥积极的作用，要和学生进行充分沟通和交流，指导他们做好平时的收集和集中性的专题收集；指导学生根据制定的评价标准进行自我评价和学生间的评价；在反馈评价信息时，教师更要与学生密切合作，共同制定改进的措施。

3. 学校自觉履职，家长和其他力量参与互动

学校作为改革的落实者与具体执行者，不仅要自觉主动落实改革的具体任务，还要担负起学生评价共同体的缔造者、组织者和发展者的重任。社会力量是新时代中小学生评价的重要主体，包括家长、社区和其他社会公众。一方面要鼓励社会力量加入，激发他们对中小学生评价改革的关注，鼓励他们积极参与学生的客观评价活动，为学生评价方法与技术的改革创新提供必要的技术、方法或者舆论支持。另一方面，要鼓励社会公众通过媒体、舆论等多种方式，对教育部门、学校实施的学生评价改革工作进行

外部监督，确保学生评价的公正、公平[①]。

班主任在对学生进行评价时需要利用好家长会、亲子活动日、家访校访、班级 QQ 群等途径，倾听来自不同层面的声音，把不同的意见汇聚到一起，然后对学生进行鉴别、诊断，作出合理的评价。班主任还要努力协调不同评价主体之间的关系，使学生评价真正成为教师、学生、家长、专业人士共同积极参与的交互活动，使不同评价主体的评价结果尽量达到和谐一致的状态。这样方能使学生评价具有科学性和民主性。

（三）方式多样，巧用评价方法，提升评价实效

《总体方案》要求“坚持科学有效，改进结果评价，强化过程评价，探索增值评价，健全综合评价”。《评价指南》进一步提出，对学生的评价要重视综合评价与特色评价。此次评价改革期望通过提升评价方式的科学性来实现评价结果的科学高效。因此，我们应积极探索创新，不断优化学生评价方式，注重过程评价、阶段评价、综合评价等方式的综合运用，科学地对学生开展评价。

从南京外国语学校仙林分校制定的《中学生综合素质多元评价及奖励实施细则》中可以看出这所学校的学生评价方式是丰富的，有学生的自我评价，有小组内的互相评价，还有班教小组成员对学生的评价。评价过程经历了自评、组评、终评这样一个完整的流程。其中学生“自评”要求学生根据自身实际情况，对照多元评价表上的二级指标评价内容及标准，认真评价自己；“组评”要求各小组组长和组内班干部评价组员，组长之间相互评价，同时接受班教小组成员的监督。“终评”则要求班教小组成员参考自评和组评的情况对学生进行全面客观的评价。整个评价注重过程性，要求明确，具有可操作性。

---

① 张善超，杨美佳．新时代中小学学生评价改革的趋向与路径［J］．福建教育，2021（18）：6.

要想提升评价的实效，在评价方式、方法方面，还要注意以下几个方面：

1. 质性评价与量化评价相结合

只有将质性评价与量化评价结合起来，综合应用多种评价方法，才能更准确、更生动地描述学生的发展状况。纸笔测试、课堂行为记录、项目调查、书面报告、作业、面谈、行为观察和行为记录、成长记录袋、学习日记、情景测验等多种多样的评价方法，教师要理性地选择，创造性地融合使用，才能提升评价的实效。

档案袋评价。所谓“档案袋”是指系统地收集能够表征儿童在学习过程中的能力与努力而作为成长证据的记录[①]。具体地说，包括儿童学习成果与学习过程的记录、自我评价的记录、教师的指导与评价的记录。通过档案袋的建立，促进儿童学习的自我评价，同时教师也评价儿童的学习活动与评价自己的教育活动。不同于用脱离日常实际的课题来考查儿童能力的纸笔测验，它在学习的自然流程中来考查所评价的对象——儿童的能力。“档案袋评价”的意义在于：其一，把握儿童学习的实态，有助于教师更好地从儿童学习状态的角度来设计教学。其二，采用档案袋评价对于儿童自身而言，可以获得自控学习实态的机会，这是培育儿童自主学习能力的第一步。其三，在档案袋评价中探讨会是不可或缺的，这是师生协同评价的机会。教师的评价标准与儿童的评价标准终究是有差别的，通过协同评价，教师可以指导儿童借助适当的步骤进行自我评价，这是儿童形成学力所不可或缺的。其四，档案袋有助于学校和教师承担说明责任[②]。档案袋的内容，包括学生的作品，学生自我评价的记录，教师的指导与评价的记录等。在收集儿童作品、建立档案袋的过程中，必须秉持如下六个原则：第一，档案袋的建立是儿童与教师的共同作业；第二，儿童与教师积累具体的作品；第三，根据所积累的作品的系统性，进行更替取舍的梳理与选择；第

① 转引自钟启泉．发挥“档案袋评价”的价值与能量［J］．中国教育学刊，2021（8）：69.

② 钟启泉．发挥“档案袋评价”的价值与能量［J］．中国教育学刊，2021（8）：69.

四，在建立档案袋的过程中设定运用档案展开探讨的场域（档案袋探讨会）；第五，档案袋探讨会在学习的开始、中间与终结分阶段地进行；第六，档案袋评价具有长期的持续性①。

素质报告单（册）。“素质报告单（册）”内容生动充实，可以全面反映学生生活、学习的细节，它是班主任实施评价的一个有效工具，对促进学生发展、增强学生的自信心很有好处。近年来，在素质报告单（册）的基础上又推出了“学生成长全记录”这一评价方式。这种评价方式已经超越了“目标取向”的教育评价和“过程取向”的教育评价，向着“主体取向”的教育评价发展。它通过收集学生作品的样本，通过展示学习上的进步，让学生、教师、家长了解学生发展过程，了解学生在每一阶段掌握了什么，努力方向又是什么。它对于学生的自主性、反思能力、创新精神和实践能力的培养有着重要的作用②。

学生操行评语。学生操行评语是班主任对学生实施评价的一种重要手段。学生评语不仅要善于发现学生的闪光点，还要注意针对性，讲究措辞的合理性与可接受性，将科学性与艺术性结合起来，使评语体现教师对人性的诠释、对生命的真爱、对生活的感悟和对教育的真情守望；将学生作为一个知心朋友与其进行沟通、交流，通过温馨而有诗意的话语打动学生、感化学生，使评语成为师生进行感情交流、达成相互理解的渠道。最受学生欢迎的评语具有温馨化、细节化、个性化等特点。

2. 注重过程与结果相结合的双重评价

学生评价是学生发展过程中的一个重要阶段，全面把握学生评价的整个过程，应该包括学生评价的起始阶段、过程阶段、终结阶段和后续影响阶段。过程评价持续的时间长、跨度大、分量重，在学生评价中占据着非常重要的地位，需要格外重视。教师要使学生熟悉评价的开端，了解评价

---

① 钟启泉 . 解码教育［M］. 上海：华东师范大学出版社，2020：207 – 208.

② 齐学红 . 班级管理［M］. 北京：北京师范大学出版社，2015：190 – 192.

的内容、程序、方法，享受整个评价过程。按照科学合理的评价精神有条不紊地对学生进行评价，可以激发学生对评价的兴趣，促进学生德智体美劳全面发展，进而朝着学生评价生态化的方向迈进。评价结果反馈与应用，也是中小学生评价改革的重要一环。对此，首先要建立完善的学生评价反馈机制；其次要加强对学生评价结果的科学分析；要及时向校长、教师、家长和学生报告评价结果；最后反馈的相关人员要重视反馈结果，及时进行反思、调整。

3. 关注差异和未来，因人施“评”

同一个班级内的学生，存在着各种各样的差异。在大班教学的情况下，教师用统一的评价标准往往会遏制学生不同才能的展示，限制了他们的个性发展。教师要认识到：承认并正视学生的差异性，需要认真研究学生的特点；必须因材施教，因人施“评”，多用几把“尺子”来衡量学生；常与学生沟通交流，得到学生的认同和配合，才能在实践中发展和完善学生的个性，达到教育和影响学生的目的。

学生评价不可只关注当下，更应着眼于未来，关注可持续发展。学生身心发展具有顺序性、阶段性、不平衡性、互补性的特点，教师要遵循学生身心发展的规律，给予学生充分发展的时间与空间；学生具有多种发展潜能和多种发展方向，在实施学生评价时，需要理解学生当下存在的不足与矛盾是正常现象，应该允许学生犯错误；要引导学生自我反思、主动改错、挖掘并发展自身的潜质。这样才能促进学生不断进步和成长，使他们的身心都得到健康发展的同时，潜能也得到妥善地保护和发展。

4. 科技赋能评价，促使评价便捷高效

《总体方案》指出，要“创新评价工具，利用人工智能、大数据等现代信息技术，探索开展学生各年级学习情况全过程纵向评价、德智体美劳全要素横向评价”。以往的学生评价因理念、技术、方法的限制而拘囿于偏智轻质的学业测验领域，人工智能技术的出现和变革为学生评价改革提供了重要契机，并推动学生评价从传统的人为评价向数字化和智能化评价范式转变。人工智能带来的数字化评价和智能化评价在学生评价中的应用不仅能够为其带来高效便捷、全面深度、反馈及时等可见的效果，也为学生的个性化评价、综合素质评价、增值性评价等提供技术论和方法论的支撑①。

建构基于学生生命成长的数字评价体系。信息时代使得采集具有“全体性、相关性”的教育大数据来开展学生评价成为可能，为学生综合素养评价的建构提供了更多可能。青岛市市南区实验小学结合学校生命成长育人理念，建构基于学生生命成长的数字化评价体系，践行教育评价的深度变革，取得了一些经验。该小学基于关怀生命成长的教育理念，创建了一座融智慧，集生活性、体验性、成长性于一体的校园课程综合体——“慧创城”，建有司法系统、城管系统、环卫系统、金融系统、商业系统、外联系统、传媒系统、文教系统共八大“体验学习”系统。学生通过承担诸如“小城管”“小环卫”“小法官”等相应岗位职责，将校园学习生活变成了“有意思 + 有意义”的美妙体验。为了学生成长，学校构建了一套学生数字化综合素养评价系统。通过全景式评价，形成学生“数字档案”，为基于学生生命成长的数字化评价系统的应用与实践提供了扎实的研究基础②。现代信息技术构建的数字化综合素养评价系统，有效地提高了学生评价的效果。

加强多模态数据处理技术研究。学生在学习过程中与社会、自我和知识之间的交互构成了整个概念范围。在交互过程中，学生的非认知产出、高阶思维与元认知策略共同生成了多模态数据，这些多模态数据能够更加客观地展示学生的学习过程。只有科学地深入挖掘这些多模态数据，才能全面精准地判断学生的发展状况③。

---

① 肖磊，徐彬．人工智能应用背景下学生评价的理性审思［J］．教学与管理，2023 (7) : 68.

② 孙勇．基于学生生命成长的数字化评价系统应用与实践［J］．新课程，2020 (47) : 218.

③ 安富海，刘甜甜．守正创新：我国学生评价政策的回顾与展望［J］．课程·教材·教法，2023 (4) : 80.

加强指向学生核心素养发展的溯源技术研究。溯源技术是一种寻找本源的技术。在学生评价过程中，我们需要借助溯源技术，基于学生核心素养的发展情况，探究影响学生成长的本源及途径。只有这样，我们才能建立较为准确的指向学生核心素养发展的数据库，为科学制定和实施学生评价政策提供支撑①。

如果人们沉浸在人工智能技术赋能学生评价的美好前景和热切期盼之中而难以冷静思考，那么长此以往，学生评价将会弱化其应然的价值性和人本性而陷入技术实践的窠臼，学生评价生态和学生未来发展的危机也将随之而至。在这样的状况下，审慎地批判和理性地反思人工智能在学生评价中运用的目的旨趣、过程逻辑、结果取向等理论问题尤为必要，也只有廓清这些基本问题，人工智能才能在育人旨趣的基础之上更加适切、精准、健康地运用于学生评价之中。人工智能技术在学生评价中运用的结果取向固然更有利于对学生的甄别和选拔，但人们完全可以发挥自身的主观能动性，理性和适切地将其向促进学生发展的方向进行引导，从而实现人工智能技术在学生评价中运用的正向功能和积极价值②。

第二节　班主任评价研究

班主任是开展班级德育的核心人物、灵魂人物，有效的班主任评价体系是促进班主任专业素质提高、优化班主任队伍和提高班级德育质量的重要保证，是激发班主任主体性与能动性的关键。国家对于班主任评价日益

---

① 安富海，刘甜甜．守正创新：我国学生评价政策的回顾与展望［J］．课程·教材·教法，2023（4）：80.

② 肖磊，徐彬．人工智能应用背景下学生评价的理性审思［J］．教学与管理，2023（7）：68，71.

重视，多次出台相关法律法规保障班主任评价与待遇，旨在大力弘扬尊师重教风尚，指导建构科学合理的班主任评价体系。

班主任评价的首要特点是以主体论为基础，从尊重班主任主体性的原则出发，面对班主任队伍的多样化特征，围绕班主任工作的奖惩以及班主任差异性发展展开，引领班主任充分、自由地发展，提升班主任将评价与发展紧密结合起来的自觉意识，使其致力于个人与班集体、学校的共同发展。

一、班主任评价：物质肯定与精神追求的统一

班主任评价作为激发班主任主体性与能动性的关键，其发展大致经历了物质层面的价值肯定、精神层面的价值追求以及专业化的价值诉求等发展阶段。

（一）工资与津贴：物质层面的价值肯定

为了鼓励教师做好班主任工作，提高教育质量，按照“各尽所能、按劳分配”和“多劳多得”的原则，国家提出发放班主任津贴，以体现对班主任工作物质层面的价值肯定。

1. 五次工资制度改革：从“平均主义”到“多劳多得”

自 1949 年以来，我国中小学教师工资制度的形成和发展大致经历了五个阶段，分别是：1949 年到 1956 年的供给制和工资制并存制度；1956 年到 1984 年的职务等级工资制度；1985 年到 1993 年的以职务工资为主的结构工资制；1993 年到 2006 年的职务（技术）等级工资制；2009 年至今的绩效工资制度。五次教师工资制度的重大变革，符合当时的经济社会发展状况和教育发展情况，对教师及班主任评价制度的从无到有、逐步发展起着一定的推动作用，对当时教育事业的发展有着重大意义。

1950 年 1 月《关于中央直属机关新参加工作人员工资标准的试行规

定》，规定教师按自愿享受供给制待遇外实行工资制。1952 年 7 月，教育部发布《关于调整全国各级各类学校教职工工资的通知》，指出教职员工工资发放应根据按劳取酬、交叉累进原则，教职员工的德、才、资（包括学历、经历、服务年限）被纳入评定范围。职务等级工资制度是新中国成立后在全国范围内的第一次重大的工资改革，改变了供给制和工资制并存现象，为教师工资制度的改革奠定了基础。主要包括：规定了中小学教师工资的最高、最低标准，按照中小学教师的教龄、学历、工作质量和数量等条件，重新评定级别，减少等级，加大级差。

邓小平同志在 1978 年指出："所有的企业、学校、研究单位、机关，都要有对工作的评比和考核"，"要根据工作成绩的大小、好坏，有赏有罚，有升有降。而且，这种赏罚、升降必须同物质利益联系起来。""要实行考核制度。考核必须是严格的、全面的，而且是经常的。"[①]1979 年 10 月国务院颁发《关于职工升级的几项具体规定》，要求各基层单位制定具体的考核标准和办法，以劳动态度、技术高低、贡献大小为依据进行考核，按各自的标准把当前和一贯的表现结合起来，全面评比，择优升级。至此，教师考核评价已正式纳入框架体系，以考核评价确定工资发放，成为我国教师工资升级的一个主要依据，在一定程度上解决了分配中的平均主义，体现了按劳分配原则。

1994 年，人事部、国家教委联合下发的《中小学贯彻〈事业单位工作人员工资制度改革方案〉的实施意见》中指出，职务（技术）等级工资制，由职务（技术）等级工资和津贴两部分组成，各占 70% 和 30%，主要体现在工作内容、复杂程度、责任的大小、工作能力、工作质量、额外工作数量、工作的特殊性等方面。

2018 年 1 月，中共中央、国务院就全面深化新时代教师队伍建设改革

① 邓小平文选：第二卷［M］. 北京：人民出版社，1994：151、102.

提出意见，明确规定要完善教师收入分配激励机制，有效体现教师工作量和工作绩效，绩效工资分配向班主任、骨干教师倾斜。2008 年 12 月，国务院常务会议审议并通过《关于义务教育学校实施绩效工资的指导意见》，在全国义务教育学校实施绩效工资。教师绩效工资分为两部分，其中，绩效工资总量的 70% 为基础性绩效工资，奖励性绩效工资占 30%，由各中小学根据教师的超额工作量、实际贡献和教育教学成果等按照学校制定的考核评价方案进行自主分配。

2022 年 8 月，教育部发布《关于做好庆祝 2022 年教师节有关工作的通知》，落实惠师政策，推进强师举措，指出要完善教师工资待遇保障机制，确保义务教育教师平均工资收入水平不低于当地公务员平均工资收入水平，优化教职工资源配置，推进教师考核评价改革，进一步激发教师工作活力。该通知还强调要落实补助政策、倾斜职称评聘、加强住房保障等，增强乡村教师职业吸引力。

从工资制度改革可以看出，新中国成立至今，教师评价与工资发放紧密结合，并成为工资发放的重要依据。从物质层面看，教师工资在一定程度上体现了教师价值。教师评价也从较严重的“平均主义”向“优绩优酬”逐步发展，并考虑到向班主任倾斜，激发了班主任工作的动力。

2. 班主任津贴：从“从无到有”到“逐步提高”

1979 年 11 月，经国务院批准，教育部、财政部、国家劳动总局发布《关于普通中学和小学班主任津贴试行办法（草案）》，开始试行班主任津贴，即教育部门对履行《关于班主任工作的要求》和完成教学工作量的班主任发放津贴。该草案指出，班主任应挑选工作好、思想好、作风好，具有一定教学水平、管理学生经验和组织能力的教师担任，按照择优任用的原则，每学年对教师进行评议。

1988 年 12 月，人事部、国家教委、财政部印发了《关于提高中小学班主任津贴标准和建立中小学教师超课时酬金制度的实施办法的通知》，提高班主任津贴标准。2006 年 6 月，教育部印发《关于进一步加强中小学班主任工作的意见》，提出要提高中小学班主任的地位和待遇。各地要根据实际，努力改善班主任的待遇，完善津贴发放办法。要完善班主任的奖励制度，各地教育行政部门和中小学校要将优秀班主任的表彰奖励纳入教师、教育工作者的表彰奖励体系之中，定期表彰优秀班主任，树立先进典型，进行事迹宣传。

2009 年 8 月，教育部印发《中小学班主任工作规定》。教育行政部门建立科学的班主任工作评价体系和奖励制度。对长期从事班主任工作或在班主任岗位上作出突出贡献的教师定期予以表彰奖励。选拔学校管理干部应优先考虑长期从事班主任工作的优秀班主任。学校应建立班主任工作档案，定期组织对班主任的考核工作。考核结果作为教师聘任、奖励和职务晋升的重要依据。对不能履行班主任职责的，应调离班主任岗位。

改革开放以来，随着教育事业的发展，素质教育的推进，党和政府高度重视班主任工作，在相继出台的有关文件中确立了班主任的专业化地位。仅从班主任津贴的发放看，我国班主任工作得到了切实的加强，对班主任工作的评价表彰做了进一步的规范和完善，具有很强的针对性和可操作性，引起了社会各界的广泛关注，也能体现出班主任工作的重要性。国家和社会需要一支成熟、优秀、专业的班主任队伍，需要激励大量优秀的人才加入到班主任队伍中。

（二）地位与作用：精神层面的价值追求

班主任是中小学的重要岗位，从事班主任工作是中小学教师的重要职责。对班主任工作重要性的肯定是对班主任工作地位与作用的肯定，这体现了班主任精神层面的价值追求。

1. 作用：重要力量，不可或缺

2006 年 6 月，教育部《关于进一步加强中小学班主任工作的意见》对班主任的地位与作用作出阐述："中小学班主任是中小学教师队伍的重要组成部分，是班级工作的组织者、班集体建设的指导者、中小学生健康成长的引领者，是中小学思想道德教育的骨干，是沟通家长和社区的桥梁，是实施素质教育的重要力量。”现实生活中，从学校层面看，一位优秀的班主任必将推动一个优秀班集体的建设，促进班级学生的全面发展；从社会层面看，“择校不如择班”“择班就要选择一位优秀的班主任”的想法普遍存在。可见，班主任在学生成长发展中发挥着重要作用，国家、学校、社会对班主任的评价更多地侧重于班主任工作的作用和地位，班主任自身更应该在这一评价基础上关注自身专业化发展，以更好地胜任自身工作的地位，并发挥其作用。

2. 选聘：源于普通教师，高于普通教师

《意见》指出：“认真做好中小学班主任的选聘和培训工作”，班主任“应由取得教师资格、思想道德素质好、业务水平高、身心健康、乐于奉献的教师担任”，班主任“要忠诚党的教育事业，热爱学生，善于做学生的思想工作，具有符合素质教育要求的教育观和较强的教育教学和组织能力，掌握教育学、心理学的基本知识和方法，熟悉相关法律法规；品德高尚，为人师表，具有团结协作精神和较强的人际沟通能力”。从班主任的任职条件可以看出，不是所有的教师都能当班主任，也不是所有的教师都能当好班主任。班主任必须经过选择产生，对班主任的评价除了对其作为一般任课教师应该具备的基本品质进行评价，还要对其专业道德、专业知识、专业技能等进行更广、更高、更深入的评价。

3. 职责：涉及面广，责任重大

《意见》进一步明确了中小学班主任的工作职责为：要做好中小学生的教育引导工作；要做好班级的管理工作；要组织好班集体活动；要关注每一位学生的全面发展。从履行好“五要”职责看班主任评价：正确的教育理念，科学的教育方法，合理利用教育资源，协调各任课教师，做好班级的管理和建设工作，做好学生的教育和引导工作，开展好班级团、队、班会活动，联合学校、家庭、社会共同对学生开展教育工作等等都应当成为评价班主任工作的主要内容。班主任工作是千头万绪的，学生成长的需求也是多种多样的，因此，这不仅是一份工作，更是一份沉甸甸的责任。对班主任工作的评价，既要考虑到从学校教育工作层面出发的职责要求，也要考虑到从班主任工作对象出发的职责要求；既包括教育引导工作、班级管理工作、组织开展班级活动、关注学生全面发展、组织协调工作等等，也包括了以个别学生为对象的个体发展指导和以学生集体为对象的集体教育工作。从班主任工作职责看班主任评价，其内容错综复杂，涉及面广，尤其是组织管理能力、个别转化能力、交往协调能力，班主任要善于寓教育于管理之中。

（三）评价体系改革：专业化的价值诉求

班主任工作的形成性评价是一种面向未来的评价，它不仅关注班主任的过去成绩，还根据班主任过去的工作表现，确定班主任未来的专业发展需要，指向班主任个人未来的专业发展。

1. 引入：冲击与时尚

20 世纪 80 年代末期流行于英国的发展性教师评价体系被引入我国，原有教师评价体系受到了很大的冲击。发展性教师评价体系因其以教师的主体发展为目标，提倡教师的积极参与和双向互动，从而引起教师和管理者的广泛重视，并逐渐成为教师评价的一种时尚[①]。发展性教师评价是一种以促进教师发展为目的，重视评价过程及评价标准，重视相互交流和反馈的一种教师评价理念[②]。

2. 推进：重构与完善

真正将教师评价制度改革推向风口浪尖的，是新一轮基础教育课程改革的开启。随着基础教育课程改革的深入推广，奖罚性、诊断性、单一性和终结性传统教师评价制度沿用的同时，发展性、实效性、过程性和多元

---

① 张元贵．发展性教师评价体系的实践探索［M］．北京：社会科学文献出版社，2012.

② 金光发．发展性评价在教师评价中的运用［J］．当代教育论坛（教学研究），2011 (1)：10.

化的教师评价系统也正在重构并逐步完善。在《基础教育课程改革纲要（试行）》中，针对传统教育评价体系的不足，明确提出改革课程评价过分强调甄选与选拔的功能，发挥评价促进教师提高和改进教学实践的功能。这为教师评价体系改革确立了目标，即要求尽快构建以教师主体发展为目的，以教师积极参与、双向互动为机制的教师评价体系。在此背景下，彰显主体“自由”的发展性教师评价体系开始被引入学校实践，一场真正以促进教师发展为目的的评价改革运动展开。

由于中英两国社会文化背景和意识形态的差异，发展性教师评价理论在我国的实践中遭到了适切性的质疑。只有在传统的教师评价体系基础上，将积极的比较借鉴与合理的改进创新融为一体，将教师评价制度的建构与学校具体的人事联系在一起，在教师发展的目标上重新反思评价制度的局限，理解教师评价是关系到学校文化变迁的系统全面工程，才能实现以评价来带动教师自主发展的预期。在这一改革背景下，发展性班主任评价体系也在逐步建构。

3. 启发：定位与发展

发展性评价体系的首要特点是以主体论为基础，坚持在评价过程中贯彻主体性原则。将这一评价体系引入班主任评价，可以更好地尊重班主任的主体价值，发挥班主任的主体创造能力。班主任在育人工作中表现出的个体差异是客观存在的事实，面对班主任队伍的多样化特征，对评价体系进行适应性变革是发展性评价的关键。发展性评价制度的建立，不仅能为班主任的自我定位提供科学依据，也能为客观评价不同班主任的工作成就提供保障，激活班主任内在的创造潜能与自觉发展的意向，从而推进班主任的专业化发展，直接影响素质教育的实施，成为素质教育成功的关键。

二、现实样态：多元、多维、多样的结合

美国著名教育评价学者豪斯认为教师评价是一个民主的“价值协商”过程，应当反映各类人群对教师工作的不同价值认识和实际需求。因此，无论是以奖惩为目的的绩效评价，还是以发展为目的的分层评价，班主任评价都应当是一个多元主体参与、考查内容多维、借助多样形式展开的评价。班主任评价实施者可以从不同侧面、多重视角获取评价素材，提高评价过程的透明度和评价结果的客观性，有效避免评价中容易出现的以偏概全的现象。

（一）评价主体的多元化

在落实班主任评价工作时，首先需要解决的是由“谁来评”的问题。教育部 2002 年 12 月印发的《关于积极推进中小学评价与考试制度改革的通知》指出，要建立以教师自评为主，学校领导、同事、家长、学生共同参与的教师评价制度。因此，在班主任评价中，要强调评价主体的多元化，鼓励班主任、同事、学生和家长、学校主动参与，从不同角度对班主任作出不同的评价[①]。同时评价主体与班主任的接触都存在着差别。在评价中，各评价主体对班主任的评价应当有其相应的侧重，科学地反映班主任的日常班级管理情况。

1. 班主任自我评价

班主任评价是一个有目的、有计划、特殊的、连续的活动，而班主任既是评价的客体，也是评价的主体。所谓班主任自我评价，是指班主任根据一定的评价指标和内容，对一定时期班主任工作情况进行的自我价值判

---

① 齐学红．班级管理［M］．北京：教育科学出版社，2018：284.

断。进行自我评价时，班主任要认真学习评价指标和内容，了解和掌握班主任自评指标体系与操作程序，逐一自查各项工作落实情况，真实反映自身工作表现，在此基础上形成自我评价报告。评价报告要突出客观性和发展性，最大限度的发挥评价的自我激励、自我改进、自我管理功能。

2. 学生与家长评价

学生和家长是学校教育中不可忽视的两大群体。首先，学生作为班级教育的对象，是班级教育活动的直接参与者，他们对班主任的教育活动有着直接的感受和判断。其次，学校一切教育活动的最终目的是促进师生的共同发展。因此，应重视和给予学生评价班主任的权利。但在评价之前必须对学生进行正确的引导，使其明确评价的意义和方法，以保证评价的客观性和真实性。学生评价适合采取不定期的方式进行，以小型座谈会、问卷、集体评价等形式为主。而家长十分关心学生在校情况，促进家校合作也是学校教育工作的重要职责。因此，评价班主任工作一方面是家长应有的权利，另一方面也是促进家长了解学校和班主任，形成家校教育合力的有效途径。

3. 学校与同行评价

学校聘请有经验的班主任和学校管理者组成校级考评小组。考评小组在上级教育行政部门的指导下，结合本校班主任工作特点，制定完善的班主任评价指标体系。根据评价指标体系，结合学校对班主任一学期或一学年来收集和积累的档案材料，综合班主任自评、同事互评以及学生和家长评价的结果，对每一位班主任作出恰当的综合评价。班主任工作考评小组是班主任评价工作的操作主体，在促进班主任发展的原则下，学校评价要注重过程性评价，以价值判断为主，做到评价的公正、公平和公开，提高班主任评价的效果，促进全校班主任群体的素质向更高水平发展。

（二）评价内容的多维化

在组织班主任评价的过程中，“评什么”也应明确。学校在制定班主任评价方案时，应该考虑班主任所承担的不同角色。一般情况下，班主任既是班级的学科教师，也是班级“主任级”教师。因此，对班主任工作的评价，既要考虑到其在落实班级学科教学工作过程中取得的成绩，更要考虑其在班级常规工作管理、学生思想道德教育、班级文化建设、协调学科教师、实现“家校社”合育等方面取得的成效。明确以师德为首，多维度建设班主任评价内容体系，更为全面地评价班主任工作。

1. 作为教师：师德为首

班主任工作与教师工作具有共同性，因为“一个优秀的班主任首先应该是一个优秀的教师”①。1993 年 10 月《中华人民共和国教师法》颁布，第一章“总则”的第一条就明确提出教师队伍需要有良好的思想品德修养，第三条提出“教师应当忠诚于人民的教育事业”，第四条提出“加强教师的思想政治教育”。第二章“权利义务”的第八条就提出“遵守宪法、法律和职业道德，为人师表”，“不断提高思想政治觉悟”。第三章“资格和任用”的第十条提出“热爱教育事业，具有良好的思想品德”。可见，对教师的思想政治素质和师德师风进行评价应该是教师评价的首要任务。班主任作为教师队伍的骨干力量，中小学的重要岗位，是“中小学日常思想道德教育和学生管理工作的主要实施者，是中小学生健康成长的引领者，班主任要努力成为中小学生的人生导师”②，是学生正确的世界观、人生观、价值观和社会主义荣辱观的培养和形成，学生健全、独立的人格培养的主要落实者”。教师对学生的教育引导，最为关键的形式就是为人师表、以身作则，因此，班主任自身德行显得尤为重要。

2008 年，教育部颁布《中小学教师职业道德规范》，从爱国守法、爱岗敬业、关爱学生、教书育人、为人师表、终身学习六方面提出了中小学

---

① 齐学红，黄正平．班主任专业基本功［M］．南京：南京师范大学出版社，2013：10.

② 教育部．教育部关于印发《中小学班主任工作规定》的通知［J］．中华人民共和国国务院公报，2009 (29)：15 − 16.

教师的师德师风的具体要求。

2013 年，教育部《关于建立健全中小学师德建设长效机制的意见》指出："严格师德考核，促进教师自觉加强师德修养。将师德考核作为教师考核的核心内容，摆在首要位置……师德考核不合格者年度考核应评定为不合格，并在教师资格定期注册、职务（职称）评审、岗位聘用、评优奖励和特级教师评选等环节实行一票否决。"

一般情况下，学校在制定师德考核细则时会遵照《教师法》《中小学教师职业道德规范》《关于建立健全中小学师德建设长效机制的意见》精神，从教师道德认识、教师道德情感、教师道德意志、教师道德信念、教师道德行为、教师道德习惯等方面切入。

2. 作为学科教师：树立全面的教学质量观

班主任制是一种制度安排，是指派一名承担教学任务的教师担任班级的领导[①]。因此，对班主任工作进行评价，还需要评价其教学工作效果。

一般情况下，我们可以从以下几方面对教学质量进行评价。①与学生形成良好的关系，并有使这一关系与教学任务联系起来的能力：与学生良好沟通，了解学生经历与特长对学习的影响，感受学生的特殊需要并及时调整教学；②激励学生积极参与教学活动的能力：鼓励学生发表意见，及时提供反馈信息，善于组织课堂讨论；③明确表达自己思想的能力：思维清晰，逻辑性强，语言深入浅出，形象生动；④最大程度利用有关教学资源的能力：有效利用教学设备，及时了解本学科当前发展，有效利用人际关系；⑤适应新情况的自我判断能力：根据教学变化及时发现不足，调整知识结构和能力结构，根据课改需要调整教学重点，根据学生的学习进展及时改进教学[②]。

---

① 杨小微，李家成. 中国班主任研究［M］. 北京：北京大学出版社，2017：24.

② 陈玉琨. 教育评价学［M］. 北京：人民教育出版社，2014：141－142.

3. 作为“主任级”教师：班主任工作为主业

2009 年，《中小学班主任工作规定》发布，强调：“班主任是中小学的重要岗位，从事班主任工作是中小学教师的重要职责。教师担任班主任期间应将班主任工作作为主业。”因此，在制定班主任评价内容时更需要关注班主任岗位的存在价值、内涵、角色定位和工作职责等。

其中包括：第一，人的管理（学生）。品德教育：根据学生年龄和心理特点开展多种活动，对学生进行品德教育和行为习惯的训练；关注学习：调动学生学习积极性，培养良好的学习习惯，及时了解和掌握学生各科学习成绩，协调好各学科教学工作，配合各科教师指导学生学好各科；关注发展：注意学生的个性发展，认真组织学生参加学校的各项活动和社会实践活动，培养学生良好的生活习惯，卫生、劳动习惯；家校合作：认真做好家校联络工作，定期家访，关心和指导学生的校外生活；积累资料：做好学生操行评语、学籍卡、素质报告单等的填写，配合学校完成学生奖惩工作。

第二，事的管理（日常工作与活动）。制订计划：根据学校工作计划，结合本班学生实际制订班队工作计划，确立班队工作目标；建设班级：培养学生的集体主义观念，形成正确的舆论，发挥集体教育的作用，形成向上的班风；少先队中队辅导员工作：重视少先队小干部培养，有目的地开展有质量的中队活动、小干部会议、主题班队会，上好晨会课，出好黑板报；课题研究：实践探索学生思想教育工作的方法和途径，不断总结经验。每学期期初有计划，期末有总结；每日常规工作：早读、卫生保洁、广播操、晨会、课堂纪律、眼保健操、午餐、午休、每日总结、学生放学、家庭作业量协调与指导……

第三，物的管理（班级财产）。电器设备：正确使用，一旦损坏立即报修，教育学生爱惜设备；环境布置：定期更换，充分发挥其作用，保持其完整性；其他财物：认真做好保洁工作，教育学生热爱劳动；学生用品：教育学生养成良好的使用习惯，经常清点，及时归位。

【工作案例】

镇江实验学校教师及班主任考核细则（2018 年）[①]

教职工师德考核细则（2018 年）

为深入开展“师德师风”建设活动，学校校长室、党政办公室、教职工代表大会共同商议，制订师德考核方案，现将具体考核细则公布如下：

第一条：爱岗敬业

1. 热爱教育事业，遵守教育法规，做到“奉献于事业，服务于学生”。（2 分）

2. 服从学校安排，认真、及时完成学校交给的各项工作、任务。（2 分）

第二条：热爱学生

3. 无体罚或变相体罚学生现象。（2 分）

4. 不侮辱学生人格，不损伤学生身心健康。（1 分）

第三条：严谨治学

5. 工作日不上网浏览与教学无关的信息，上课时间不随便接听电话，严禁在工作日中餐饮酒。（2 分）

第四条：团结协作

6. 尊重同事与领导，互相帮助，互相关心，团结友爱，不吵架、骂人。（1 分）

7. 不利于团结的话不说，不利于团结的事不做，背后不议论同事，不搬弄是非。（1 分）

第五条：尊重家长

8. 树立与家长平等地位的意识，尊重家长，不训斥家长，对家长切忌语言粗鲁。（1 分）

9. 及时做好家校联系工作，主动上门做好家访工作，不随意叫家长到

① 本案例由镇江实验学校提供。

学校。（1 分）

第六条：遵纪守法

10. 遵守国家法律、法规，遵守教师职业道德。（1 分）

11. 不做有损学校形象、教师形象的事，不向家长、客商及学生索要财物等。（2 分）

第七条：遵守公德

12. 树立良好形象，电动车、自行车等在校园内不得骑行。（1 分）

13. 衣着整洁大方，不穿奇装异服，不浓妆艳抹，不染发，不穿背心、拖鞋，不在公共场所吸烟。（2 分）

14. 爱护公物，损坏公物要赔偿。（1 分）

具有下列情形之一，教师师德考核将一票否决：

1. 玩忽职守，发生重大安全事故，受到上级通报批评的。

2. 违法乱纪，在社会上造成极大影响的。

说明：

1. 师德考核共 100 元，计 20 分，每分 5 元。

2. 细则内容违反一次扣一次，直到扣完为止。

3. 一票否决的老师当月考核奖取消，本年度考核直接定为基本合格。

4. 扣分累计达 20 分及以上者本年度考核定为基本合格或不合格。

表 5-2　教学常规工作考核细则（2018 年）

教学工作是学校的中心工作，为了如实地掌握、了解各科教师教学工作的态度和执行学校教学常规管理制度的情况，学校将对各科教师的教学工作按学校教学常规管理制度的要求进行检查、考核。为此，特制定我校教学常规工作考核细则。

备课教案	1. 按规范备课、环节完整，每篇教案要有目标、重点、难点、教学准备和教学过程。教学过程内容详细，有精心的问题设计和作业设计。未按要求认真备课的扣 0.1 分。 2. 出现备、教分离的或不带教案进课堂的扣 0.1 分，出现未备课上课的考核为不合格。 3. 二次修改案和教学反思完成质量不高或数量不足的扣 0.1 分
课堂教学	每节课应当做到目标明确、方法科学、过程清楚、训练扎实、落实“双基”、发展能力。教师教学行为规范。 1. 上课因组织不严、管理不力出现乱课现象，一次扣 0.2 分，三次迟到合计扣 0.1 分；眼保健操时，严禁做其他事，发现一次扣 0.1 分。不重视读写姿势，不能及时纠正，发现一次扣 0.1 分。 2. 上课不讲普通话发现一次扣 0.1 分；坐着上课发现一次扣 0.2 分；上课接听手机或发消息，发现一次扣 0.2 分。 3. 上课中途离岗、提前下课、私自调课等发现一次各扣 0.3 分。无故缺课，出现空堂现象，考核为不合格。 4. 体育课出现放羊式教学，发现一次扣 0.1 分。 5. 发现对学生有罚站教室前、后或赶出课堂等体罚和变相体罚学生行为的，一次扣 1 分；情节严重产生不良影响的，考核为不合格。 6. 擅自挪用其他学科上课，发现一次扣 0.1 分。 7. 室外课组织不到位，发现一次扣 0.1 分
作业	作业的布置要有针对性、层次性，做到精心布置，细心批改，反馈及时，方法有效。 1. 作业批改马虎，有错改或漏改现象的，发现一次扣 0.1 分。不及时订正的，发现一次扣 0.1 分。 2. 严格控制作业量：一、二年级不允许布置书面家庭作业，其他年级书面家庭作业时间不超过 1 小时，违反规定的班级语文、数学、英语任课教师每人均扣 0.1 分。 3. 作业不及时批改发现一次扣 0.1 分
听课	1. 一学期内，工作不满 5 年的教师听课节数不得少于 40 节，5 年以上的教师不得少于 30 节，15 年以上的教师不得少于 20 节，少听 1 节扣 0.1 分。 2. 听课本上的所有项目要填全，无听课评价意见的 1 次扣 0.1 分。 3. 抄袭他人听课记录的发现一次考核为不合格

续表

其他	1. 教师应按时上交各类计划、总结、登记册等有关材料（须填写完整）；按要求上传相关网络资料（教案、课件、网上评课、学生习作、家校文章等）；按规定认真完成学籍输入等相关资料、统计表，上述任务有一项不按时完成的，发现一次扣 0.1 分。 2. 认真护导，月累计三次不到岗纳入考核，扣 0.1 分。 3. 严格执行“教师办公室规定”，办公桌面不合要求纳入考核，发现一次扣 0.1 分。地面不干净，当日值日教师扣 0.1 分
课时量	不满课时量：3 课时内扣 1 分，3 课时以上扣 2~4 分

表 5-3　班主任工作发展性考核表（2018 年）

班级　　　　　　　　班主任

班级现状分析								
班级发展目标	具体目标： （审核部门：　　　　）			发展情况： （审核部门：　　　）				
	项目	评价要素	分值	达成情况	上学期得分	本学期得分	审核部门	
班级常规发展	常规管理 40 分	1. 行为习惯良好：班级在一日常规（包括晨间到校、集会路队、放学路队、问好、课间文明游戏、眼操等）月量化评比中，获“常规先进集体”称号，每次加 2 分。年级末位班级每次扣 1 分	8				德育处	

续表

班级常规发展	常规管理40分	2. 爱班爱校维护校园环境：节约水电，爱护公物，维护班级、校园环境卫生。班级教室卫生、保洁区卫生量化积分，每月评比，获“卫生先进班级”称号，每次加2分，年级两项双末位扣1分	6				德育处
		3. 积极参与“志愿岗”：学生能志愿担任班级志愿岗，为集体服务；并热心公益，主动参与学校、社区志愿服务	6				
		4. 班级布置美观有特色：班级黑板报在评比中获“先进班级”称号，每次加2分；班级其他文化布置，如班级特色文化墙、班级文明之星、队角等，能彰显班级特色，美观和谐。评比中获得优胜，每次加2分	6				
		5. 有效开展常规活动：班级夕会、集体晨会、红领巾广播的收听、班队活动、大课间等常规教育活动，能正常组织开展，不挪作他用，并取得良好效果	8				
		6. 积极建设班级，发挥全员育人功能：班级共同体成员能正常组织“三会”，完成工作手册，并发挥家委会的教育功能，积极开展“特色文化月”，“家长资源进课堂”的活动。家校关系等建设薄弱，活动组织不到位，一次扣1分	6				

续表

班级常规发展	学业发展20分	1. 班级文化学科期末考试总体成绩的发展态势上升得10分，保持得8分，下滑根据势态酌情得2–6分	10				教务处
		2. 班级学生综合技能、学科各科合格率均达标（98.5%）以上得10分；1–2门学科合格率不达标8分；3门以上学科合格率不达标2–6分	10				
	体能达标10分	1. 坚持每天参加一小时运动，积极参加学校组织的各项体育活动，鼓励本班学生参加学校各项运动队训练与竞赛	2				体艺处
		2. 学生体质测试合格率90%以上，优秀率10%以上得满分。合格率每下降3%扣2分，优秀率每下降3%扣2分	8				
	活动参与30分	1. 班级积极参与特色文化月、家长资源进课堂、艺术节、体育节、读书节等校级活动，一次不参加扣2分	10				德育处
		2. 艺术节、体育节、读书节、科技节、班级文化布置、传统节日活动等竞赛中，按团体奖、学生个人奖两套计分方法进行文明班级评比加分：校级团体一、二、三奖依次加5、3、2分;区级为8、6、5分，市级为10、8、7分;区级个人为5、3、2，市级个人为7、5、4；承担突击任务加2分；广播稿录用一篇加1分，负责编辑和主持的班级加2分	10				
		3. 面对上级突击活动及任务能认真组织，积极配合。不能正常组织，或无正当理由拒绝接受的，一次考核，扣2分；重大活动中造成负面影响的，一次考核，扣2分	10				

续表

班级特色培养							自评
加分项目	活动推广	班级代表学校承担对外活动，市级活动加 5 分，区级活动加 3 分；学生、教师代表学校承担对外活动，按人次，每人每次加 1 分。最高不超过 20 分	20				德育处
	经验推广	班主任工作经验进行各级推广的，校、区、市、省级分别加 3、5、7、9 分。最高不超过 10 分	10				
	德育科研	1. 参与德育课题研究，成果显著。区、市、省级分别加分 5、7、10 分	10				
		2. 积极撰写德育论文、案例、活动设计，区、市、省级获奖分别加 3、5、7、9 分。最高不超过 10 分	10				
总分							德育处

从该校三份考核细则看，现阶段班主任评价涉及的内容广、全、细、碎，导致了评价信息采集和量化过程繁琐复杂，同时也造成了部分班主任在评价的压力下对评价本身产生抵触情绪，失去了评价的真正价值和意义，更消耗了班主任工作的热情，使得班主任工作的主动性和积极性受损。

（三）评价方法的多样化

在“怎样评”时应当遵循评价方法多样化的原则，用不同的评价形式丰富班主任评价的过程，以期达到不同的目的。根据评价目的的不同，一般可以将班主任评价的方式分为两大类型，一类是以奖惩为目的的班主任评价，另一类是以促进发展为目的的班主任评价。奖惩性班主任评价是一种面向过去的评价方式，具有甄别与选拔功能，目前最具代表性的是绩效评价。发展性班主任评价是一种面向未来的评价方式，具有促进班主任专业化发展的功能，目前最具代表性的是分层评价。

1. 以绩效考评推进“优绩优酬”

班主任绩效考评是加强班主任队伍建设的重要举措，能够促进班主任队伍整体素质的提高，是义务教育学校管理中的重要组成部分。

（1）绩效考评的积极意义

班主任绩效工资考评制度有着多方面的积极意义。首先,坚持多劳多得、优绩优酬的原则，能够优化班主任资源的配置，促进教育均衡发展，使班主任付出的劳动能够得到应有的回报，避免出现学校之间师资力量不均、优秀教师扎堆、普通学校师资力量缺乏的现象，从而避免“择校热”。

其次，实施中小学班主任绩效工资，不仅能改善现有教师的薪酬待遇，提高班主任的社会地位，充分激发班主任的工作热情，发挥班主任的创造性，还有利于建设一支高素质的班主任人才队伍，吸引更多优秀的人才服务于班主任行业，提高义务教育阶段的班级管理水平。学校实施绩效评价后，有利于加强学校对班主任的管理，通过对班主任的充分评价了解、明确班主任适合发展的方向，为班主任提供充分的发展空间，同时淘汰少数不适合任职的班主任，形成良好的教育教学氛围。这也将激励班主任努力工作，重视自身专业的发展，不断提高班级管理水平，熟练掌握班级管理技能，使学生拥有高水平、高质量的班级成长环境，从而不断促进学生的全面发展。

（2）绩效考评的一般原则

在制定班主任成长性绩效工资考评方案时，要坚持按劳分配、优质优酬的原则；坚持“精神奖励”和“物质奖励”有机结合的原则；坚持民主决策、公正公平的原则；坚持科学合理、积极稳妥的原则。班主任绩效考评首先要突出评价方案的合理性，其次应该遵循激励性、保障性和改良性原则。

为了确保班主任绩效考评的有效开展，构建科学的评价指标体系，建立多元化、全方位的考评办法，完善班主任绩效交流反馈机制显得尤为重要。关于班主任绩效考评指标，目前“德”“能”“勤”“绩”是班主任绩效考评中的主要评价指标，工作业绩、工作量、教研、师德、出勤等是考评班主任的主要内容。各级教育行政部门、学校需要不断完善班主任绩效考评机制，建立公开透明的班主任绩效评价体系，明晰各级指标的具体内容，提升评价指标体系的科学性。

（3）绩效考评的一般环节

为了实现学校和班主任共同发展的目标，班主任绩效考评应当是一个由多环节构成的完整过程，一般包括：班主任绩效计划的制订、绩效的辅导与实施、绩效的考核与反馈、绩效的诊断与提高四个基本环节，需要管理者与班主任团队共同参与、积极沟通和彼此支持。

班主任绩效计划的制订是绩效管理的基本环节。学校在设计绩效管理方案时，不能只是关注考评指标的制订，关注填表打分的简单动作，更要关注考评发挥作用的机理。在设计绩效指标时，要关注他们对学校的贡献，明确班主任应该如何通过履行岗位职责为学校作出贡献，明确学校的战略目标和年度计划。

考评指标制订完成后，进入绩效辅导环节。这个环节中最重要的就是要评估者及时做好过程记录，并与被评者之间保持畅通的沟通渠道。在跟踪绩效指标的进展情况时，首先要了解各项工作是否按计划被落实，观察并记录班主任的日常表现，为绩效考评提供事实依据。其次，在出现不良状况时，要注意加强沟通，了解班主任是否遇到了困难，是否需要提供帮助，以便提供及时有效的支持，采用恰当的干预措施。

绩效辅导之后进入绩效考评环节。系统化的操作方式是“考评＋反馈”。衡量管理者绩效考评工作做得好与不好的标志不是打分划等，而是绩效面谈。这意味着管理者在给出班主任评估结果后，要与班主任进行高效的绩效面谈，针对上一绩效周期内班主任好的表现和不好的表现进行反馈，帮助班主任正确认识自己的优势和不足，持续改进。

班主任绩效考评的最后一个环节是诊断和提高。通过对班主任绩效的诊断，发现班主任在知识、技能、经验方面的不足，并形成富有针对性的改进计划。

2. 以分层性评价推进“专业发展”

分层性评价不是为了选拔或提拔，也不是机械地把班主任分成不同的等级从而达到奖惩的目的，而是在承认、尊重班主任差异的前提下，凸显班主任的主体性和班级管理的真实性、全面性和复杂性，促进班主任呈阶梯式发展，并努力在学校内建立一个和谐的学习共同体，让班主任不再害怕、厌倦评价，而是在评价中体验快乐，在发展中收获成功。

（1）分层评价的实施意义

班主任成长是一个长期持续的积淀过程，它具有成长阶段性的特点。一般情况下，根据班主任职业生涯发展阶段的不同，可以将班主任分为新手型班主任（“合格班主任”）、适应型班主任（“优秀班主任”）、成熟型班主任（“骨干班主任”或称“德育骨干”）和专家型班主任（“班主任学科带头人”或称“德育学科带头人”）。

任何一名专家型教师都是从新手型教师逐步成长起来的，只是在成长的各阶段表现出发展的非均衡性和独特的个性色彩。班主任不同，其成长速度、结果也不同。班主任的成长还会受到许多复杂的内外因素的影响。这些影响因素有班主任的职业道德水平、专业知识水平、教育教学能力，所教学生素质，学校管理制度等。为了促进班主任的专业化发展，应该为不同发展阶段的班主任确立阶梯式的发展目标，用具有区分性的评价标准去评价处于不同发展阶段的班主任，从而促进处在不同阶段的班主任群体的可持续性发展。

（2）分层评价的标准制定

在制定班主任评价标准过程中，要采用开放的形式，由评价者和班主任根据实际情况共同制定。这一形式既可以了解到班主任的真实想法，又汲取到外部先进的教育教学理念，通过标准的制定来解决对某一位班主任或某所学校发展中最重要的和最有决定意义的问题。在班主任分层评价标准的制定上，要特别注意处理好定性和定量、粗与细、全面和重点、基础标准和工作创新、班主任个性化和学校特色化等方面的关系。

在制定评价标准时，首先需要考虑不同成长阶段的班主任的个性化标准，选择相应的评价方法，有针对性地对特定班主任群体或个体提出专业发展目标、进修计划和改进建议等。其次，需要将评价标准细化分级，制定的评价内容应处在班主任能力范围之内，便于客观公正的衡量。只有这样，才能充分挖掘每一位班主任的潜能和特长，更好地调动班主任专业发展的主动性。

同时需要注意的是，评价标准不应该成为束缚班主任发展的僵化的东西。随着时间和环境的变化，需要组织班主任共同参与，进行评价标准的不断修订。这种组织班主任不断修订标准的过程，就是一个不断学习，逐步将先进的班级管理理念和方法融入班级管理实践，不断解决问题的过程。在评价标准修订的过程中，要始终强调用不同的评价标准来评价处于不同发展阶段的班主任。

（3）分层评价的实施原则

首先，是注重实际原则。不同发展阶段的班主任构成均有自身的特点。因此，在开展分层评价时应更多地结合本阶段的实际情况，组织具有层次、特色的分层评价，要突出分层推进、全员进步的思想。

其次，是讲究实效原则。要在活动前公布主题，让每位班主任明白活动的目的和任务，在活动中做到有明确的负责人，有精心的准备，有具体的活动方案，做好活动档案的建设和整理工作，最终解决实际问题。

然后，是联合带动原则。每一位班主任均有自身优势，有目的、有计划地开展评价活动，有利于互相促进、互相弥补、相得益彰。

最后，是滚动推进原则。各层次班主任要进行适当的交流、评比，实行组员滚动制，进行过程评价和过程激励，利用表扬、展览、嘉奖等不同措施造势，让班主任明白只有不断发展才可能被认可。

【工作案例】

表 5-4　江苏省镇江市教育系统拔尖人才年度考核表（2021 年 12 月）

<table>
<tr><td>姓名</td><td></td><td>性别</td><td></td><td>年龄</td><td></td></tr>
<tr><td>工作单位</td><td colspan="3"></td><td>联系电话</td><td></td></tr>
<tr><td>党政职务</td><td colspan="3"></td><td>人才类别
获得时间</td><td></td></tr>
<tr><td colspan="2">学术团体任职情况、
社会兼职情况</td><td colspan="4">（填写考核期新任职情况）</td></tr>
<tr><td colspan="6">考核内容（均填写考核期内情况）</td></tr>
<tr><td>考核项目</td><td colspan="5">达成情况记录</td></tr>
<tr><td rowspan="3">职业道德</td><td>年度人事考核等次</td><td colspan="4"></td></tr>
<tr><td rowspan="2">荣誉表彰情况</td><td>荣誉称号</td><td>时间</td><td>颁授单位</td><td>备注</td></tr>
<tr><td></td><td></td><td></td><td></td></tr>
<tr><td>教育管理</td><td>担任班主任、教研组长、备课组长等工作及获奖情况</td><td colspan="4"></td></tr>
</table>

续表

<table>
<tr><td rowspan="7">教学实绩</td><td>周课时数</td><td></td><td></td><td>本校同一学科一线教师周课时数</td><td></td></tr>
<tr><td>所教班级学生成绩情况</td><td colspan="4">（学生成绩填写优秀、良好、合格、不合格的相关等次，此栏由学校教务部门负责人填写，并签字）</td></tr>
<tr><td rowspan="3">专业获奖情况</td><td>获奖名称</td><td>获奖时间</td><td>颁奖单位</td><td>备注</td></tr>
<tr><td></td><td></td><td></td><td></td></tr>
<tr><td colspan="4">专业获奖指省、市教育行政部门或教科研部门组织的教学成果奖、教育研究成果奖、教学竞赛（技能大赛）、新入选人才支持计划等。</td></tr>
<tr><td rowspan="2">指导竞赛情况</td><td>参赛项目</td><td>指导学生</td><td>组织部门</td><td>获奖情况</td></tr>
<tr><td></td><td></td><td></td><td></td></tr>
<tr><td rowspan="4">教研科研</td><td rowspan="2">课题研究情况</td><td>课题名称</td><td>课题立项或完成时间</td><td>本人承担部分（注明排名）</td><td>课题立项单位</td></tr>
<tr><td></td><td></td><td></td><td></td></tr>
<tr><td rowspan="2">论文论著教材发表（获奖）情况</td><td>题目</td><td>核心期刊代码</td><td>发表时间</td><td>获奖情况（注明颁发单位和名次）</td></tr>
<tr><td></td><td></td><td></td><td></td></tr>
</table>

续表

<table>
<tr><td rowspan="7">示范指导</td><td rowspan="3">公开课、示范课、学术讲座情况</td><td>授课时间</td><td>授课地点</td><td>授课题目</td><td>主办单位</td><td>听课对象及人数</td></tr>
<tr><td></td><td></td><td></td><td></td><td></td></tr>
<tr><td></td><td></td><td></td><td></td><td></td></tr>
<tr><td>听课情况</td><td>听课数（节）</td><td></td><td></td><td></td><td></td></tr>
<tr><td rowspan="2">指导教师情况</td><td>被指导教师姓名</td><td colspan="4">被指导教师业绩成果</td></tr>
<tr><td></td><td colspan="4"></td></tr>
<tr><td colspan="2">参与省名师空中课堂、暑期网络培训专家团队、乡村骨干教师培育站、名教师工作室、教育行政部门统一选派支教等情况</td><td></td><td></td><td></td><td></td></tr>
<tr><td>学年度特色工作总结（1000 字以内）</td><td colspan="6"></td></tr>
<tr><td colspan="7">以上各栏目由本人填写，本人对上述内容的真实性负责。

填表人（签名）：　　　　年　　月　　日</td></tr>
<tr><td>民意测评情况</td><td colspan="6">参加测评的学生人，对其课堂教学感到满意或较满意的人，满意率。
参加测评的教师人，对其师德表现和工作实绩感到满意或较满意的人，满意率。</td></tr>
<tr><td>学校（单位）考核意见</td><td colspan="6">等次：　　负责人（签名）：　　　（盖章）　年　月　日</td></tr>
</table>

续表

各市区教育局考核意见	等次：　　负责人（签名）：　　（盖章）　年　月　日
市教育局考核意见	等次：　　负责人（签名）：　　（盖章）　年　月　日

三、个性与多元：班主任评价的未来展望

班主任评价的终极追求不在于寻找班主任有哪些行为与具体的规定相符，更不在于检视班主任的行动结果与预期之间的差距，而是集奖惩和发展功能于一体，把绩效评价与发展性分层评价巧妙地揉和在一起，激发班主任的内在潜力，提高班主任的专业化水平，引导班主任借助人格魅力开展班级共同体的引领工作，使其愿意义无反顾地投身于教育事业，并能更好地胜任，成为班级成长共同体的筑魂人物。

（一）关注班主任的个性需要

班主任在班级中主要通过发挥教学和管理两方面作用来引导、帮助学生解决问题和困难。除管理学生之外，班主任日常还需要承担繁重的教学任务，对于班主任来说，平衡日常教学和班级管理两者的比重显得尤为重要。

然而，现有教师职称评定体系几乎一边倒向学科类，甚至在很多学校，教师评优多数以教研组为单位分配名额，类似的评价形式给班主任岗位的存在价值、角色定位和工作职责带来了一定的错误定位。待遇固然不是班主任专业追求的基础条件和动力源泉，但也正是待遇这个“标杆”体现着一个追求专业发展的班主任的主体价值和人格尊严。随着社会和教育的不断发展，中小学班主任工作的挑战性越来越强，压力也越来越大，尤

其是学生心理及安全、社会舆论等带来的压力，即使付出很多，也未必得到学校和家长的肯定。国家政策法规虽对班主任待遇有一定的保障，但同班主任的实际付出相比，还存在一定的差距。因此，现阶段很多学校对于班主任这一重要岗位还停留在行政任命层面，无法实现双向选择，这大大影响了班主任工作的积极性、主动性和创造性，“追求专业发展”更是无从谈起。“班主任基本功竞赛”、“最美班主任”等层级选拔形式下发生的评价，成就的未必是千万班主任的职业诉求，而正是这千万普通班主任才是基础教育的基石。所以，从国家到地方、到学校，还需对班主任应享受的物质、制度、精神等层面的专业待遇作出更为明晰的规定，加大班主任物质、精神奖励的力度，完善班主任工作教科研，完善班主任专业职称评定系统。不仅要奖励专业基本功突出的、学校眼里的“名班主任”，还要看到千千万万踏踏实实、无怨无悔、爱生敬业、工作在一线的家长、学生眼里的“名班主任”，充分向一线班主任倾斜，以保证广大基层班主任个性发展的需要。

作为真实存在的社会个体，班主任在班级管理工作中不仅要塑造角色本身，还要不断创造和改变着自我的存在样态。只有班主任的个性与需要得到满足，班主任拥有职业幸福时，他们才会把这份满足和幸福感传递给学生和家长，才会在持续地改进自我、提升自我上，表现出足够的积极性。

（二）增加适应性的评价内容

随着教育改革的层层推进，班主任所面对的公众期望和角色要求越来越多。只有具备相当灵活性和创造性的班主任，才能适应此类外部环境的变化。与之相适应的班主任绩效评价的改革需要结合实际情况关注绩效环境的动态发展，增加适应性的绩效评估内容，以便更为全面地了解身处变革中的班主任的行为特征及工作状况。

以增加适应性绩效评价内容来改进传统的班主任评价活动，兼具动态性和情境性，将更有助于凸显班主任发展性评价的内在价值和追求。它将改变一直以来偏执于班主任的绩效成果、外部关注等方面的考评标准。学校也可以借此了解动态环境中的班主任专业发展的具体要求。作为新环境下班主任绩效评价的重要补充，它将成为今后一段时间内班主任绩效评价改革的重要内容或寻求发展的新方向。

（三）建构立体化的绩效系统

以往的评价之所以难以发挥引导班主任发展的功能，大多是因为它只关心学校和行政部门管理班主任的需要，强调操作的便利性，而忽略了班主任之间显在的差别。发展多元化的评价标准，采用多样化的评价方式，建构立体化的绩效评价系统，是引导班主任评价回到尊重班主任差异性、实现班主任个性化成长的必然选择。

从重视班级管理的外显成绩，向关注班主任成长进步转移，关注班主任在专业水平、班级管理经验、授教学科、班级情况，乃至班主任个人身体状况、生活质量。在评价内容、评价标准、评价方法上，尽可能地考虑班主任的个性化特征，将更有利于学校站在班主任积极工作、自主发展的立场上重构绩效评价系统。当然，要在实践中达到绝对的个性化是不可能的。从实际出发，发展分层性的评估系统，在不同的层次上制定相应的评价标准和评价内容，生成一个完整的、逐级提高要求、增加任务难度的评价系统，从而为每个班主任升入更高一层的梯队提供具体的引导。

第三节　班级评价研究

班级是学校教育、教学的基本单位，是师生交往、生生交往的重要载体。班级评价是对班级整体在教育教学、班风班纪、活动风采、人际关系等各方面的评价。班级评价是发展性班级教育与管理的重要手段，贯穿于班级管理的每一个环节，是班级建设的重要组成部分[1]。班级评价的功能在于，根据评价的结果对表现优异的班级予以表扬、奖励，对表现较差的班级予以批评、鼓励。评价的目的在于激励班级奋发向上，增强集体荣誉感，培养班级内全体成员的责任意识、共同体意识与大局意识。同时，班级评价是学校进行班级管理的重要途径。学校依据管理的需要，设定评价标准，对班级在各方面的表现进行评判，督促班级朝着学校预设的方向发展，实现学校对班级的间接管理。

一、班级评价的历史回顾

从班级的发展脉络来看，不同时期的班级评价有不同的侧重点。在重视教学工作的当代，班级作为独立的教学单位，提升班级教学效率是学校教育的重中之重。在实行计划经济、倡导集体主义的年代，集体主义思想渗透到学校教育中，班集体应运而生，以建立共同的理想、共同的奋斗目标、正确的舆论、统一的意志和纪律[2]为追求。班级共同体则属于学习科学、社会学的范畴，强调班级成员之间的对话、协商与合作，求同存异，开放多元。

（一）以班级为载体的班级评价

班级的诞生与班级授课制密切相关，班级授课制是一种以教学为中心的班级组织制度。它是把一定数量的学生按照年龄与知识水平编成固定的班级，根据特定的课程表，安排教师有计划地向全班学生集体授课。受班级授课制的影响，班级的一切工作都围绕教学展开，在班级评价中，教学也成为重中之重，班级文化、班风班纪、学生品德与综合素养的发展等在

---

① 齐学红．班级管理［M］．北京：教育科学出版社，2018：258.

② 潘洪建．“学习共同体”相关概念辨析［J］．教育科学研究，2013（8）：14－15.

班级评价中失去了应有的地位，成为班级评价中无人问津的领域。

1. 班级授课制的影响

班级授课制又称课堂教学，班级授课制是将学生按年龄和认知程度编成班级，使每一班级有固定的学生和课程，由教师按照固定的教学时间表对全班学生授课的教学制度。资本主义的兴起要求普及教育，扩大教育教学规模，提高教学的质量与效率。在这一时代潮流的冲击下，个性化教学成为学校教育的淘汰品，班级授课制开始登上历史舞台。1632 年，夸美纽斯在《大教学论》中系统地论证了班级授课制的可能性与必要性，确立了其在学校教学中的地位。随后赫尔巴特等教育家对其进行补充、完善，自此，班级授课制成为主要的学校教学组织形式。1862 年，北京京师同文馆率先实施班级授课制。1902 年清政府颁布《钦定学堂章程》后，开始在全国推广班级授课制。

2. 以教学为中心

班级授课制诞生以来，班级作为学校教育教学的基本单位，一直延续至今，在我国有 100 多年的历史。17 世纪，捷克教育家夸美纽斯提出泛智教育思想，即“把一切知识教给一切人”，这句话可以拆解为两句话。一方面，它是指“把知识教给一切人”，即教学内容的广泛化，另一方面，它是指“把知识教给一切人”，即教育对象的普及化。无论是教育内容的广泛化，还是教育对象的普及化，这两种教育目标的实现无不依靠班级授课制，班级授课制的诞生使得平民大众接受教育成为可能。班级授课制以教学效率著称，以教师讲解知识为主，班级成为教学的基本单位，教学成为学校教育与班级管理中最重要的事项。然而，物极必反，班级授课制作为班级教学组织制度，逐渐地在学校教学实践中显出弊端。一味地追求教学效率，忽视学生的兴趣需要、个体差异与主动性等现象比比皆是。把学生视为被动吸收知识的容器，只重视教师的讲授，忽视了学生对知识的主动思考与内化；只重视学生知识的增长，忽视了学生品德的发展与能力的提升。

在班级评价中，出现了一系列不合理、不民主的做法，主要体现在：

其一，强调对教学工作进行评价，忽视了班级人际关系、班级氛围、班级活动、班级文化等，使得班级评价窄化为教学评价；其二，评价主体单一，以校长等学校领导为评价主体，教师、学生、家长在班级评价中均处于被动地位，没有对他们的意见给予应有的重视与关注；其三，评价标准狭隘，未征集教师、学生、家长等多方面的意见，以学校对班级建设的要求作为唯一的评价标准。学校的评价标准容易受到外界的影响，在应试教育盛行，社会大众片面关注升学率时，学生的学业成绩与升学率就会成为学校进行班级评价时最重要的评价指标；其四，评价方法简单机械，以考试成绩、升学率等片面的量化指标作为评价依据，忽视了班级评价的整体性以及重要的但不可量化的评价内容；其五，评价结果仅仅是对班级学习水平的反映，不具有对学生全面发展状况进行评价的价值，也不具有对班级各方面建设状况进行评定的效用，评价结果的有效性、全面性、准确性等堪忧。

（二）以班集体为载体的班级评价

受苏联的影响，集体主义思想在我国学校教育中产生了极大的影响，班集体建设一时成为班级管理中最流行的趋势。班集体具有的特点诸如共同的目标、优秀的班干部、良好的纪律、正确的舆论等成为班级管理中的重要内容，也成为基础教育中班级评价的核心要素。

1. 集体主义思想

“集体”是苏联社会心理学、教育学中的一个概念。它是指执行有益社会职能的、高度发展的群体[①]。在我国实行计划经济的时期，社会上集体主义思想大行其道，强调个人对集体的无条件服从，主张集体利益大于个人利益，为了集体利益可以牺牲个人利益。在集体面前，个人是渺小且微不足道的，损己以利人成为那个时代最推崇的价值取向。

---

① 潘洪建．“学习共同体”相关概念辨析［J］．教育科学研究，2013 (8)：14.

2. 班集体与集体荣誉感

集体主义的思想渗透到学校内部，便出现了班集体，“班集体”（class collective）属于集体中的一种类型，是按照班级目标和教育规范组织起来、以共同学习活动和直接性人际交往为特征的社会心理共同体。班集体建设强调建立共同的奋斗目标、坚强的纪律、正确的舆论、以及团结友爱、勤奋好学的好风气[①]。集体的发展目标、得力的班集体核心、正常的集体秩序、形式多样的教育活动、正确的舆论和良好的班风，是班集体的构成要素[②]。

学生在享受班集体带来的一系列利益的同时，也深深地受到它的制约与压制。班集体作为学校管理的一种手段，以集体的名义约束学生，以集体荣誉感规训学生，学生的一举一动与集体的荣誉息息相关。人人都想为班集体增添荣誉，进而赢得集体的夸赞与表扬；人人都害怕给班集体带来负面影响，进而遭到他人的批判与憎恶，内心产生愧疚与不安。集体成为规训学生的一把无形戒尺，虽无影无形，却深入人心，为学生所内化。同时，在班集体的内部存在不平等的关系，集体内容易出现强势者欺负弱势者的现象，进而损害弱势者的利益。

在这一时期，班级评价的内容有所扩展，从单一的关注教学扩大到关注班风班纪，学生的学业成绩、班级在各种活动与竞赛中的表现、班级的课堂秩序、活动秩序等均成为班级评价的内容；在评价主体方面，依然是以校领导为核心，忽视了其他相关者的利益诉求与参与权利；随着评价内容的丰富，评价方法也有所发展，开始使用专项评价与综合评价，质性评价渐渐进入班级评价的视野中；评价结果常常用于对班级进行奖惩，评价的激励效果、反馈效果难以实现。

---

① 华中师范学院等五院校．教育学［M］．北京：人民教育出版社，1982：305.

② 潘洪建．“学习共同体”相关概念辨析［J］．教育科学研究，2013 (8)：14.

（三）以班级共同体为载体的班级评价

近些年来，班级共同体作为一种新颖、具有超越意义的班级建设类型，开始出现在中小学班级管理研究之中，有不少学者与一线教师对班级共同体的内涵、建设目标、原则及意义展开讨论。班级共同体有望成为未来班级建设的一种理想形态，围绕班级共同体的建设将衍生出别样的班级评价。

1. 共同体

斐迪南·滕尼斯指出，共同体是持久的和真正的共同生活，它是积极的现实的有机的生命：使人拥有一切亲密的、秘密的、单纯的公共生活，使人休戚与共，同甘共苦，相互地负有责任，相互地占有和享受共同的财产；它是人的一种真正的结合①。共同体中所建立的交往是一种亲密关系中的交往，是一种既能够充分的发展和发挥个性、又能信奉和遵守规则的交往，是一种能够体验到自我的价值同时又有机会认识他人价值的交往，是一种在尊重他人的基础上获得他人尊重的交往②。

2. 班级共同体

班级共同体不仅要成为这种真正意义上的共同体，而且要成为有自身独特性的共同体，即成为一种文化共同体、精神共同体和伦理共同体。作为精神共同体，班级共同体的核心目标是发展学生的精神与心灵，让学生成为精神丰满、内心丰盈，自信且信任他人的人。作为文化共同体，班级应当打造让学生乐在其中的文化空间，让学生在耳濡目染中愉悦地内化社会主流文化，成为有文化、有民族自信的人。作为伦理共同体，应当以正义、平等、人道的原则建设班级，建立平等且友好的班级人际关系，尊重所有班级成员的发展机会、权利与利益。在班级共同体中，资源是均衡分配的，

---

① 斐迪南·滕尼斯．共同体与社会：纯粹社会学的基本概念［M］．林荣远，译．北京：北京大学出版社，2010：57－61.

② 毛景焕．平等体验的生成与班级教学共同体［D］．南京：南京师范大学，2004：76.

并且为全体班级成员共有、共享。

在共同体中，一个深层次的特征是个人在逻辑上的优先性，即个人的利益（这里指个人成长的权利和对个体的重视）而不是所谓“整体的利益”应该受到首要的重视。然而，长期以来，在我国的班级建设中常常出现以集体利益的名义侵害个人机会与利益的现象，如在领导巡查时将调皮的学生藏起来，在期末考试时剥夺差生参加测试的机会。教育不应为了任何外在目的而损害学生的健康发展，以“减速”为代价，失去部分整体利益换得学生的发展是有价值的。在当前我国的学校教育实践中，班级共同体的建设还很不充分，许多一线教师也未意识到班级共同体建设的重要性与价值，还是以应试教育的规则作为班级管理的参考系。在班级管理中，常以功利性的外在目的与要求，牺牲学生的自由与个性发展。在评价内容中，来自于功利教育的规范要素被重视，学生个体的兴趣、需要与发展被忽视了，外界的考核成为制定评价标准的依据。异化的学校教育带来异化的班级评价，以学业成绩衡量学生发展、班级建设的量化评价方式愈演愈烈，忽视了班级评价中有许多事项是难以量化的。虽然档案袋评价、口头评价等质性评价方法也开始出现在班级评价中，但是其发挥的作用微乎其微，只是做表面功夫，而没有从根本上重视起来。评价结果依然用于对班级的奖励、惩罚与激励。

二、绩优主义导向下的班级评价现实样态

随着经济的不断发展，社会对教育有了新的要求与期待，追求高质量的教育成为全国人民的共同愿望。然而，受制于生产力发展的不均衡与不充分，不同地区的学校教育之间存在着极大的差异，同一地区的不同学校之间也存在高水平与低水平的区别。在学校内部，不同班级之间存在重点班、实验班与平行班的划分。学校类型上，普通高中与职业中学存在区别，具体表现为社会大众对普通高中教育的向往与赞美，对中等职业教育的排

斥与偏见等等。

一系列的差异背后反映出教育发展的不均衡、不充分，优质教育资源的稀缺，大众教育观念的保守等等。为了争夺优质的教育资源，学生与学生之间、班级与班级之间、学校与学校之间形成了一种紧张的竞争关系，最终形成一种功利的学校教育。在这样的背景下，基于绩优主义的班级评价登上了历史舞台，成为学校实现高效管理，规训班级、教师与学生的最佳手段。

（一）绩优主义的班级评价

班级评价作为一种对班级整体的评价，有助于诊断班级德育工作质量，及时发现班级中存在的问题，并且根据反馈及时进行矫正与修复。同时，班级评价作为学校对班级进行间接管理的手段，学校的现实发展需要成为制定班级评价标准的直接依据。然而，在绩优主义的背景下，应试教育愈演愈烈，学校教育的功利化色彩日益浓厚。智育成为学校教育的中心，升学率成为班级评价的主要指标。

1. 以竞优为目的

在应试教育的背景下，“立德树人”的教育目标成为一句口号，本应排在首位的德育退居其次，映射到班级中，班级的升学率、优秀率成为班级评价的首要指标，而班级的道德水平、人际关系、心理健康水平等反映学生身心全面发展的重要内容在班级评价中失去了其应有的地位，成为无人问津的领域。

为了在校际竞争中脱颖而出，学校将优绩作为首要目的，抓分数、提成绩成为学校教育工作的重心。一切教育教学工作围绕分数展开，在考试分数面前，学生的品德、心理健康、生生关系以及师生关系显得微不足道，学校不关心学生的品德是否良好，也不关心学生的心理是否足够强大，更不关心学生在学校中是否有良好的人际关系、是否有很多朋友，在学校生活中是否体验到了获得感与幸福感。学校将学生看作一架架学习机器，当他们不听话时对他们加以训斥，从未关注他们的心灵。

2. 单一的评价主体

根据评价主体的不同，可以将班级评价分为自评、他评和互评。自评是指根据一定的评价标准，对照自身的表现和成绩进行的自我评价。他评是指根据一定的评价标准，他人对班级进行评价，评价的对象是班级，“他人”可以是学校管理层、学生家长、任课教师等。互评则是指年级中根据一定的评价标准开展的班级间的互相评价[①]。

在中小学教育实践中，班级评价常常成为校长和学校管理者的一言堂，校长和学校管理者依据学校发展需求制定班级评价标准，教师与学生没有参与权与表决权，只能接受评价标准。校长和学校管理者独自决定何时评价，需要收集哪些评价资料，教师只负责收集并提交相关材料。由校长一人拍板决定的班级评价忽视了班主任、学科教师的建议与意见，使教师成为班级评价中被动的参与者，扼杀了教师参与班级评价等学校管理工作的积极性与主动性，教师不理解、不认可评价标准的情况常常发生。在教师成为班级评价被动参与者的情况下，班级评价的意义也大打折扣，通过评价促进管理的作用也难以发挥。

3. 烦琐的评价内容

学者梳理了我国目前班级评价的三种方案：一，以评价班级工作为主的评价方案。通过把班级教育工作涉及的各方面因素归纳整理成一个含有三级指标的评价指标体系，根据一定的教育思想给各项指标赋予一定的权重，使班级评价得到一个更加科学、合理的量化结果。二，以衡量班集体发展水平为主的评价方案。评价方案涉及班集体发展的 10 个方面：（1）指向性。（2）组织性和民主性。（3）舆论和道德水平。（4）纪律性。（5）团结合作性。（6）学习活动。（7）社会性和劳动积极性。（8）个性和创造性。

① 齐学红．班级管理［M］．北京：教育科学出版社，2018：258.

（9）自主性。（10）工作成就和声誉。三，以社会心理学理论为基础的衡量班集体发展程度的评价方案。主要是以苏联的社会心理学为依据，按班集体发展水平由低到高依次分为“松散群体”“合作群体”和“集体”①。从目前我国的学校教育实践来看，评价指标体系是班级评价实施中最流行的方式，评价指标体系以科学性、全面性、客观性为其优势，然而如何将具体、感性的评价内容转化为指标体系，则仁者见仁，智者见智，但是在凸显学校教育的经济功能、强调智育的时代背景下，以智育为核心的评价指标体系自然成为主流。

4. 失真的评价结果

学校对班级管理的效果与质量进行考核的工作有两个特点：第一，量化考核；第二，以竞争促发展。所谓量化考核，就是把工作的所有集体操作，包括过程与结果，分成若干个组成这项工作的段与点，并将这些段和点做一定的数量要求，然后用这些数量要求进行比较、审定，衡量已完成的工作，从而对工作完成情况作出终结性评价②。量化考核具有目标明确、标准清晰、易于操作、客观性强等优势和特点，但是班级事务中有许多不可量化的内容，如班级人际关系、班风、班级文化、学生的个性化与社会化水平等等，这些内容不能转化成数字，无法对其进行量化。这样的评定，要么将班级管理的一些核心因素放逐掉，要么因为肆意的物化而流于疏浅，导致评价的低效、无效甚至负效③。

这种失真的班级评价往往会导致几种结果：一是育人活动异化。班主任为了获得高分评价，将评价作为工作的出发点，对照评价标准开展工作，忽视了自身作为教师育人的责任，此时的教师被外在目的所蛊惑，失去了

① 李伟胜．衡量学生成长状况 提升班级生活质量：解读“新基础教育”班级评价方案[J]．中小学管理，2004 (6)：50 − 52.

② 黄正平．班集体问题诊断与建设方略［M］．北京：教育科学出版社，2007：200.

③ 周金山．班级管理异化研究［D］．武汉：华中师范大学，2011：26.

专注于教育事业的初心，丢弃了教育、引导学生的使命，异化为一个工具人，为了取得高分评价不惜弄虚作假，甚至拉上学生一起演戏。二是注重量化统计的数字管理模式，使管理者失去了教育智慧。只注重外显的考核指标使得教师将工作重心放在外部监督、评定之上，忽视了班级氛围、班级精神、人际关系等人文性要素。

在异化的班级评价中，为了评价而评价，评价从手段变成了目的，忘却了以评价促进学生发展、班级成长的初衷。这种班级评价，使学生落入已制定好的量化框中，限制学生的自由，规限学生的思想、眼界及人格发展。量化评价看似“科学”“公正”，实则是班级管理异化的根源。量化考核源于工业生产，并在工业生产中发挥了重要的作用，通过量化考核实行多劳多得，对工作效率高的员工进行奖励，同时鞭策后进。学校受工业的影响，将工业生产领域中的量化考核方式引入教育，忽视了教育对象的特殊性。虽然教育领域研发的标准化测试在一定程度上可以说明学生的知识掌握情况，但学生的全面发展不能依靠分数来衡量。班级评价在量化考核方式的影响下出现了对分数的追求胜过对手段合理性的考量的情况，学生为了迎合考核的指标，将某些方面尽量放大，以优秀的姿态出现;对于不考核的指标，则充耳不闻。为了追求好成绩，班级管理中必然会对一些“不需要的活动成分”加以限制，以免因意外而出现扣分的情况，学生的活动需求被忽略了，失去了个性化与社会化的机会与自由，造成了班级管理的异化与反教育性。

（二）指向全员育人的班级评价实践

虽然我国基础教育的班级评价普遍存在问题，但是进入新时代以来，一些地区的一些学校在班级评价方面进行了大胆的尝试与革新，如南京外国语学校的班级教育小组工作手册、南京市建邺区中小学优秀班主任评选办法等等，这些先进的班级评价理念与实践对当下基础教育阶段的班级评价具有较大的启示意义。

1. 评选优秀班级教育小组[①]

南京外国语学校班级教育小组工作手册

班级教育小组性质与任务

1. 班级教育小组的性质

班级教育小组是在班级教育管理体制改革过程中形成的班级教育管理组织，是班级各项教育工作的领导核心，是全面实施素质教育的重要保证。班级教育小组的管理遵循民主化科学化思路，工作原则为集体研究、集体决策、集体行动、集体负责。

2. 班级教育小组的主要任务

（1）确立班级目标、班风及班级建设特色，研究制订班级教育工作总体计划、操作方案及实施细则；

（2）制订并实施德育与学科教育的整合方案；

（3）制订并实施各学科间的整合方案；

（4）制订班级文化建设规划，逐步形成本班级文化特色；

（5）培养选拔学生干部，调动全班学生的积极性，提高班级自主学习、自主管理的水平；

（6）拓展教育空间，挖掘教育资源，凝聚各方面教育力量。

班级教育小组组长的职责

（1）班级教育工作的第一责任人，主要策划者。负责班级教育小组工作的召集、协调、督促检查；

（2）提出本班教育工作思路和目标，牵头制订班级各项工作计划；

（3）明确教育小组各成员的分工及任务，密切关注各项工作的开展情况，及时与组员交流沟通，努力形成教育合力；

（4）每周至少召开一次教育小组常务会议，研究班级工作；

---

① 徐敏标．中小学班级管理体制改革［M］．南京：南京师范大学出版社，2012：225－226＋234.

（5）负责上传下达、内外联络等工作。

班级教育小组核心成员的职责

（1）参与制订班级整体工作计划，并认真制订好个人分工计划；

（2）明确自己在各个阶段的具体教育任务，创造性地开展工作；

（3）积极参加组长召集的各种会议，主动汇报自己的工作情况并提出自己建设性的意见；

（4）发挥团队精神，与小组成员互相沟通，形成教育合力，推进班集体建设；

（5）用书面形式进行各个阶段的工作小结，每学期至少撰写一篇具有典型性的教育案例。

班　　风：

班级目标：

班级特色：

表 5-5　师生牵手录

牵手老师：　　　　　　　　　　　　　　牵手学生：

学生自我分析	
老师的分析	
牵手指导简要记录	
学生自评	
师评	

在开学初，班级教育小组的核心成员需要通过讨论确定班风、班级目标与班级特色。班级教育小组中，班级的各学科任课教师是班级教育小组的核心成员，班主任担任组长。班级教育小组每周要开一次例会，每月要开一次诊断性会议，由一人担任记录员，围绕某一主题展开讨论，会后要形成决议或方案。

通过使用班级教育小组核心成员四项分工表，每一名核心成员每周轮流担任值日班主任，并轮流负责班级的主题班会与重大活动。班级教育小组中的每一名核心成员都要与班级里的一部分学生牵手，负责牵手学生的心理健康，与牵手学生交流、谈心，关注其学习状况，给予恰当的辅导并完成师生牵手录。这种做法让每一位教师都成为班级管理的参与者，调动了学科教师的班级工作热情与积极性，克服了以往班主任工作过重、分身乏术的困局。

在学生学习方面，班级教育小组需要完成期中和期末学情分析表，包括成绩统计（含各学科的年级均分、班级均分、差距分）、学科分析诊断、部分同学情况分析三方面的内容。

在学生管理方面，除了设置班干部（班长、学习委员、卫生委员、生活委员等）、团（队）干部（书记、副书记、组织委员、宣传委员、纪检委员、队长等）、科代表，还有班级自主管理责任制，每一位同学都要承包一项班级任务，以此培养学生的责任感与上进心，发挥学生的主体作用，让学生参与到班级事务中，培养其在班级管理中的主人翁意识。

在班级管理方面，班级教育小组需要完成班级工作大事记，记录班级日常生活中发生的有意义的事件，以及班级常规管理考核记录，记录每周班级常规管理所得分数、存在问题、年级排名与夺旗情况等。

在道德教育方面，班级教育小组通过运用教育机智，在课堂教学或班级日常管理中对部分学生进行转化与感化，并将此类事件形成典型教育案例，记录在册。

2. “新基础教育”班级评价方案①

“新基础教育”班级建设的研究强调让每一位学生都能充分展现自己，并形成主动发展的动力和能力，使班级成为提升学生个体生命质量的民主集体②。

在评价目的层面，主张在“成事中成人”，在班级生活制度建设、班级活动（日常活动和主题活动）的开展与班级文化环境建设的过程中关注学生的发展与成长，关注其独创能力、反思总结能力和分工合作能力的形成。

在评价对象层面，强调个体与集体的积极互动。它既关注学生个体的成长状况，也关注班级整体的发展情形，更关注个体与班级整体之间的关系。它关注各种教育机会是否公平地提供给不同的学生个体、是否“人人有岗位”，关注不同人之间的合作和人际关系，也关注班级在学校中的整体形象和地位、班风，还关注学生对班级的满意度③。

表 5-6　班级建设综合评价表

指　标	A 级	B 级	C 级
活动内容围绕主题的情况	1	0.7	0.5
活动形式多样性程度	1	0.7	0.5
会场环境布置	1	0.7	0.5
活动参与人数	1	0.7	0.5
学生语言与投入状态	1	0.7	0.5
活动总结情况、干部反思能力	1	0.7	0.5
活动内容设计的创意	1	0.7	0.5

① 李伟胜．衡量学生成长状况 提升班级生活质量：解读“新基础教育”班级评价方案[J]．中小学管理，2004 (6)：50 − 52.

② 同①.

③ 同①.

续表

指　标	A 级	B 级	C 级
活动组织的合理性	1	0.7	0.5
总　　计			

在评价实效性层面，兼顾即时效应与长期效应。它不仅关注当下的班级生活状况、学生个体的发展机会，还关注班级生活是否形成良性的动态调整机制，体现在是否定期轮换干部、岗位，班级环境布置和班级活动经常性等方面①。

表 5-7　班队主题活动评价表

项目（22 分）	指　　标	A 级	B 级	C 级
	定期轮换干部	1	0.7	0.5
干部队伍（4 分）	干部之间分工合作	1	0.7	0.5
	干部的独创能力	1	0.7	0.5
	干部的反思总结能力	1	0.7	0.5
岗位建设（4 分）	是否人人有岗位	1	0.7	0.5
	是否定期轮换	1	0.7	0.5
	岗位管理机制	1	0.7	0.5
	岗位教育效应	1	0.7	0.5
环境建设（3 分）	反映班级个性	1	0.7	0.5
	是否定期更换	1	0.7	0.5
	环境的教育性	1	0.7	0.5
班级日常活动（2 分）	班级活动的经常性	1	0.7	0.5
	班级活动的有效性	1	0.7	0.5

① 李伟胜. 衡量学生成长状况 提升班级生活质量：解读“新基础教育”班级评价方案[J]. 中小学管理，2004 (6)：50 − 52.

续表

项目（22分）	指　　标	A级	B级	C级
班级主题活动（4分）	主题活动的针对性	1	0.7	0.5
	活动过程的教育性	1	0.7	0.5
	组织活动的独立性	1	0.7	0.5
	活动参与的广泛性	1	0.7	0.5
综合评价（5分）	班级中的人际关系	1	0.7	0.5
	班级在学校中的地位（竞争力）	1	0.7	0.5
	学生对班级的满意度	1	0.7	0.5
	班风、独立性、创新能力	1	0.7	0.5
	班级中的师生关系	1	0.7	0.5
总　　计				

为了最大化地发挥班级评价的正向功能，班主任应当精心设计班级评价制度，形成班级发展系统①。班主任应当根据新时代的育人目标，设计各种主题活动，并通过评价鼓励学生参与活动，让学生在一次次参与活动的过程中感受到成长的快乐与进步的喜悦。

3. 依托“班级优化大师”的品牌班级评价体系

品牌班级因其自身特性被社会、家长和学生赋予了美好的情感，具有商品品牌类似的效应，有较强的吸引力。它指向每个学生个体的全面自我成长。广东省东莞松山湖中心小学黄燕老师根据《中小学德育工作指南》，结合班级实际情况，把品牌班级评价指标确立为“价值建构”“认知提升”和“能力培养”三个维度。其中，“价值建构”将培育和践行社会主义核心价值观放在核心位置。“认知提升”侧重优秀班集体的建设，拟从学科

① 王晓波．设计力：让班级育人目标真正落地［J］．江苏教育，2023 (12)：47.

教学、文化布置、班级活动等方面，聚焦学生思维发展，关注学生的高阶思维，提升学生的深度认知。“能力培养”侧重品牌班级的培养，聚焦学生能力提升，凸显品牌班级的辨识度[①]。

为了实现品牌班级评价的全面化、可视化，客观且公正地记录每个学生的品行及其日常表现和道德突出行为表现，黄老师使用“班级优化大师”作为辅助评价工具，既提高了评价反馈的效率，又注重评价主体的多元化。班级优化大师可以根据学生身心发展，以游戏化的手段，调动学生参与的积极性，它不仅能记录学生成长过程中的点滴表现，更能直观呈现学生自我成长的增值点[②]。

在学生评价方面，为真正体现学生的自我成长，教师需要在班级优化大师内设置学生初始测评结果、过程记录和终结测评结果三个模块。以粹墨轩为例，申报的班级品牌是“诗歌点亮童年”。过程记录的数据应该呈现品牌班级申报过程中学生“诗歌点亮童年”各方面的表现。终结测评结果应该呈现经过品牌班级培养后学生个体的价值建构、认知提升和能力培养三方面的星级数据。

在班级整体评价方面，拟以“品牌班级”申报达标资料为依据，在班级优化大师中设立专栏并由该班教师上传评价资料。除此之外，德育处根据其品牌达标条件，在优化大师上设置调查问卷供评价主体填写，最终以问卷数据确定品牌班级的成熟度。综合优秀班级的结果性评价和品牌班级成熟度达标资料和问卷，可以看到班级整体的成长[③]。

---

① 黄燕．学生自我成长的品牌班级评价体系创构［J］．中小学班主任，2023 (5)：31－32.

② 同①.

③ 黄燕．学生自我成长的品牌班级评价体系创构［J］．中小学班主任，2023 (5)：32.

三、个性与多元：班级评价的未来展望

班级评价作为学校开展班级管理的重要手段，对于提升班级管理水平、促进学生全面发展以及教师专业发展有着关键意义。好的班级评价能够为班级的良性发展指明方向，能够对班级管理情况作出全面、恰当地评价，增强班级的凝聚力、向心力，提升教师工作的积极性，激发学生的进取心与责任感。展望未来，班级评价应当以学生为本，以发挥人的潜质为目的，以发展性的眼光看待学生与班级，打造具有民主理念、学习能力、合作精神与超越意识的发展型班级。

（一）以人的发展为取向

确立以“促进人的发展”为教育评价主题，有助于突破教育评价中长期存在的评价者与被评价者对评价认识不一的困境，有效地避免教育评价中的管理主义倾向和功利主义倾向[①]。以人的发展为取向的班级评价能够引导评价者对学生、教师发展的关注，对长期教育效果的重视。在实施班级评价时，用发展的眼光看待学生与教师，尊重他们的主体性和差异性，重视评价对象的自我评价、自我反思与自我监控，关注评价对象发展变化的过程，使评价成为促进师生、班级不断发展的教育活动，发挥评价的育人价值。

（二）个性化的评价内容

班级评价作为育人的辅助，应当坚持以学生发展、班级进步为中心，尊重学生的性格、兴趣与需要，尊重个体的差异，不用统一的标准去打磨

---

① 龚孝华．教育评价主题：促进人的发展［J］．教育理论与实践，2003（18）：6.

他们，为学生量身定做专属于自己的评价标准，为班级定制个性化的评价标准，让班级以自身为目标，以不断发展和超越自我为动力，追求进步。每一名学生都是独特的个体，每一个班级也有属于自身的独特风采，不同的班级有不同的班风、班级文化、班级人际关系与班级氛围等。因此，在制定班级评价标准时应当尊重班级之间的差异。评价标准与评价内容应当分为两个部分：一部分以班级日常管理工作为主，由校长等校领导讨论初拟，在取得教师与学生群体的认同后正式生效；一部分由班主任、班级的任课教师以及学生，结合班级特点制定，涵盖班级风貌、文化、人际关系、活动风采、学习状况等内容，说明班级在这些方面需要达到什么样的水平，以什么样的细则进行评判。让教师与学生参与到评价标准与评价内容的制定当中，有利于调动教师与学生的积极性与主动性，提升评价标准的科学性、合理性与人文性，从而发挥评价的积极意义。

（三）灵活多样的评价方法

评价方法服务于评价内容。在发展性教育评价中，由于评价标准的多元化与评价内容的个性化，在学生评价中要关注学生的创新精神、实践能力、搜索信息与处理信息的能力、获取新知的能力、情感、态度与价值观等多方面的发展；在教师评价中要关注教师的反思、课堂教学中的师生互动、学习方式的转变等。因而，在发展性评价中，除了采用测验等量化评价方法，还需要在实践中开发和使用观察、访谈、自我报告、成长记录袋、表现性评价等多种科学有效的评价方法，做到量化评价与质性评价相结合。此外，还可以借助互联网技术提升评价的可行性，如希沃、班级优化大师等，将网络学习过程留痕，记录学生的学习情况，为开展班级评价提供更加真实、准确的信息。

（四）多元化的评价主体

评价主体，是指参与教育评价活动的组织与实施，按照一定的标准对评价客体进行价值判断的个人或团体。他们在评价中控制活动的方向与进程，对确定评价问题、选择评价方法、使用评价结果起决定性的作用。[①]发展性教育评价重视评价对象的主体地位，注重评价对象的自我评价与反思[②]。因此，在实施评价的过程中，让班主任、教师、学生、家长、校领导都参与进来，打造多元的评价主体。在制定评价标准时，倾听多方意见，考虑多方需要，让班级评价成为提升学校民主化管理水平的助推器，充分调动各方参与评价的积极性，让利益相关者成为评价的主动参与者，确保评价标准的科学性与有效性。在开展评价的过程中，各方享有一定的发言权、检查权与监督权，可以就评价标准、评价内容、评价方法等评价过程中出现的任何问题发表议论，并得到一定的重视，以确保评价过程与评价结果的公平公正。评价主体之间建立平等友好的关系，彼此既是合作者、又是监督人，确保各方的利益都能得到保护，实现多主体的共同发展与进步。

综上所述，班级德育评价根据评价对象的不同可以分为学生评价、班主任评价和班级评价。评价作为一种价值判断活动，在评价标准方面，应当综合考虑国家、社会与人的发展需要，制定符合国家利益、社会进步、学生成长的评价标准，最大化地发挥评价促进学生成长、社会进步的正向功能。在评价过程方面，努力做到评价主体的多元化，将他人评价与自我评价相结合；在评价方式方面，应做到评价方式的多样化，将质性评价与量化评价相结合，让评价素材更加丰富多样；将形成性评价与终结性评价相结合，让评价更加客观公正、有迹可循。

---

① 蔡敏．论教育评价的主体多元化［J］．教育研究与实验，2003 (1) : 21.

② 董奇，赵德成．发展性教育评价的理论与实践［J］．中国教育学刊，2003 (8) : 20.

主要参考文献

一、中文文献

[1] 杨同芳 . 中学训育［ M ］. 上海 : 世界书局 , 1941.

[2] 教育部办公厅 . 教育文献法令汇编 (1949—1952 年)［ M ］. 北京 : 人民教育出版社 , 1958.

[3] 上海教育出版社 . 加强对青少年的阶级教育［ M ］. 上海 : 上海教育出版社 , 1963.

[4] 联合国教科文组织国际教育发展委员会 . 学会生存 : 教育世界的今天和明天［ M ］. 上海 : 上海译文出版社 , 1979.

[5] 华中师范学院等五院校 . 教育学［ M ］. 北京 : 人民教育出版社 , 1980.

[6] 陕西师范大学教育研究所 . 陕甘宁边区教育资料 (小学教育部分上)［ M ］. 北京 : 教育科学出版社 , 1981.

[7]《中国教育年鉴》编辑部 . 中国教育年鉴 (1949 — 1981 年)［ M ］北京 : 中国大百科全书出版社 , 1984.

[8] 中央教育科学研究所 . 中华人民共和国教育大事记 (1949 — 1982)［ M ］. 北京 : 教育科学出版社 , 1984.

[9] 中国大百科全书总编辑委员会 . 中国大百科全书・教育卷［ M ］. 北京 : 中国大百科全书出版社 , 1985.

[10] 宋恩荣 , 章咸 . 中华民国教育法规选编 (1912 — 1949)［ M ］. 南京 : 江苏教育出版社 , 1990.

[11] 朱有瓛 . 中国近代学制史料［ M ］. 上海 : 华东师范大学出版社 , 1990.

[12] 璩鑫圭 , 唐良炎 , 学制演变・中国近代教育史资料汇编［ M ］. 上海 : 上海教育出版社 , 1991.

[13] 瞿葆奎 . 教育学文集・课外校外活动［ M ］. 北京 : 人民教育出版社 , 1991.

[14] 瞿葆奎 , 雷尧珠 , 等 . 教育学文集・中国教育改革［ M ］. 北京 : 人民教育出版社 , 1991.

[15] 中国大百科全书总编辑委员会 . 中国大百科全书・社会学［ M ］. 北京 : 中国大百科全

书出版社，1991.
[16] 中共中央文献研究室．建国以来重要文献选编（第一册）[M]．北京：中央文献出版社，1992.
[17] 中共中央文献研究室．建国以来重要文献选编（第十册）[M]．北京：中央文献出版社，1994.
[18] 鲁洁，王逢贤．德育新论 [M]．南京：江苏教育出版社，1994.
[19] 高谦民．中国小学思想品德教学史 [M]．济南：山东教育出版社，1995.
[20] 吴康宁．教育社会学 [M]．北京：人民教育出版社，1997.
[21] 王宝祥，牛志强，陈燕慈．班主任工作全书 [M]．北京：专利文献出版社，1997.
[22] 顾明远．教育大辞典 [M]．上海：上海教育出版社，1998.
[23] 袁元，郑航．德育原理 [M]．广州：广东教育出版社，1998.
[24] 毛泽东文集：第 7 卷 [M]．北京：人民出版社，1999.
[25] 王道俊，王汉澜．教育学 [M]．北京：人民教育出版社，1999.
[26] 吴康宁．课堂教学社会学 [M]．南京．南京师范大学出版社，1999.
[27] 吴履平 .20 世纪中国中小学课程标准・教学大纲汇编：思想政治卷 [M]．北京：人民教育出版社，1999.
[28] 班华．发展性班级教育系统 [M]．南京：南京师范大学出版社，2000.
[29] 保罗・弗莱雷．被压迫者教育学 [M]．顾建新，等译．上海：华东师范大学出版社，2001.
[30] 孙少平．新中国德育五十年 [M]．福州：福建教育出版社，2002.
[31] 教育部政策研究与法制建设司．现行教育法规与政策选编 [M]．北京：教育科学出版社，2002.
[32] 林崇德，杨治良，黄希庭．心理学大辞典 [M]．上海：上海教育出版社，2003.
[33] 桑标．当代儿童发展心理学 [M]．上海：上海教育出版社，2003.
[34] 刘猛．新时期中学德育管理体制的反思与探索 [D]．重庆：西南师范大学，2004.
[35] 毛景焕．平等体验的生成与班级教学共同体 [D]．南京：南京师范大学，2004.
[36] 杨毅静．小学少先队教育活动有效性探究 [D]．南京：南京师范大学，2005.
[37] 檀传宝．德育原理 [M]．北京：北京师范大学出版社，2006.
[38] 李晓蕾．我国德育课程研究综述 [D]．武汉：华中师范大学，2006.
[39] 吴亚书．班级授课制的历史发展与德育改革研究 [D]．长春：东北师范大学，2007.
[40] 黄正平．班集体问题诊断与建设方略 [M]．北京：教育科学出版社，2007.
[41] 乔建中．班主任德育理论与操作 [M]．南京：南京师范大学出版社，2007.
[42] 黄河清．家校合作导论 [M]．上海：华东师范大学出版社，2008.
[43] 李志凯．中小学心理健康教育 [M]．北京：国防工业出版社，2009.

[44] 徐晓霞 . 学校道德教育的班级环境建设 [D]. 济宁 : 曲阜师范大学 , 2009.
[45] 冯刚 , 沈壮海 . 中华人民共和国学校德育编年史 [M]. 北京 : 中国人民大学出版社 , 2010.
[46] 斐迪南・滕尼斯 . 共同体与社会 : 纯粹社会学的基本概念 [M]. 林荣远 , 译 . 北京 : 北京大学出版社 , 2010.
[47] 班华 . 现代德育论 [M]. 合肥 : 安徽人民出版社 , 2011.
[48] 张香兰 . 班主任工作艺术 [M]. 北京 : 高等教育出版社 , 2011.
[49] 基伦 , 斯美塔娜 . 道德发展手册 [M]. 杨韶钢 , 等译 . 北京 : 教育科学出版社 , 2011.
[50] 翟楠 , 薛晓阳 . 小学思想品德课程 60 年 :1949 — 2009 [M]. 镇江 : 江苏大学出版社 , 2011.
[51] 吴龙远 . 青少年亚文化对中学德育的影响及对策研究 [D]. 苏州 : 苏州大学 , 2011.
[52] 周金山 . 班级管理异化研究 [D]. 武汉 : 华中师范大学 , 2011.
[53] 王志海 . 班级共同体建设 : 学校德育优化的有效途径 [D]. 南昌 : 江西师范大学 , 2011.
[54] 王洪明 . 从"管理"到"辅导": 班级变革研究 [D]. 上海 : 华东师范大学 , 2011.
[55] 李宁 . 新课程背景下学生评价的现状研究 [D]. 西安 : 陕西师范大学 , 2011.
[56] 张元贵 . 发展性教师评价体系的实践探索 [M]. 北京 : 社会科学文献出版社 , 2012.
[57] 徐敏标 . 中小学班级管理体制改革 [M]. 南京 : 南京师范大学出版社 , 2012.
[58] 付辉 . 我国中小学班主任工作职责变迁研究 [D]. 南昌 : 江西师范大学 , 2012.
[59] 齐学红 , 黄正平 . 班主任专业基本功 [M]. 南京 : 南京师范大学出版社 , 2013.
[60] 胡洋 . 改革开放以来我国中小学班主任制度研究 [D]. 长春 : 东北师范大学 , 2013.
[61] 朱涛 . 两岸中学德育课程比较研究 [D]. 武汉 : 湖北大学 , 2013.
[62] 许世红 . 基础教育学生评价研究 : 历史沿革、现实状况与未来走向 [M]. 广州 : 广东高等教育出版社 , 2014.
[63] 全国十二所重点师范大学联合编写 . 教育学基础 [M]. 北京 : 教育科学出版社 , 2014.
[64] 陈玉琨 . 教育评价学 [M]. 北京 : 人民教育出版社 , 2014.
[65] 易连云 , 等 . 变革与发展 : 中小学德育专题研究 [M]. 重庆 : 重庆大学出版社 , 2014.
[66] 王洪明 . 班级变革 : 框架与路径 [M]. 上海 : 上海三联书店 , 2015.
[67] 齐学红 . 班级管理 [M]. 北京 : 北京师范大学出版社 , 2015.
[68] 王桂艳 . 德育与班级管理 [M]. 北京 : 北京师范大学出版社 , 2015.
[69] 教育部思想政治工作司 . 加强和改进大学生思想政治教育重要文献选编 (1978—2014) [M]. 北京 : 知识产权出版社 , 2015.
[70] 王祖霖 . 大数据时代学生评价变革研究 [D]. 长沙 : 湖南大学 , 2016.
[71] 杨小微 , 李家成 . 中国班主任研究 [M], 北京 : 北京大学出版社 , 2017.

［72］教育部基础教育司 . 中小学德育工作指南实施手册［M］. 北京 : 教育科学出版社 , 2017.
［73］联合国教科文组织 . 校园暴力与欺凌 : 全球现状报告［M］. 巴黎 : 联合国教科文组织 , 2017.
［74］何光群 , 谭斌 , 田维亮 . 中小学思想政治（品德）课程与教学论［M］. 昆明 : 云南大学出版社 , 2017.
［75］李慧 . 班级建设的范式变革 : 由"班集体"到"班级共同体"［D］. 济南 : 山东师范大学 ,2017.
［76］约翰 · 格里高利 . 教学七律［M］. 陶秋月 , 译 . 北京 : 团结出版社 , 2018.
［77］郁琴芳 . 家校合作 50 例 : 区域设计与学校智慧［M］. 上海 : 华东师范大学出版社 , 2018.
［78］冯建军 . 中国教育改革 40 年 : 学校德育［M］. 北京 : 科学出版社 , 2018.
［79］曹艳菊 . 班级建设 : 从"虚假共同体"到"真实共同体"［D］. 杭州 : 杭州师范大学 , 2018.
［80］张志勇 , 赵福庆 . 中小学德育一体化原理［M］. 济南 : 山东教育出版社 , 2019.
［81］王本陆 , 王水红 . 中国教育改革开放 40 年 : 课程与教学卷［M］. 北京 : 北京师范大学出版社 , 2019.
［82］黄河 . 我国义务教育阶段学科德育研究的现状与反思 : 基于 2011—2017 年 CNKI 文献［D］. 武汉 : 湖北大学 , 2019.
［83］齐学红 . 结构与行动 : 基础教育改革的历史社会学研究［M］. 南京 : 南京师范大学 , 2020.
［84］钱铁锋 , 齐学红 . 变革学校 : 一位中学校长的口述史［M］. 北京 : 教育科学出版社 , 2020.
［85］张裕灵 . 中学生同伴关系、学校归属感与校园欺凌的关系研究［D］. 重庆 : 西南大学 , 2020.
［86］林淑云 . 初中生同伴交往现状及教育引导策略［D］. 南昌 : 江西师范大学 , 2020.
［87］葛天民 . 介绍苏联五级分制记分法［J］. 人民教育 , 1950 (4).
［88］王策三 . 论教师的主导作用和学生的主体地位［J］. 北京师范大学学报 (社会科学版),1983(6).
［89］冯向东 . 论教师在教学中的主体地位［J］. 高等教育研究 , 1987 (1).
［90］庞学光 . 对"教为主导、学为主体"的哲学思考［J］. 高等教育研究 , 1988 (4).
［91］倪高武 . 班级文化与德育的联结［J］. 河南教育 , 1994 (9).
［92］邹泓 . 同伴关系的发展功能及影响因素［J］. 心理发展与教育 , 1998 (2).
［93］徐金贵 , 颜辉荣 . 中小学家校共育现状的调查与思考［J］. 江苏教育学院学报 (社会科学版), 1999 (1).
［94］孙少平 . 建国以来我国中小学德育的历史回顾及其启示［J］. 河北师范大学学报 (教育

科学版), 1999 (4).
[95] 蔡敏 . 论教育评价的主体多元化 [J]. 教育研究与实验, 2003 (1).
[96] 周传志, 戴庆洲 . 谈建立家庭教育与学校教育的新型关系 [J]. 漳州师范学院学报(哲学社会科学版), 2003 (1).
[97] 厉爱民 . "非学校化"教育思潮对我国家校合作的启示 [J]. 中国家庭教育, 2003 (4).
[98] 董奇, 赵德成 . 发展性教育评价的理论与实践 [J]. 中国教育学刊, 2003 (8).
[99] 王琪, 刘春芸 . 生命是教育之本: 一种面对生命的教育感知 [J]. 人民教育, 2003 (8).
[100] 吴大明 . 基础教育新课程背景下的学生评价改革[J]. 滁州职业技术学院学报, 2003 (9).
[101] 江彬, 邱立中 . 科学认识档案袋评价 [J]. 上海教育科研, 2003 (11).
[102] 龚孝华 . 教育评价主题: 促进人的发展 [J]. 教育理论与实践, 2003 (18).
[103] 刘昂 . 试论新时期德育内容体系的建设 [J]. 德州学院学报(哲学社会科学版), 2004 (1).
[104] 鲁洁 . 再论"品德与生活""品德与社会"向生活世界的回归 [J]. 教育研究与实验, 2004 (4).
[105] 郑少君 . 高校师生关系影响因素与构建对策初探 [J]. 黑龙江高教研究, 2004 (4).
[106] 李伟胜 . 衡量学生成长状况 提升班级生活质量: 解读"新基础教育"班级评价方案 [J]. 中小学管理, 2004 (6).
[107] 曾湘泉, 赵立军 . 我国高等学校工资制度的历史沿革 [J]. 中国高教研究, 2004 (11).
[108] 邢利娅, 王成刚 . 我国教师与家长的合作现状分析及对策[J]. 内蒙古师范大学学报(教育科学版), 2004 (10).
[109] 越人, 蔡建兴, 邓节芳 . 努力构建家校合作的教育机制 [J]. 江西教育科研, 2005 (2).
[110] 鲁洁 . 德育课程的生活论转向: 小学德育课程在观念上的变革 [J]. 华东师范大学学报(教育科学版), 2005 (3).
[111] 钟国良, 张万山 . 试论学科德育的基本内容与功能 [J]. 天津师范大学学报(基础教育版), 2005 (3).
[112] 陈旭远, 杨宏丽 . 文化哲学视野下的师生交往 [J]. 现代教育论丛, 2005 (3).
[113] 齐学红、刘辉 . 现代家庭与学校的关系 [J]. 教育科学, 2005 (3).
[114] 吴红伟 . 论学校德育目标的偏失与回归 [J]. 西华大学学报(哲学社会科学版), 2005 (12).
[115] 费建良 . 班主任偏离德育为首理念的现状及其对策 [J]. 教学与管理, 2005 (13).
[116] 黄书光 . 变革与反思: 共和国德育的历史走向 [J]. 华东师范大学学报(教育科学版), 2006 (1).
[117] 黄河清 . 上海市家长学校现状的调查研究 [J]. 中国家庭教育, 2006 (1).

[118] 吴慧珠 . 新中国小学德育课程的演变 [J] . 课程 · 教材 · 教法 , 2006 (2).
[119] 李胜芳 . 新课程理念下学生评价方式的变革 [J] . 南阳师范学院学报 (社会科学版), 2006 (2).
[120] 张忠华 . 论德育内容选择的依据和制订的原则 [J] . 思想理论教育 , 2006 (3).
[121] 鲁洁 . 生活 · 道德 · 道德教育 [J] . 教育研究 , 2006 (10).
[122] 纪红艳 , 刘春蕾 . 儿童同伴关系研究综述 [J] . 吉林省教育学院学报 , 2008 (2).
[123] 齐学红 , 钱铁锋 . 建立班级教育小组制度 : 班级管理体制改革的尝试 [J] . 班主任之友 (小学版), 2008 (8).
[124] 程亮 . 改革开放以来我国教育价值理念的更新 : 基于基础教育宏观决策的分析 [J] . 国家教育行政学院学报 , 2008 (11).
[125] 邱伟光 . 改革开放以来中小学德育的历史沿革及其启示 [J] . 思想理论教育 , 2008 (24).
[126] 刘浩 : 大学亚文化现象分析及其对策研究 [J] . 中国电力教育 , 2008 (13).
[127] 班建武 , 檀传宝 . 改革开放 30 年中小学德育课程的变迁与发展 [J] . 思想理论教育 , 2008 (24).
[128] 周彬 , 高星原 . 学校德育变革 30 年 : 困境与突破 [J] . 教育科学研究 , 2009 (3).
[129] 刘兴春 . 家校关系的历史考察 [J] . 中小学校长 , 2009 (3).
[130] 毕世响 . 师生关系 : 以教学为交往实践的特指关系 : 亲缘伦理关系、契约伦理关系和人的关系 [J] . 上海教育科研 (理论经纬), 2009 (8).
[131] 唐翠华 . 小学生发展性评价的有效方法探析 [J] . 教育导刊 , 2009 (10).
[132] 丰娴静 . 浅谈班主任德育工作现状与对策 [J] . 现代教育科学 , 2009 (12).
[133] 李晓文 . 建构学校文化生态 : 基于"新基础教育"学生发展工作改革实践的思考 [J] . 基础教育 , 2010 (5).
[134] 张忠华 . 改革开放 30 年来德育目标的研究与反思 [J] . 教育学术月刊 , 2011 (1).
[135] 金光发 . 发展性评价在教师评价中的运用 [J] . 当代教育论坛 , 2011 (1).
[136] 卢文汇 , 连仙枝 . 对我国中小学生评价的历史研究 [J] . 晋城职业技术学院学报 , 2011 (2).
[137] 钱铁锋 . 大力推进班级教育小组制度建设 : 谈班级管理体制改革 [J] . 中国德育 , 2011 (3).
[138] 孙娜 . 厘清班主任与科任教师的角色 [J] . 教学与管理 , 2011 (8).
[139] 梁红梅 , 栾慧敏 , 戚淑芝 . 改革开放以来我国中小学生评价制度的发展与反思 [J] . 当代教育科学 , 2011 (18).
[140] 徐岩 , 丁朝蓬 , 王利 . 新课程实施以来学生评价改革的回顾与思考 [J] . 课程·教材·教法 , 2012 (3).

[141] 王斌华 . 学生评价的发展轨迹［J］. 华东师范大学学报（教育科学版）, 2012 (3).
[142] 中西 . 从一家四代看家校关系的演变［J］. 中国西部 , 2012 (27).
[143] 班华 . 德育目标应有的要求 : 民族精神与世界精神的统一［J］. 教育研究 , 2013 (2).
[144] 齐学红 . 班级社会空间 : 作为一种隐蔽课程的道德教育［J］. 班主任 , 2013 (5).
[145] 潘洪建 . "学习共同体"相关概念辨析［J］. 教育科学研究 , 2013 (8).
[146] 檀传宝 . 德育形态的历史演进与现实价值［J］. 教育研究 , 2014 (6).
[147] 檀传宝 . 德育实践的三大形态及其教育意蕴［J］. 中小学德育 , 2014 (10).
[148] 黄绍西 , 梁亮 , 等 . 广西中学（中职）共青团基层组织创新建设［J］. 教育教学论坛 , 2014 (19).
[149] 田慧生 . 落实立德树人根本任务　全面深化课程教学改革［J］. 课程・教材・教法 , 2015 (1).
[150] 董梁 , 王燕红 . 家校合作中家长边缘性参与研究［J］. 教学与管理 , 2015 (9).
[151] 刘争先 . 学科德育与教师的德育能力［J］. 教育理论与实践 , 2015 (25).
[152] 孟璨 . 师生关系的时代困境、理想样态与现实构建［J］. 当代教育科学 , 2015 (17).
[153] 郭中凯 , 章亚希 . "家校合作"中的家长主体缺失及对策［J］. 教学与管理 , 2015 (22).
[154] 李凡 . 大中小学德育资源一体化机制建设探究［J］. 黑龙江高教研究 , 2016 (5).
[155] 王洪杰 . 我国中小学隐性德育缺失实的成因与对策分析［J］. 中国教育学刊 , 2016 (9).
[156] 杜时忠 . "班主任制"走向何方？［J］. 教育学术月刊 , 2016 (11).
[157] 张文 . 新课程推进中学生评价存在的问题与对策［J］. 教育理论与实践 , 2017 (2).
[158] 周化光 . "家校社"一体德育课程引领学生成长 : 基于学生积极同伴关系的构建［J］. 江苏教育 , 2017 (5).
[159] 齐学红 . 论班级治理方式的三种变革［J］. 中国德育 , 2018 (1).
[160] 王吉康 , 徐继存 . 改革开放 40 年我国师生关系研究的回顾与反思［J］. 现代基础教育研究 , 2018 (3).
[161] 张银梦 . 我国中小学学生评价存在的问题及对策研究［J］. 决策探索 (下), 2018 (6).
[162] 齐学红 . 从校长生活史透视学校变革一项口述史研究［J］. 教育发展研究 , 2018 (6).
[163] 冯建军 . 四十年德育改革的中国道路与中国经验［J］. 东北师大学报 (哲学社会科学版), 2018 (6).
[164] 王琴 . 从教师权威的消解与重构看师生冲突的化解［J］. 中国教育学刊 , 2018 (7).
[165] 孙晓晖 , 王天贵 . 让每位孩子真正成为班级管理的主人 : "智囊团—担当"班级自主管理模式的实践［J］. 中国德育 , 2018 (8).
[166] 高玉旭 . 改革开放 40 年来我国基础教育课程改革回顾与展望［J］. 上海教育科研 , 2018 (9).

[167] 王梓露 . 校园欺凌问题成因与预防分析 [J]. 法制博览, 2018 (29).
[168] 欧阳国亮 . 试论班级文化建设的原则与策略 [J]. 新教育, 2019 (3).
[169] 车丽娜, 徐继存 . 我国师生关系研究 70 年: 历程与反思 [J]. 河北师范大学学报 (教育科学版), 2019 (4).
[170] 纪海龙, 等 . 略论学科德育的内涵、内容与实施 [J]. 中国德育, 2019 (4).
[171] 申军红 . 基于人本位的学科德育内涵与实施策略 [J]. 基础教育课程, 2019 (5).
[172] 车言勇, 王金德 . 学科德育让教学回归育人本位 [J]. 中国教育学刊, 2019 (7).
[173] 张方雪 . 少年儿童校园人际关系建构策略研究 [J]. 河南科技学院报, 2019 (8).
[174] 王越, 潘宝红 . 新中国成立 70 年来师生关系研究回顾与展望 [J]. 教师教育论坛, 2019 (10).
[175] 张聪 . 班集体建设还有意义吗? ——对我国七十年班级教育的追问与审思 [J]. 湖北社会科学, 2019 (12).
[176] 张先翱 . 论少先队组织教育的四个特征 [J]. 中国德育, 2019 (13).
[177] 余婧 . 中小学隐性德育课程的缺失及重建 [J]. 教学与管理, 2019 (15).
[178] 冯建军 . 立德树人的时代内涵与实施路径 [J]. 人民教育, 2019 (18).
[179] 夏建平 . 阳光教育小组: 对班级管理体制的改革 [J]. 华夏教师, 2019 (16).
[180] 洪婕 . 新中国 70 年德育政策的历史变迁研究: 基于历史制度主义的分析视角 [J]. 中国德育, 2019 (18).
[181] 栾阿诗, 吴志成, 刘迪 . 关怀伦理学视域下师生关系的困境及重建 [J]. 教学与管理, 2019 (33).
[182] 尹艳秋 . 核心价值观教育班级化的必要性与路径: 基于对《中小学德育工作指南》的解读 [J]. 江苏教育, 2019 (55).
[183] 李泽林, 等 . 新中国成立 70 年学校德育价值取向的三次转型 [J]. 中国教育科学, 2020 (2).
[184] 林克松, 熊晴 . 走向跨界融合: 新时代劳动教育课程建设的价值、认识与实践 [J]. 湖南师范大学教育科学学报, 2020 (2).
[185] 袁梅, 原子茜 . 新中国中小学德育课程变迁: 历程、特点与趋势——基于政策工具的视角 [J]. 教育学术月刊, 2020 (2).
[186] 章乐 . 论新时代中小学教师的德育意识和能力培养 [J]. 中国教育学刊, 2020 (6).
[187] 刘雪莲, 范国睿 . 新时代中小学德育改革发展的目标与策略: 全国教育大会以来中小学德育改革的政策述评 [J]. 教育科学研究, 2020 (6).
[188] 叶飞, 檀传宝 . 德育一体化建设的理念基础与实践路径 [J]. 教育研究, 2020 (7).
[189] 董筱婷 . 把握规律不断创新, 构建德育工作新格局: 全国中小学德育工作会议经验交

流综述［J］. 人民教育, 2020 (7).
［190］王牧华, 刘玲. 面向学生核心素养的课程经历：理论内涵、分析框架与实践路径［J］. 课程・教材・教法, 2020 (7).
［191］顿继安, 白永潇, 王悦. 挖掘价值点・找准渗透点：让学科德育真实落地［J］. 中小学管理, 2020 (11).
［192］孙勇. 基于学生生命成长的数字化评价系统应用与实践［J］. 新课程, 2020 (47).
［193］佘林茂. 走向教师领导：学校日常生活中的班主任角色构建［J］. 苏州大学学报 (教育科学版), 2021 (1).
［194］赵敏, 黄明亮, 何晋铭. 新时代中小学师生关系的现实图景与和谐之道：基于全国1669名中小学教师的调查［J］. 教育研究与实验, 2021 (1).
［195］李滨, 李兵, 张志维. 课程思政建设的育人价值与实践研究［J］. 职业技术, 2021 (2).
［196］林丹, 王静, 白秋晶. 改革开放以来我国中小学德育政策分析：内容、特点与走向［J］. 教育科学研究, 2021 (2).
［197］冯玲. 同伴关系和社会群体对大学生德育的影响［J］. 中国多媒体与网络教学学报 (中旬刊), 2021 (6).
［198］赵德成. 中小学学生评价改革的思路与建议［J］. 人民教育, 2021 (8).
［199］宫福清, 张鹏. 学生为什么不再敬畏教师？——兼论师生命运共同体的构建［J］. 当代教育科学, 2021 (11).
［200］冯永刚. 中小学德育课程建设的回顾与前瞻［J］. 教育研究, 2021 (12).
［201］王晓彤. 从学校德育根系生长看班级文化的生成机理［J］. 教育理论与实践, 2021 (20).
［202］朱元嘉, 蔡和. 师生互动中班主任双重角色的意义呈现［J］. 教学与管理, 2021 (27).
［203］肖鹃. 教会孩子健康地与同伴交往［J］. 江苏教育, 2021 (28).
［204］柯政. 学生生评价改革的难为、应为、须为［J］. 教育发展研究, 2021 (18).
［205］张善超, 杨美佳. 新时代中小学生评价改革的趋向与路径［J］. 福建教育, 2021 (18).
［206］陆道坤. 新时代大中小学课程思政一体化的内涵、难点及优化路径［J］. 新疆师范大学学报 (哲学社会科学版), 2022 (2).

二、外文文献

[1] Thomas Liciona. Education for Character: How Our Schools Can Teach Respect and Responsibility [M]. New York: Bantam Books, 1991.
[2] William M. Bukowski, Besty Hoza, Michel Boivin. Popularity, friendship, and emotional adjustment during early adolescence [J]. London New Directions for Child and Adolescent Development, 1993.

后　记

《班级德育研究》一书的诞生，首先得益于《中国德育研究大系》丛书的整体策划与组织实施，还有出版社的相关领导与各位编辑的全力支持。从组织筹划、结构框架、内容体例，到呈现方式，充分体现了团队合作、专业引领的优势。班级德育作为中国特色学校德育的重要组成部分，无论在组织方式、制度建设、内容形式等诸多方面，都呈现出中国特色社会主义教育的独特性，对新中国成立以来班级德育的历史、现实与未来，对中国式班级德育的内涵与外延、体例与框架、目标与内容、途径与方法、主体与关系、对象与评价等内容进行系统的梳理本身，在中国德育发展历史上尚处于领先地位，这样的研究无疑具有重要的历史意义和现实意义。我国中小学班级德育实践有着非常丰富的内容和创新性的实践探索，而对这些实践活动进行理论化的梳理与系统化的反思，也体现了德育理论工作者应有的实践关怀。

该书作者由高校理论工作者和中小学实践工作者构成，写作过程也是理论与实践的对话过程。主要任务分工如下：第一章　班级德育的基本理论研究（齐学红、杨雪），第二章　班级德育的主体与关系（杨雪、邵东红、姚晓欢、赵婷），第三章　班级德育目标与内容研究（徐美琪、宫婷婷、汪婷），第四章　班级德育路径与方法研究（雷虹、颜雪艺、张伟），第五章　班级德育的实施与评价研究（王鹏真、凌荷仙、张慧 ）。因时间因素以及个人能力有限，该书还存在很多不足之处，希望今后能不断修改完善。

齐学红 写于南京朗诗国际

2023 年 7 月 31 日